カウントダウン
TOKYO
1964

カラーギャラリー

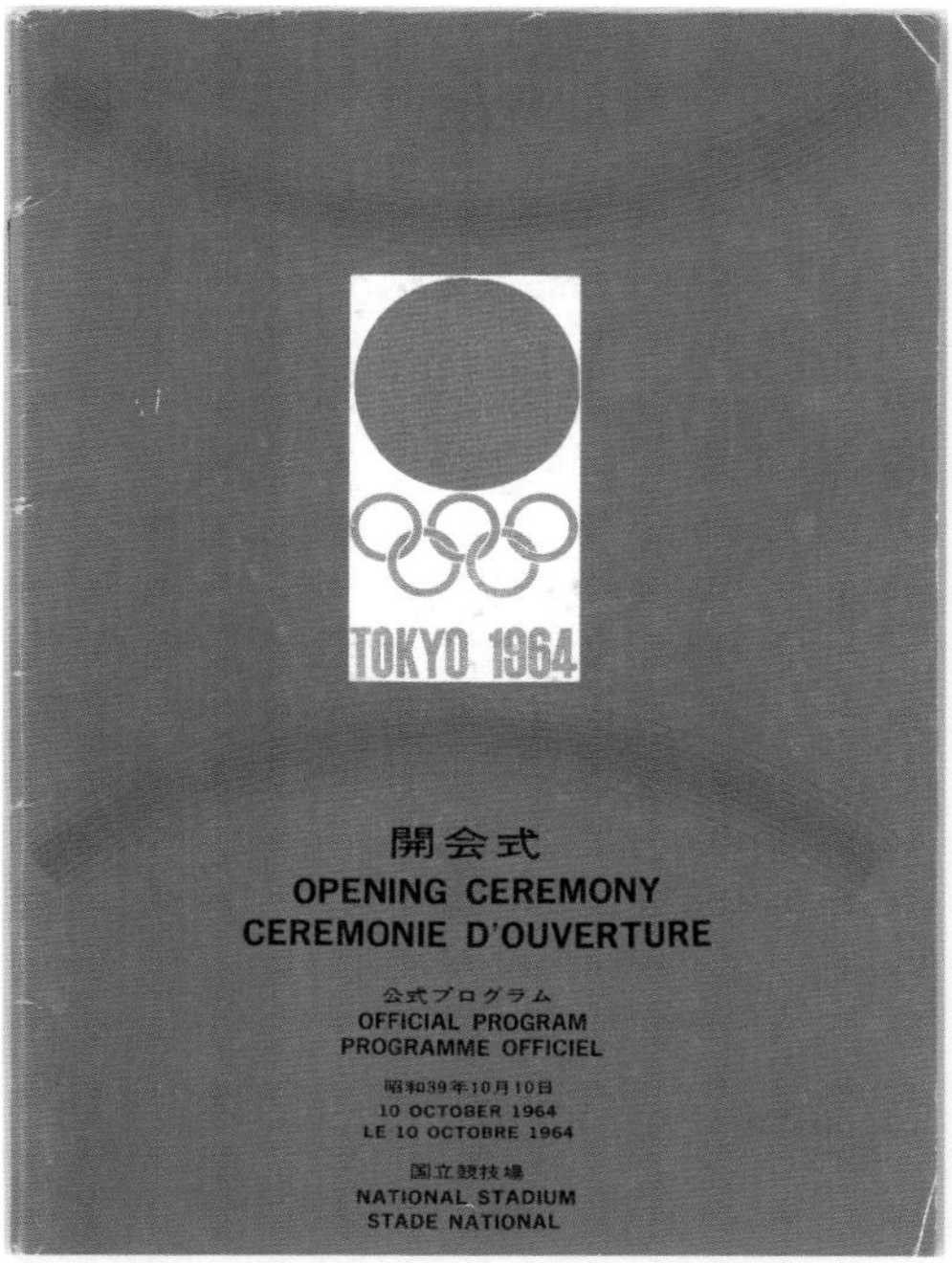

東京大会開会式プログラム

（『開会式公式プログラム』
〈オリンピック東京大会組織委員会〉より／提供：沼口正彦）

1964（昭和39）年10月10日に行われた開会式の進行が網羅されている。日・英・仏併記で表紙も入れて44ページ。このプログラム上では、まだ北朝鮮やインドネシアも参加している状態である。

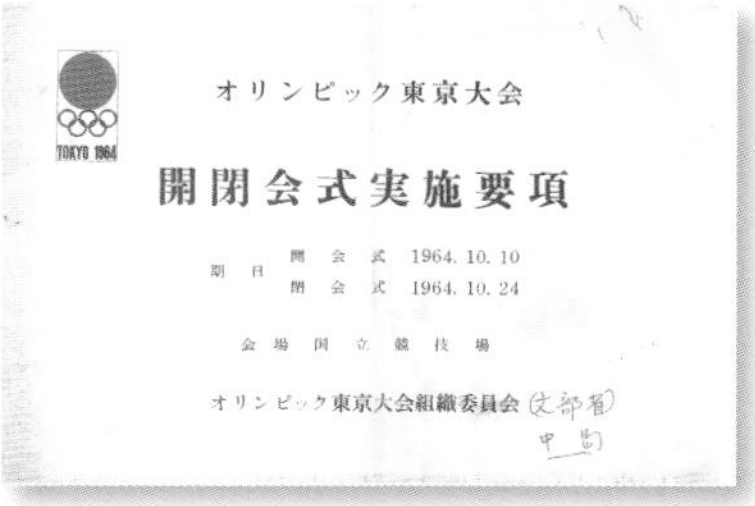

TOKYO 1964

オリンピック東京大会

開閉会式実施要項

期日　開会式　1964. 10. 10
　　　閉会式　1964. 10. 24

会場　国立競技場

オリンピック東京大会組織委員会　文部省
中島

東京大会開閉会式実施要項

（『オリンピック東京大会開閉会式実施要項』
〈オリンピック東京大会組織委員会〉より／
提供：池田宏子、池田剛）

東京大会の開閉会式の進行や詳細をまとめた、関係者用の冊子。式典副本部長の中島茂（P26、P32、P52、P129、P258参照）が持っていたもの。

アレカ・カッツエリ歓迎パーティー招待状

（提供：熊田美喜／協力：阿部美織、阿部芳伸、阿部哲也）

当時の富士フイルム社長の小林節太郎が、聖火採火式で主巫女に扮したギリシャ女優アレカ・カッツエリを日本に招いた際に開いた歓迎パーティーの招待状。ただし、小林はカッツエリが来日するまで彼女とはまったく面識がなかった（P214参照）。

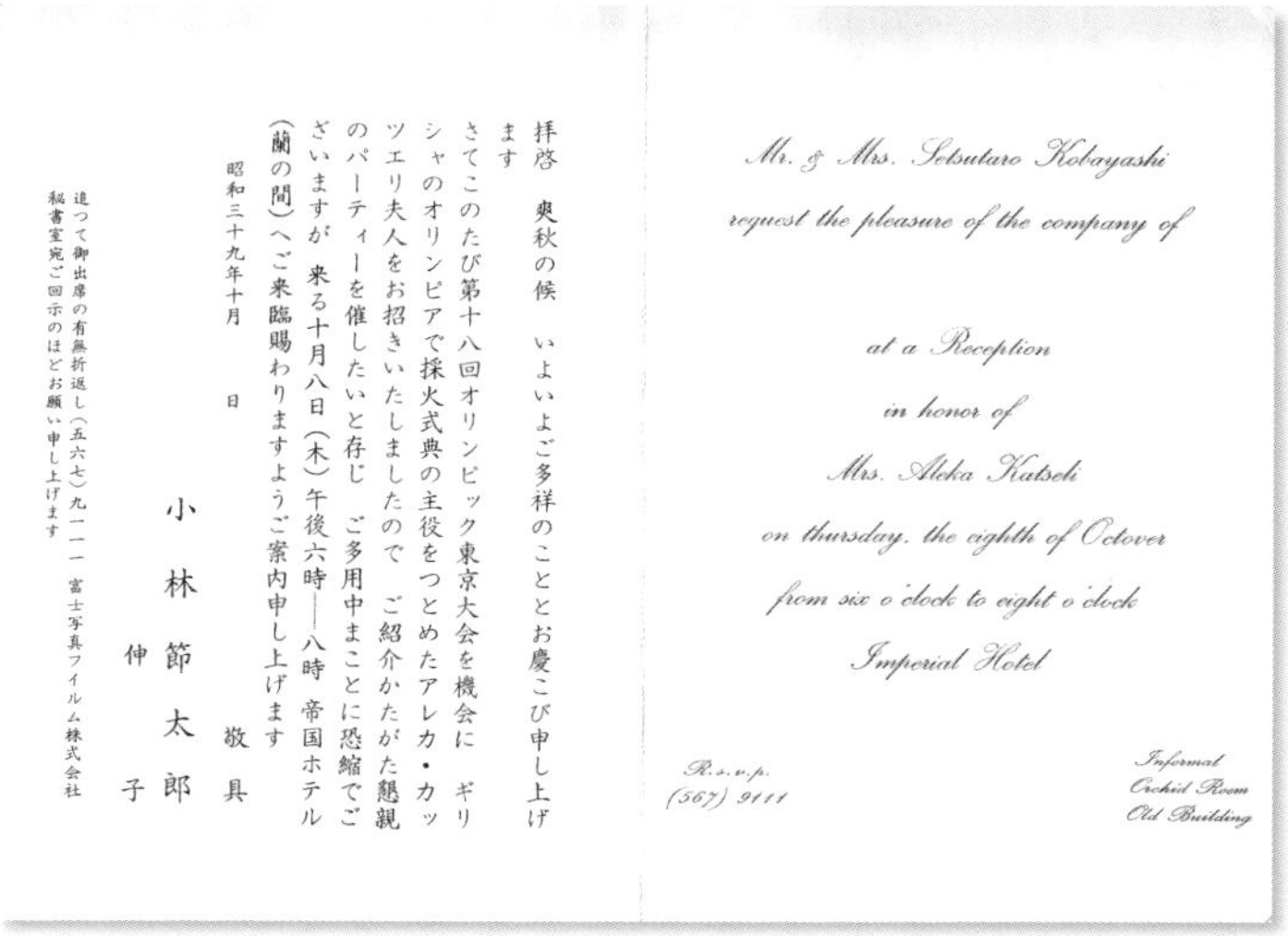

拝啓　晩秋の候　いよいよご多祥のこととお慶こび申し上げます

さてこのたび第十八回オリンピック東京大会を機会にギリシャのオリンピアで採火式典の主役をつとめたアレカ・カッツエリ夫人をお招きいたしましたので　ご紹介かたがた懇親のパーティーを催したいと存じ　ご多用中まことに恐縮でございますが　来る十月八日（木）午後六時――八時　帝国ホテル（蘭の間）へご来臨賜わりますようご案内申し上げます

敬具

昭和三十九年十月　日

小林節太郎
伸子

追って御出席の有無折返し（五六七）九一一一　富士写真フイルム株式会社秘書室宛ご回示のほどお願い申し上げます

Mr. & Mrs. Setsutaro Kobayashi
request the pleasure of the company of

at a Reception
in honor of
Mrs. Aleka Katseli
on thursday, the eighth of Octover
from six o'clock to eight o'clock
Imperial Hotel

R.s.v.p.
(567) 9111

Informal
Orchid Room
Old Building

海外向け広報パンフレット

東京大会の組織委員会が1962（昭和37）年に制作した海外向け東京大会広報パンフレット「TOKYO INVITES…」には、日本の子ども向け伝統行事、日本におけるオリンピックの歴史、日本におけるスポーツの歴史（何と「蹴鞠」にまでさかのぼる！）、日本にオリンピックをもたらした嘉納治五郎（P29参照）の紹介、現代日本のスポーツ事情、東京の観光案内、東京大会の施設紹介……などの他、亀倉雄策の東京大会エンブレムに決定する前の他の候補作なども紹介されていて興味深い。

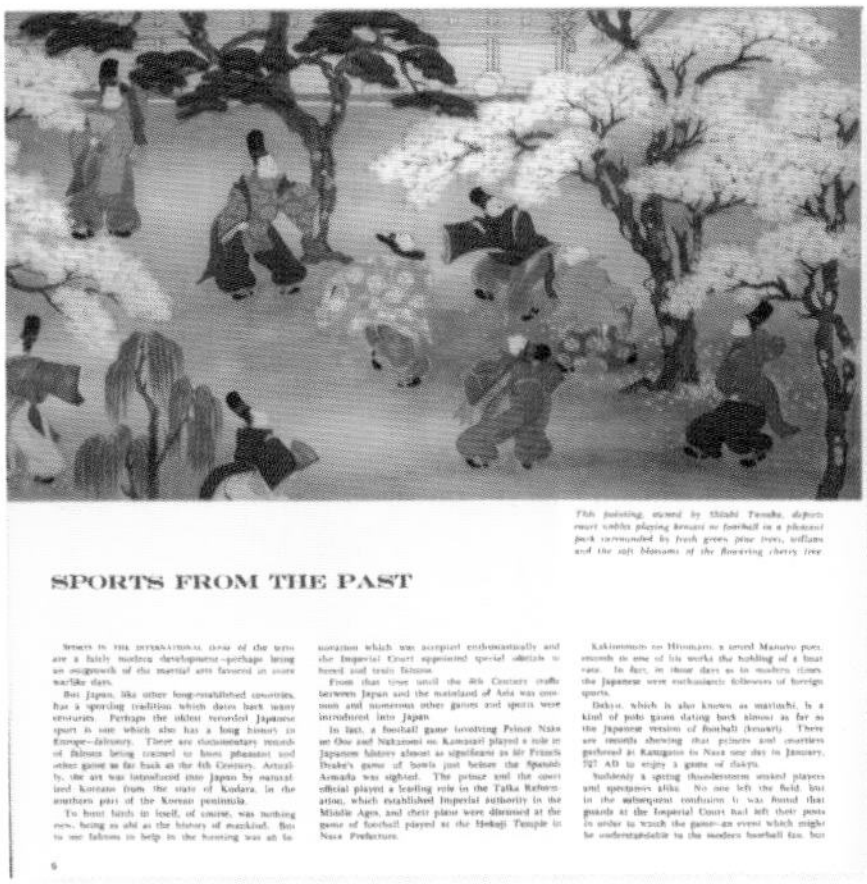

TOKYO 1964 メモリアル

↑
Automobiles on parade along the newly opened Super-Express Highway No. 4 which connects Tokyo Downtown with Shinjuku and International Airport in 15 minutes each. On the right hand side is the National Stadium. Taken from a helicopter.

→
Looking down the most beautiful scenery Chidori-ga Fuchi along the Super-Express Highway No. 4. Taken from a helicopter

28

『This is DAI-ICHI HOTEL』は、東京・新橋の第一ホテル（現・第一ホテル東京）が外国人観光客向けに出していた定期刊行物らしく、内容は館内の施設紹介から東京の観光案内など盛りだくさん。この『VOL. 5, NO. 2』は「Special Olympic Issue」と題して、オリンピック観光客目当ての特集号となっている。

昭和39年7月7日発行

〈ベルリーナ〉〈ハイライン〉による
オリンピア⇨東京 聖火コース18,000キロ走破 ニュース
★主催／毎日新聞社・後援／外務省・協賛／ダイハツ工業株式会社

（写真はトルコ・アンカラ付近の山間部を走るベルリーナとハイライン）

聖火コース走破隊、クウェート到着
車は快調、隊員も全員元気

【クウェートにて7月2日徳岡走破隊長発】6月12日オリンピアを出発した＜ベルリーナ＞＜ハイライン＞による「聖火コース走破隊」は、19日目の7月1日午後1時（日本時間午後7時）、砂アラシを越えて気温45度のクウェート（クウェート国）に到着した。
さる6月22日午前0時20分、レバノンのベイルートについた走破隊は25日シリアのダマスカスへ向かい、26日ヨルダンのアンマンへ、27日はアンマンを出発イラクのルトバ、そしてシンドバッドの街バグダッドまで、灼熱のシリア砂漠約1,000キロドライブを2日間で走破した。
引きつづいて30日午後3時バグダッドを出発、徹夜でチグリス川ぞいに南へ760キロの旅、車は快調に走り、隊員も全員元気でクウェート入り、税関吏や一般市民の心からの握手で迎えられた。とくに歓迎されたのは前もって＜ベルリーナ＞に書かれた"アラブと日本はいい友だち"という文字であった。
このあと走破隊は3日イラン国テヘランへ向けて出発するが、シリア砂漠の走破成功から一行の意気が大いにあがっている。

ダイハツ

ダイハツ工業株式会社 宣伝課

（提供：ダイハツ工業株式会社）

コンパクトなファミリーカーのコンパーノ・ベルリーノ２台とハイライン・トラック１台でユーラシア大陸をクルマで横断する「聖火コース走破隊」（P80 参照）は、毎日新聞社とダイハツ工業が組んで実施したプロジェクト。ギリシャのオリンピアからカルカッタ（現・コルカタ）までの国外コースを走破した後、第２部として鹿児島から東京までの国内コースまで完走した。

1964年聖火のオデッセイ

（Image courtesy of George and Manos Marsellos ／
協力：GreeceJapan.com）

1964（昭和39）年8月21日の聖火採火式でリレーの「第一走者」ヨルゴス・マルセロス（P148参照）は、10月10日の開会式当日にギリシャ選手団の旗手も勤めた。

（提供：日本航空）

国外聖火リレーで空輸に起用されたのは、日本航空運航によるダグラスDC-6B「シティ・オブ・トウキョウ」号である。だが、その「トウキョウ」号に、香港でピンチが訪れる（P190参照）。

（提供：日本航空）

1964年8月26日、テヘランのメヘラバード空港に到着した時の様子。ペルシャ発祥のポロの選手たちが馬に乗って待機しているのが見える。

（提供：久野明子）

9月3日朝、クアラルンプール・スンガイベシ空港での出発前の様子である。握手している人物の右側が聖火空輸派遣団の高島文雄団長。サングラスをかけた聖火係の中島茂の姿も見える。

（提供：日本航空）

9月7日の正午、聖火特別機「シティ・オブ・トウキョウ」号を歓迎するために沖縄の那覇空港に集まった3000人を超す人々（P194参照）。

（提供：久野明子）

1964年8月28日にインドのカルカッタ（現・コルカタ）から聖火空輸派遣団に参加し、国外聖火リレーの後半部分で通訳を務めた組織委員会渉外部の渡辺明子（P172参照）。8月31日にタイのバンコクで撮影された写真である。

（提供：ANA）

鹿児島空港での記念式典の様子（P200参照）。聖火トーチを 掲げているのは、本土第1走者・鹿児島高校体育助手の高橋律子。背後に見えるのは、全日空運航のYS-11「聖火」号である。このセレモニーには聖火空輸派遣団の中島茂と森谷和雄も参加していた。

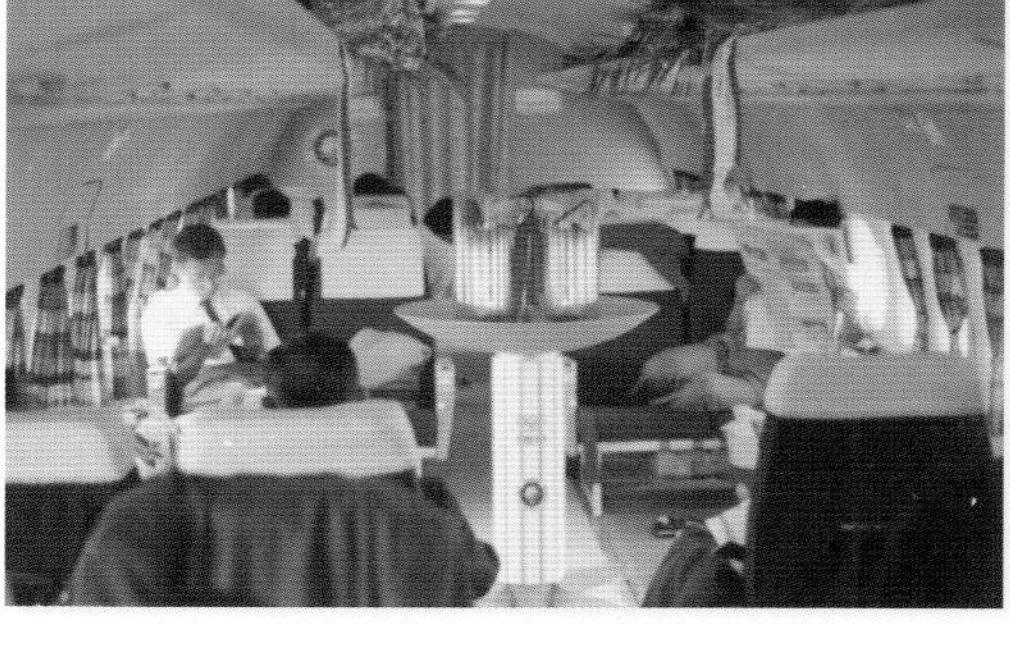

（提供：沼口正彦）

YS-11「聖火」号の機内。客室の中央部に据え付けられているのが聖火台である。鹿児島、宮崎……と聖火を降ろすたびに、座席上の収納棚に歓迎セレモニーでもらった花束が溜まっていった。

1964年10月10日ラストラン

（提供：後藤和夫）

第一引継地点の桜田門で第一走者の福地徳行から聖火を引き継いだ第二走者の後藤和夫（写真・上）は、第二引継地点・三宅坂まで走った（写真・下）。

（提供：池田元美）

第三引継地点・参議院議長公邸前で第三走者の後藤秀夫から聖火を引き継ぐ第四走者の池田元美（写真・左）。写真・右は、当時住んでいた自宅（三鷹市）の庭にて聖火リレー後に撮影。1964年東京大会では、聖火ランナーは全員トーチを無償で贈呈された。

（提供：飯島浩）

神宮外苑正面の青山入口三又路までの銀杏並木の道を走る第五走者の飯島浩。一度左手に持ち替えたトーチを、再び右手に持ち替えている。

（提供：岡野政子）

第五走者・飯島浩から聖火を受け取るため待機中の第六走者・青木政子（写真・上）。第七走者・鈴木久美江が待つ絵画館横まで、神宮外苑円周道路を走る（写真・下）。

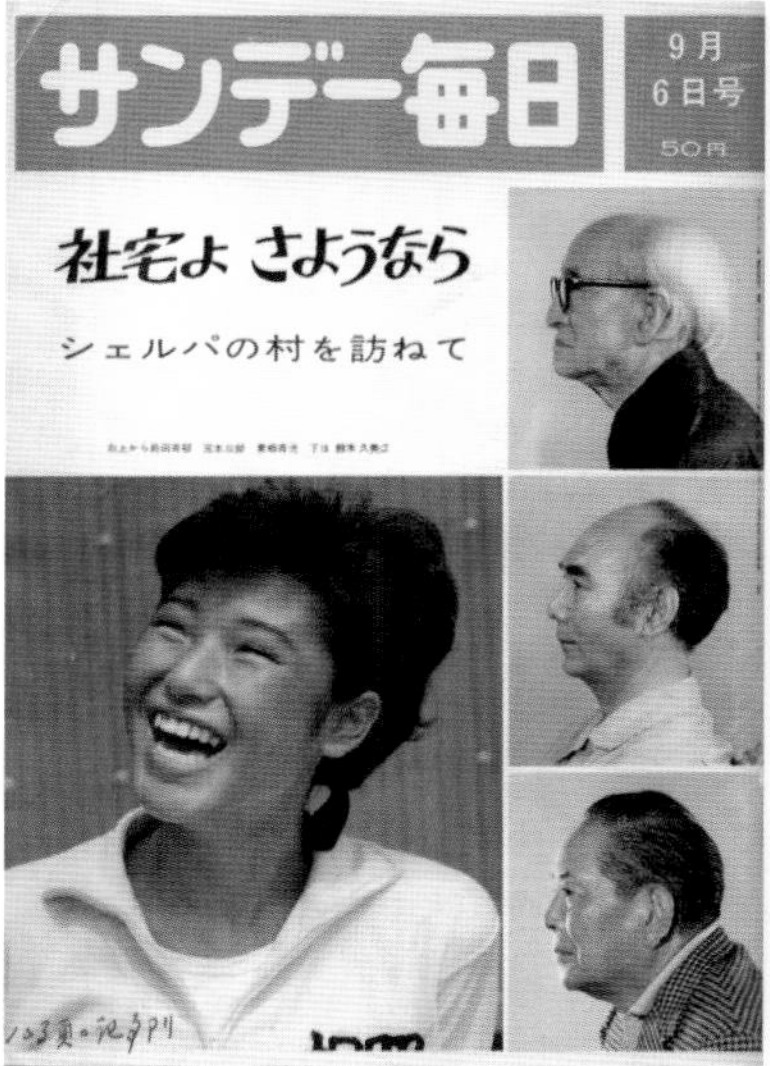

（提供：井街久美江）

『サンデー毎日』1964 年 9 月 6 日号の表紙に起用された鈴木久美江。右側は上から前田青邨、宮本三郎、東郷青児……の画家 3 人という不思議な組み合わせである。

角田俊男氏・カラー写真展

1964（昭和 39）年 10 月 10 日開会式当日、国立競技場そばで入場する選手団らを撮影した角田俊男（P263 参照）。当時はまだ珍しかったカラー・フィルムで撮影されたそれらの写真は、退色した色合いですら味わい深いものがある。

最終走者・坂井義則の待つ国立競技場近くへ向かう第七走者・鈴木久美江（P274 参照）。

一番手として入場したギリシャ選手団。旗手はヨルゴス・マルセロス（P264 参照）。

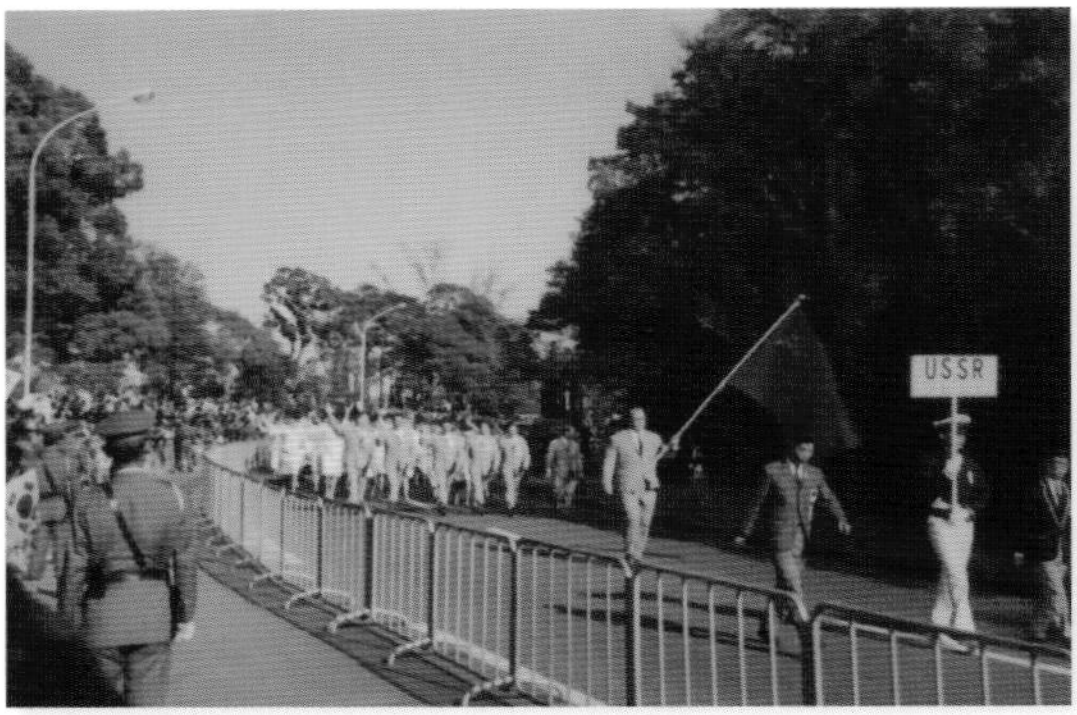

ソ連選手団の一行。

一番最後に入場する日本選手団。

みずき書林

緊急事態 TOKYO 1964

聖火台へのカウントダウン

夫馬信一 著

(1)　3版▲　昭和39年(1964年) 10月10日　土曜日　朝日新聞（夕刊）　28291号

東京オリンピック開く

94国が堂々入場

天皇陛下 開会を宣言

さっそうと入場する日本選手団
国立競技場で＝午後二時四十五分撮影

開会を宣言される天皇陛下

雲ひ

開会式当日夕刊の一面

（1964〈昭和 39〉年 10 月 10 日付け『朝日新聞』夕刊より／提供：国立国会図書館）

1964（昭和 39）年 10 月 10 日、東京大会開会式の模様を報じる新聞紙面。この日の新聞各紙夕刊はどこも「これしかない」とばかりに似たり寄ったりの紙面であった。こちらは朝日新聞の一面である。

Musa, mihi causas memora, quo numine laeso,
quidue dolens regina deum tot uoluere casus insignem pietate uirum,
tot adire labores impulerit.
tantaene animis caelestibus irae?

ムーサよ、そのわけをわたしに語れ。なにゆえ御心が傷つけられ、
何を憤ってのことか、神々の女王が、幾多の危機に臨むよう、
幾多の苦難に立ち向かうよう、敬虔心の篤い勇士を
苛んだのは。かほどの憤怒を天上の神々が胸に宿すのか。

ウェルギリウス

〈『アエネーイス』〈京都大学学術出版会・刊〉より／岡道男・高橋宏幸の訳による〉

Contents

プロローグ　2020年3月20日

航空自衛隊松島基地……9

ジス・イズ・トーキョー2020！　10

「逆風」吹き荒れる中の到着　10

「今回」の最終聖火ランナーは誰か？　12

パンデミックという名の「逆風」　14

最後に控えていた「伏兵」　18

第1章　1958年～1963年

東京オリンピック前史……23

1　東京に聖火を取り戻せ　24

聖火最終ランナーの先駆者　24

あの時と同じドイツの地で　28

2　シルクロードの呪い　32

ローマの日本人たち　32

世界のイトウからクロサワへ　36

3　ジャカルタの嵐　40

魔女の季節　40

「千里馬《チョルリマ》」の報、千里を走る　46

「年齢性別は一切を問わない」　50

コラム1　もうひとりの聖火第一走者　54

第2章　1964年1月～6月

オリンピックの年……55

1　キャメラを回せ　56

白いワーゲンのマイクロバス　56

世界に響く『抱きしめたい』　60

「オリンピック映画」本格始動　64

2　TOKYOへと草木もなびく　68

チャンスの予感と災厄の前兆　68

—洋の東西で「オリンピック映画」 72

3 「あと半年」に迫る中で 74

「直前の予行演習」だった新潟国体 74

沖縄の第一走者は日本の第一走者 76

西ドイツ隊と聖火コース走破隊 80

コラム2 知られざる東京五輪映画 86

第3章 「最終日」ランナーたちの招集 1964年7月〜8月 …… 87

1 躊躇している段階ではない 88

セイロン島から海を超えて 88

水面下で動き出した「最終日」リレー 92

翼よ、あれが五輪の灯だ 98

2 めでたさも中くらいなり 102

郷里に届いたハガキ 102

—勝利を手放しで喜べたのか 106

—ミッションは道半ば 110

3 聖火ランナーって何だろう? 116

戦火広がる中を 116

過熱するスクープ合戦 122

旅立ちの日 128

コラム3 聖火台への階段 134

第4章 感染爆発の危機 1964年8月〜9月 …… 135

1 聖火リレーが始まる 136

「最終」ランナー決定の裏で 136

白地の旗を掲げた朝 142

ただ一言「グッドラック」と 148

2 首都圏に迫る悪夢 152

「異変」は水面下で起きていた 152

「これはコレラじゃないのか?」 158

—準備は粛々と進む 166

3 事態は収束に向かう 172
「秘密」でいられる幸運 172
間の悪い「平和の使者」 180
コレラ鎮圧は成功したか 184
コラム4 五輪成功祈願のマラソン一家 188
第5章 聖火リレーとカオス 1964年9月 189
1 ハイテンションな日々 190
危機また危機の香港〜沖縄 190
すべては熱気の中で 194
黒子に徹した男たち 198
2 各自東京をめざせ 204
村祭りの日 204
高みから望む景色 210
左手は不浄なるもの 216
コラム5 ネパールの聖火リレー 222
第6章 北の国から 1964年10月1日〜9日 223
1 荒波を越えて 224
何から何まで本番さながら 224
千客万来の日々 230
「聖火遊び」はもうおしまい 238
2 開会式前日 240
時間だけが空費されていく 240
一瞬の再会と別離 246
雨は降っていたか 250

第7章 1964年10月10日
開会式当日……255
1 ――――
私は東京大会を生きた 256
抜き差しならない事情 256
毎日が日曜日だ！ 262
2 ――――
祭壇を灯すために 268
世界はひとつ、なのか？ 268
その空の彼方には 270
エピローグ 1964年10月10日〜現在
東京大会開会式後……281
宴が終わった後で 282
TOKYO1964を通過した人々 282
あとがき 286
参考文献 297
協力 300
スタッフ 301

〈凡例〉

・登場する人物名は、基本的にすべて敬称略で表記した。
・海外の国名・地名等や書籍・雑誌・映画などの題名は、一部を除いてほぼ当時の表記をそのまま採用。ただし、場合によっては現在の名称も併記した。
・引用文中に現在では不適当と思われる表現があった場合でも、当時の歴史的背景なども考慮した上で、できる限りそのままで残した。例えば、現在では「キャビン・アテンダント」「フライト・アテンダント」「CA」などと呼ばれる旅客機の女性客室乗務員の名称についても、本書では時代色を重視して、基本的にかつて一般的に使われていた「スチュワーデス」という名称を使用。航空会社によっては「エア・ホステス」などの名称も一時的に使われていたが、混乱を避けるため「スチュワーデス」にほぼ統一した。

＊使用した画像の一部には、著作権所有者が不明でご連絡できないものがありました。ご存知の方は、発行元までご一報ください。なお、本書の記事・画像について、無断で転載することを禁じます。

プロローグ

2020年3月20日
航空自衛隊松島基地

東京 2020 大会カウントダウン・クロックがカウントダウン停止

（提供：ユキカゼ〈@NAVY_ICHIHO〉）

2020（令和 2）年 3 月 24 日、夜 8 時より安倍晋三内閣総理大臣（当時）と IOC（国際オリンピック委員会）トーマス・バッハ会長の電話会談が行なわれ、安倍総理より東京 2020 大会を 1 年程度延期することを提案。バッハ会長もこれに同意した。その直後、予定されていたオリンピック開会式の 1 年前にあたる 2019（令和元）年 7 月 24 日から東京駅前に設置されていたカウントダウン・クロックの表示が、それまでのカウントダウンから普通の時計に変わった。

ジス・イズ・トーキョー2020！

「逆風」吹き荒れる中の到着

二〇二〇（令和二）年三月二〇日の早朝、宮城県東松島市の航空自衛隊松島基地。徐々に集まり始めていた報道関係者たちは、みな寒そうに肩をすぼめていた。この日、現地は朝から身を切るような強風が吹き荒れていたのである。報道関係者はその場にいたスーツの人物に詰め寄り、何かを聞き出そうとせっかちに問いつめる。

「この天候なので、ひょっとするとこちらには着陸できないかもしれません」

「えっ、じゃあどこに降りるんですか?」

「ここがダメなら、たぶん降りるのは羽田でしょう」

朝早くからわざわざ松島基地まで集まって来た報道関係者たちは、一様にゲッソリした表情を浮かべる。それもそのはず。羽田到着では、彼らがはるばる東京から松島基地まで来た甲斐がない。おまけにこの尋常ではない強風である。報道関係者たちは、現地到着の時点ですでに疲弊していた。

彼らが待っていたのは、二〇二〇年東京オリンピックのための聖火とそれを運ぶ聖火特別輸送機だ。聖火の日本到着によって、東京二〇二〇大会の開催気運はいよいよ盛り上がるはずであった。聖火こそ、近代オリンピックの「華」だからである。

ピエール・ド・クーベルタン男爵の提唱で一九〇〇（明治三三）年の第一回大会からスタートした近代オリン

ピックには、当初「聖火」というものは存在していなかった。しかし、一九二八（昭和三）年の第九回アムステルダム大会に登場して以来、「聖火」は欠くことのできないアイテムとなった。さらに、一九三六（昭和一一）年ベルリン大会からは「リレー」という要素も加わり、一段と華やかなものとなっていったのである。

一九六四（昭和三九）年に行われた「前回」の東京オリンピックの際も、聖火リレーは空前のスケールで行われて反響を呼んだ。もちろん「今回」の東京二〇二〇大会開催にあたっては、聖火リレーに至るまで「前回」を大いに意識していることは間違いない。

ギリシャのオリンピアで採火された「今回」の聖火は、すでにアテネの空港を飛び立って一路日本へ向っていた。その聖火が降りる日本で最初の場所が、松島基地だったのである。ここで盛大な到着セレモニーを行った後、聖火は宮城、岩手、福島という東日本大震災の被災地で巡回展示。さらに、三月二六日から福島県で国内聖火リレーがスタートして、この年の夏に開催されることになっているオリンピックに向けて全国を駆け巡ることになっていた。この日はその第一歩となる予定だった訳だ。

だが、このあいにくの強風では今日はどうなるか分からない。まして到着予定である午前一一時まではまだかなり時間があるため、報道関係者たちの緊張感はいささか途切れがちである。

ところがそんなこちらの意表を突くかのように、唐突にボーイング787-8の白い機体が東側から出現。同基地の滑走路25にさりげなく着陸するではないか。ANA・JAL共同輸送による聖火特別輸送機「TOKYO 2020号」の、予定より一時間以上早い現地到着である。あわや「松島基地着陸回避」という最悪の事態を半ば覚悟していた人々の間に、安堵の吐息が漏れる。

だが、それはまだ波乱の前触れに過ぎなかった。二〇二〇年大会とその聖火に吹いていた「逆風」は、それだけではなかったのである……。

「今回」の最終聖火ランナーは誰か？

「聖火はみなさんのお楽しみで」と、狂言師の野村萬斎は報道陣に向って語った。

聖火到着式からふた月ほどさかのぼる二〇二〇（令和二）年二月七日、都内で東京二〇二〇オリンピック・パラリンピック大会の開会式・閉会式アシスタントキャスト募集記者会見が行われた際、今回の最終聖火ランナーについて問われた時のことである。当時、野村は東京二〇二〇大会の開会式・閉会式のチーフ・エグゼクティブ・クリエイティブ・ディレクターとして演出を統括する責任者であり、聖火リレーの最終ランナー選考についても承知しているはずの人物だった。しかし野村は「お楽しみ」と答えただけで、後は沈黙を守った。

近代オリンピックを盛り上げる聖火リレーでは、開会式で聖火台に点火する最終聖火ランナーが最も注目される存在である。過去のオリンピック・メダリストや名選手が起用されることも多いが、必ずしもそればかりではない。一九九六（平成八）年のアトランタ大会ではボクシングのモハメッド・アリが登場し、パーキンソン病で手を震わせながら点火。二〇〇〇（平成一二）年のシドニー大会では陸上選手キャシー・フリーマンが最終ランナーとなったが、彼女は開催国オーストラリアの先住民アボリジニ出身だった。そして、二〇一六（平成二八）年のリオデジャネイロ大会で最終ランナーを務めたのはマラソン選手バンデルレイ・デ・リマ。彼は二〇〇四（平成一六）年アテネ大会でトップを走りながら、沿道から妨害を受けて三位に。それでもくじけず完走したことで、ＩＯＣから「ピエール・ド・クーベルタン・メダル」を授与された人物である。

一九六四（昭和三九）年の「前回」東京大会では、早稲田大学一年生の陸上選手である坂井義則が選ばれた。オリンピック選手でもなく決して知名度も高いとはいえない坂井だったが、彼にはあまりにも強烈なバックグラウンドがあった。いわゆる「原爆っ子」……である。

一九四五（昭和二〇）年八月六日、広島県の生まれ。「戦後復興」を象徴するかのようなその生い立ちは、敗戦後二〇年も経たない時点で開催される「世紀の祭典」のシンボルとして、まさにうってつけの存在であるように思われただろう。以来、坂井は一九六四年東京五輪の最終聖火ランナーであると同時に、常に「原爆っ子」として語られるようになる……。

このように、最終聖火ランナーにはいつしかドラマティックな背景が望まれるようになっていた。当然、東京二〇二〇大会においても、何らかの「ドラマ」が求められていたはずである。フィギュアスケート男子で五輪二連覇の羽生結弦の名が挙っていたのは、彼が東日本大震災で被災した宮城県出身であったことが大きいだろう。その他にも、プロ野球の長嶋茂雄、メジャー・リーグのイチロー、女子サッカー「なでしこジャパン」の澤穂希、マラソンの高橋尚子、テニスの大坂なおみ……などなど、数多くの人々の名前が浮上していた。

レスリングの吉田沙保里に至っては、二〇一三（平成二五）年九月にハンガリーのブダペストで行われた世界選手権で世界大会一四連覇を成し遂げた際に「最終ランナーをやりたい」と自ら立候補した。二〇一九（令和元）年一〇月には、吉田は東京二〇二〇大会のためのアテネでの聖火引継式で柔道の野村忠宏とともに聖火を受け取り、日本へ運ぶという大役に起用される。さすがにギリシャから聖火を受け取ることになって当初の最終ランナー志望を「軌道修正」するかと思いきや、吉田はその発表記者会見でも「最初と最後の〝聖火総取り〟を狙ってます」と発言。並々ならぬ最終聖火ランナーへの意欲を伺わせた。

このように、最終聖火ランナーの座の「争奪戦」がもつれ込む最中である。開会式演出のハイライトとなる最終聖火ランナーの人選やその点火方法について、野村萬斎が軽々しく口外できる訳もなかった。

だが、そんな話題を気楽に話していられるのも、せいぜいこの時期までだったのかもしれない。

それから一週間も経たない二〇二〇年二月一三日、神奈川県在住の八〇代の女性がひとりで息を引き取った。それは、日本国内における新型コロナウイルス感染者の、初の死亡者だった……。

パンデミックという名の「逆風」

「それ」の起源がいつか……という事実の追究は、今後の調査研究に任せるしかない。

しかし日本におけるその第一報がいつかといえば、それはいよいよ「オリンピック・イヤー」を迎えようとしていた二〇一九（令和元）年一二月三一日、まさに大晦日の午後に共同通信から配信された一本の記事ということになるだろう。中国湖北省武漢市当局の発表として、市内の医療機関で二七人がウイルス性肺炎を発症したことを伝えた簡単な記事である。まさかこの小さな記事が世界を揺るがす大ニュースに発展するとは、その時は誰も考えなかったに違いない。

同じ頃、東京都新宿区の真新しい国立競技場では、夕暮れが迫る頃から照明を点灯させていた。同年一一月にできたばかりのこの競技場では、数々のテストに余念がなかった。照明点灯もその一環だったはずである。それは、明日から始まる「オリンピック・イヤー」を祝福するかのように見えた。

だがその頃には、「それ」はすでに足元に忍び寄っていたのだ。

二〇二〇（令和二）年一月一五日、日本国内で初めての感染者を確認。これは武漢に渡航歴のある中国人だったが、そこからの展開が早かった。一月二二日には、二月三日～一四日まで武漢で開催される予定だったボクシング東京五輪アジア・オセアニア予選が中止。翌二三日には、中国政府が武漢市を封鎖した。二九日には、武漢からの邦人帰国者を乗せたチャーター便第一便が羽田に到着。二月三日には、感染者を乗せていると見られるクルーズ船「ダイヤモンド・プリンセス」号が横浜港に入港した。今にして思えば、野村萬斎に聖火最終ランナーに関する質問が飛んだ二月七日とは、もはやそんなことをお気楽に聞いている時期ではなかった。

だが、筆者も含めて日本での一般的な感覚は、まだ「対岸の火事」的なものであったことは否めない。二〇〇三（平成一五）年にアジアに蔓延したＳＡＲＳ（重症急性呼吸器症候群）にしても、日本では大事にはならなかったではないか。我々はどこかでそう思っていたはずだ。ましてオリンピックに影響があるなど……。

過去を振り返っても、一九二〇(大正九)年の第七回アントワープ大会は、スペイン風邪の世界的な流行がありながら何とか開催された。ただし、スペイン風邪の流行は開催前に終息に向っていたらしく、むしろ第一次世界大戦によるダメージの方が大きかったらしい。二〇一六(平成二八)年の第三一回リオデジャネイロ大会の際にも中南米におけるジカウイルスの蔓延が心配されていたが、五輪への影響はほとんどなかったようだ。このような「前例」も影響して、当初は東京二〇二〇大会の開催が楽観視されていたのかもしれない。

二月一五日には聖火リレー公式アンバサダーを務める女優の石原さとみらも参加して、東京都羽村市、国分寺市、八王子市で聖火リレーのリハーサルが行われる。リレーのプレゼンティングパートナーであるコカ・コーラの華やかな特殊車両も隊列に加わり、本番さながらの賑やかさ。多くの見物人が押し寄せた。だが、同じ日にフランスでは、新型コロナウイルスによる同国初の死者が出ていた。

二月一九日にはロンドン市長選に出馬予定の保守党公認候補ショーン・ベイリーが、ツイッターで「ロンドンで五輪を開催する準備がある」と発言。現職のサディク・カーン市長も、地域紙に「必要とあれば、ロンドンは最大限の努力で応じる」と表明した。不安が漂い出した東京大会を横目で見てのコメントだった訳だが、戦前一九四〇(昭和一五)年開催予定だった「幻」の東京五輪の前途が怪しくなった時にも、ロンドンは「代打」に名乗りを上げていた。忌まわしい過去を想起させられる、ありがたくない申し出だ。しかも、その後のヨーロッパの状況を考えると、これらの威勢のいい提案がいかに無謀の極みだったかが分かる。

二月二六日には日本政府が大規模イベントの自粛を要請。三月一日には日本全国で学校の一斉休校が始まって、「それ」はもはや人ごとではなくなる。三月五日にはこの年に予定されていた中国の習近平国家主席訪日の延期が発表され、ギリシャでは保健省がオリンピアを含む地域で人が集まるイベントを禁止。翌三月六日には、

ＥＸＩＬＥ ＨＩＲＯが監督を務める予定だったアテネにおける聖火引継式での文化パフォーマンスが取りやめになった。このパフォーマンスに、小学生から高校生までのキッズ・ダンサーが出演することになっていたためである。東京二〇二〇大会への新型コロナウイルスの影響が、徐々に具体的なカタチで波及して来た。

三月一一日、やっとＷＨＯが新型コロナウイルスによる肺炎を「パンデミック」と認定するに至って、東京二〇二〇大会の夏開催に黄信号が灯り始める。三月一二日には、オリンピアでの聖火採火式を無観客で実施。ギリシャの射撃選手で金メダリストのアンナ・コラカキが史上初の女性第一走者となって、ギリシャ国内の聖火リレーがスタートした。しかし、事ここに至っても東京二〇二〇大会開催を危ぶむ声は後を絶たない。そんな不安が現実となってしまいそうな出来事が、三月一三日に起こった。

ギリシャ西部のスパルタで、その「事件」は起こった。聖火リレー二日目にあたるこの日は、ハリウッドの人気スターであるジェラルド・バトラーが聖火ランナーとして走っていた。中継地点でトーチの炎を聖火皿に移したバトラーは、自身の出世作である『３００（スリー・ハンドレッド）』（二〇〇七）でのキメ台詞「ジス・イズ・スパルタ（これがスパルタの流儀だ）！」をもじって吠える。

「ジス・イズ・トーキョー・トウエンティートウエンティー！」

周囲に集まったファンは大いに熱狂。従来ならば、バトラーは盛り上げ役として貢献したといえるだろう。しかし、トウエンティートウエンティー（２０２０）の年にこれはまずかった。沿道やセレモニーにスター見たさの人々が集まり過ぎたため、感染拡大を懸念した政府からの要請でギリシャ・オリンピック委員会は以降のギリシャ国内での聖火リレーをすべてキャンセルすると決定。前日一二日に同国初のコロナウイルス感染症による死者が出たことも、あまりにタイミングが悪かった。

こうして、ギリシャ国内での聖火リレーは前代未聞の中止に追い込まれてしまったのである。

If the Olympic Games are Offer to London

英國スポーツ界を打診する

〝われにこの準備あり〟

東京大會奪取の魂膽

語るに落ちた英誌

「幻」の東京五輪に対するロンドン代替開催案

（1938〈昭和13〉年2月16日付け『東京日日新聞』より／提供：国立国会図書館）

1940（昭和15）年に開催が予定されていた東京オリンピックは、さまざまな準備の遅れや泥沼化する日中戦争などで先行きの不透明感が徐々に増していった。そんな最中にイギリスのスポーツ誌『イラストレイテッド・スポーティング・アンド・ドラマティック・ニュース』が採り上げた「ロンドン代替開催案」を紹介する新聞記事。

国立競技場と五輪モニュメント

東京2020大会のメイン・スタジアムとして使用される新しい国立競技場は、2019（令和元）年11月に完成。その手前に見える五輪モニュメントは、日本スポーツ協会や日本オリンピック委員会、日本オリンピックミュージアムなどが入るJAPAN SPORT OLYMPIC SQUAREの北側庭園に設置されたもの。2020（令和2）年3月5日に撮影。

最後に控えていた「伏兵」

二〇二〇（令和二）年三月二〇日の航空自衛隊松島基地に停まった、ボーイング787-8「TOKYO 2020号」の機体。そこにつけられたタラップを、風に煽られながらふたりの人物が上っていく。

レスリングの吉田沙保里と柔道の野村忠宏である。

本来ならば、吉田と野村は「TOKYO 2020号」から聖火を持って降りて来るはずではなかったか。なぜ、このふたりが日本国内で聖火を迎えることになったのか……。実はギリシャ国内での聖火リレー中止から、あらゆる予定が玉突き状態で次々と変更されていったのである。

ANAとJALの共同運航である「TOKYO 2020号」は、三月一八日に羽田空港を出発。だが、その機内には吉田、野村はおろか、組織委員会の森喜朗会長（当時）らも乗り込んではいなかった。すでに彼らが現地に乗り込めないほどに、ギリシャの状況は悪化していたのだ。そのためワイドボディ機のボーイング787-8を飛ばしながら、客室に聖火を灯した聖火灯を乗せた他はほぼ「ガラガラ」状態で日本に戻って来た。そこで、日本国内にとどまった吉田と野村が、到着した機内から聖火灯を受け取るという段取りになった訳である。

聖火歓迎セレモニーも新型コロナウイルス蔓延のため大幅に縮小・簡略化されていたが、それはむしろ幸いだったというべきだろう。とにかくこの日の風は冷たく、そしてきつかった。あまりの強風で、東北新幹線が午前九時過ぎから午前一〇時一〇分頃まで東京～新青森間で運転を見合わせるほど。いかにセレモニーを簡素化したとはいえ、壇上に立つ側も周囲で見ている側もこの強風下ではつらいものがあった。今回の聖火関連のイベントでは、不運にも何ひとつスムーズに運ばないように思えた。

いや、それは必ずしも聖火に関することだけではなかったのではないか。

新たな国立競技場のプランに始まって、大会エンブレムの問題、競技会場の問題、暑さ対策の問題、一時は聖

聖火特別輸送機「TOKYO 2020 号」の出発
（協力：イカロス出版株式会社・『月刊エアライン』編集部）
ANA と JAL の共同輸送による聖火特別輸送機、ボーイング 787-8「TOKYO 2020 号」は、2020（令和 2）年 3 月 18 日 12 時 51 分、両社の社員約 30 人が手を振り見送るなかを第 3 ターミナルの 112 番スポットから出発。しかし、アテネに聖火を受け取りに行く同機には、レスリングの吉田沙保里、柔道の野村忠宏のふたりのオリンピアンはおろか、森喜朗組織委員会会長（当時）らまでもが乗り込んでいなかった。

東京 2020 大会・
聖火の日本到着
（協力：イカロス出版株式会社・『月刊エアライン』編集部）
2020（令和 2）年 3 月 20 日午前 11 時 30 分頃、「TOKYO 2020 号」機内から聖火灯を受け取った吉田沙保里、野村忠宏のふたり。ドアの左右には共同輸送を担当した ANA、JAL の CA が並んで立つ。この日の松島基地には北北西の風、最大瞬間風速およそ 50 ノットの暴風が吹き荒れており、一時は「TOKYO 2020 号」の基地への着陸も危ぶまれていた。

火空輪に使われると噂された三菱「ＭＲＪ（現・スペースジェット）」の度重なる開発遅延、マラソン・競歩開催地の札幌市への移転……などなど。次から次へと押し寄せる難問を乗り越えながら、ついに迎えた二〇二〇年、まさかこのような「伏兵」が最後の最後に控えていようとは……。

そんな状況を象徴するような場面が、セレモニーの「ヤマ場」に待ち構えていた。

寒風吹き荒れる松島基地の上空に、巨大な五つの輪がスモークで描かれる。航空自衛隊ブルーインパルスによる五輪展示飛行……あの一九六四（昭和三九）年東京大会、その開会式の再現を誰しも連想する場面だ。

「あの日」の空に描かれた五輪は、幼かった筆者の眼にも強烈に焼き付いている。

抜けるように真っ青な空に、クッキリと描かれた五つの輪。それが筆者の五輪「原体験」である。それと比べてしまうと、ちぎれたように乱れた雲が空を覆っている時点で、この日はすでに分が悪かった。そこに例の強風である。ブルーインパルスが描く五輪は、空に吐き出されるそばから風にかき消されていく……。

ブルーインパルスの名誉のためにいわせてもらえば、彼らはキッチリと仕事をしていた。練習では二〇二〇年一月二四日朝から、すでに空に見事な五輪を描いていた。この日も五輪の直後に「リーダーズベネフィット」の展示飛行を行っており、こちらは見事に成功させている。むしろ、この強風の中で無事に展示飛行を終えたことこそを賞賛すべきだろう。劣悪な条件での展示飛行を強いられたのが気の毒なのである。

その後もコロナの猛威は衰えず、わずか四日後の三月二四日には、二〇二〇大会の延期が決まる。だが、延期決定後もトラブルの連鎖は止まらない……。

空に描かれた五輪に象徴されるように、一九六四年大会とはあまりに対照的な成り行き。「前回」が「成功体験」として人々に記憶されているだけに、そう感じられてしまうのも無理はないかもしれない。

だが、それは本当なのか。一九六四年大会は、順風満帆で万事スムーズにいった大会だったのだろうか？

強風に煽られた五輪展示飛行

（協力：イカロス出版株式会社・『月刊エアライン』編集部）

2020（令和2）年3月20日、航空自衛隊松島基地での聖火到着セレモニーのヤマ場は、1964（昭和39）年東京大会開会式の再現とでもいうべきブルーインパルスによる五輪マーク展示飛行だった。しかし、この日はあいにくの強風で、空にスモークで描かれた五輪はたちまち崩れてしまうという残念な結果となった。

IOCバッハ会長と安倍首相（当時）の電話会談

（出典：首相官邸ホームページ）

2020（令和2）年3月24日午後8時より、安倍晋三首相（当時）と国際オリンピック委員会（IOC）のトーマス・バッハ会長によって行われた電話会談。その場で安倍首相より東京2020大会の1年程度延期が提案され、バッハ会長はこれに同意した。写真は首相官邸にて撮影。左から、小池百合子東京都知事、ひとりおいて橋本聖子五輪担当大臣（当時）、安倍晋三首相（当時）、組織委員会の森喜朗会長（当時）、菅義偉官房長官（当時）。

おもな登場人物

●**後藤和夫**
「最終日」聖火ランナー第二走者。横須賀高 3 年。

●**池田元美**
「最終日」聖火ランナー第四走者。都立西高 3 年。

●**飯島浩**
「最終日」聖火ランナー第五走者。匝瑳〈そうさ〉高 2 年。

●**青木政子**
「最終日」聖火ランナー第六走者。飯能高 3 年。

●**鈴木久美江**
「最終日」聖火ランナー第七走者。桐朋学園女子中 3 年。

●**落合三泰**
「最終日」聖火ランナー、最終走者である坂井の控え。目黒高 2 年。

●**福地徳行**
「最終日」聖火ランナー第一走者。旭丘中 3 年。

●**後藤秀夫**
「最終日」聖火ランナー第三走者。春日部高 3 年。

●**岡島貴敏**
「最終日」聖火ランナーもうひとりの控えの走者。日比谷高 2 年。

●**坂井義則**
「最終日」聖火ランナー最終走者。早大 1 年。

●**宮城勇**
沖縄聖火リレー第一走者。琉球大 4 年。

●**藤縄忠**
航空自衛隊ブルーインパルス隊員。

●**松井公一**
映画「東京オリンピック」キャメラマン。

●**中島茂**
組織委員会メンバー、聖火空輸派遣団では聖火係。

●**菅野伸也**
組織委員会メンバー、聖火空輸派遣団では報道担当。

●**久野明子**
組織委員会メンバー、聖火空輸派遣団では通訳。

●**沼口正彦**
YS-11 国内聖火空輸「第 4 のパイロット」。

●**山之内憲夫**
聖火空輸機の YS-11 試作 2 号機飛行試験主任。

●**板倉洋子**
全日空スチュワーデス、聖火空輸機 YS-11 に乗務。

●**エーリッヒ・ディーツ（Erich Dietz）**
西ドイツの写真屋、東京ドライブ旅行を決行。

●**ヘルムート・ビューラー（Helmuth Buller）**
ディーツの東京ドライブ旅行に同行した若者。

●**フランシス・ヨウ（Francis Yeo）**
「オリンピック・エッセイ・コンテスト」入賞者。

●**辛金丹（シン・グムダン）**
北朝鮮の女子陸上選手、「世界最速の女」。

●**辛文濬（シン・ムンジュン）**
韓国に在住する辛金丹の生き別れた父親。

●**ヨルゴス・マルセロス（George Marsellos）**
1964 年東京五輪の聖火第一走者。

●**アレカ・カッツエリ（Aleka Katselli）**
1964 年東京五輪聖火採火式・主巫女役の舞台女優。

●**イエンセン夫妻**
デンマークからの東京五輪観光客。

●**牛塚虎太郎**
戦前「幻」の東京五輪招致時の東京市長。

第 1 章

1958年～1963年 東京オリンピック前史

第３回アジア競技大会の男子選手村だった第一ホテル

（提供：株式会社阪急阪神ホテルズ　第一ホテル東京）

1958（昭和33）年５月24日～６月１日に東京で開催された第３回アジア競技大会は、同時に東京五輪の予行演習としても機能していた。その男子選手村には、戦前の「幻」の東京五輪を睨んでオープンした新橋の第一ホテルを使用。ちなみに、女子選手村は高輪プリンスホテルであった。

1. 東京に聖火を取り戻せ

聖火最終ランナーの先駆者

聖火を掲げた白いウェア姿のランナーが、国立競技場に入って来る。その時、競技場内の歓声は最高潮に達した。まさに劇的な一瞬……だが、これは一九六四（昭和三九）年の東京オリンピック、その開会式の光景ではない。そもそも、走っている聖火ランナーは御年五三歳となる初老の男。一九二八（昭和三）年のアムステルダム五輪、三段跳の金メダリストである織田幹雄だ。

この日は一九五八（昭和三三）年五月二四日。ここ東京の国立競技場で行われていたのは、オリンピックならぬ第三回アジア競技大会の開会式である。

その一〇日前の一九五八年五月一四日、東京のＮＨＫホールで第五四回ＩＯＣ総会が開かれ、東京はオリンピック第一八回大会の招致に正式に名乗りを挙げた。そのためこのアジア競技大会は、世界から集まったＩＯＣ委員に対して、東京に国際的なスポーツイベントを開催する能力があることをアピールする場となった。それと同時に、東京五輪の「予行演習」的な性格も帯びていたのである。

その証拠に、このアジア競技大会では「聖火リレー」が行われることになった。

第一回も第二回も、アジア競技大会には「聖火」などなかった。第三回東京大会から、初めて聖火リレーが始まったのである。東京「オリンピック」を意識していなかったはずがない。さすがにギリシャのオリンピアに

友情の輪—限りない前進

アジア大会開会式をみて

若くて健康な名優たち

第三回アジア競技大会は二十四日午後の開会式の巧みな演出によってまことにうまく動き始めた。しかもそれは規模の大きい、壮麗なものだった。十分練習を積んだとのことではあるが、時間的に少しのズレもなく、舞台は正味一時間、息つくひまもなく大きく印象的に回った。国立競技場をうめた八万の大観衆は感動してたえまもなく拍手をおくった。二十ヵ国、千七百余の選手団それ自体が飾り気のない若い巧まぬ健康な名優だったことはいうまでもない。

ファンファーレが鳴り響くと「限りない前進！」の横額が電光板に輝いた。アフガニスタンがスタンドの北側入口に現われたとき二度目の拍手がわき起こった。ビルマ、カンボジア、セイロン、大部隊の国府などについて七番目にインドが行進した。アジアを一つに結ぶこの大会を提唱したインドに対しては割れるような拍手と喚声がわき起こった。地中海に臨むアジアの西の端からきたイスラエルにはスタンドいっぱいに八度目の歓呼がおくられた。祖国をもため流浪の民として二千年もの間、世界をさまよいつづけたユダヤ民族の子孫たちである。国創り十年の喜びと誇りに胸を張って行進していったが、彼らは十分祝福されてよかった。十六番目に前大会の開催国フィリピンの大部隊が進んだ。スポーツをする若者たちの面には戦争の悲しゅうを越えて、この日を共にする喜びの色がうかがえた。

希望に輝くその国旗

タイ、ベトナムについて最後に日本が姿を見せた。日の丸の旗はあざやかにはえ、ぴったりそろった六列縦隊の足並みはまだ崩れていない日本の若さを示すものであった。何度目かの拍手と歓呼はスタンドをゆるがした。参加国の多くは戦後に独立を勝ちとった新興国家で、彼らの先頭に立つ国旗は希望に輝いているようだった。

躍進するアジアの姿が

行進するものの数はオリンピック競技にはおよばないとはいえ第一回大会の五百、第二回大会の八百をはるかに越えるもので、この間七年、躍進しつづけたアジア・スポーツの姿をそのままに見せてくれた。この日大きな感動をうけた人々はこの祭典が回を重ねるごとに次第に大きく発展し、やがてオリンピック競技につぐ世界的大事業になることを願ったようだ。何しろ地球の上で陸地の三分の一を占め、世界総人口の半数以上の十五億を数えるアジアである。しかもひとしく次の新しい文化のにない手になろうとしている。今回参加できなかった他の国々もこの開会式の盛儀を知っ

第 3 回アジア競技大会開会式の様子

（1958〈昭和 33〉年 5 月 25 日付『毎日新聞』より／提供：国立国会図書館）

1958（昭和 33）年 5 月 24 日、国立競技場における第 3 回アジア競技大会開会式を報じた新聞記事。写真右は、1928（昭和 3）年のアムステルダム大会で日本人として初の金メダリストとなった織田幹雄が、最終ランナーとして聖火台に点火した様子。織田は当時 53 歳。写真左は、参加各国の国旗に囲まれて選手宣誓をする高橋進選手である。この開会式は 8 万人の大観衆を集め、参加 20 か国の代表選手 1412 人が入場した。

第 3 回アジア競技大会・聖火空輸での中島茂

（提供：朝日新聞社）

第 3 回アジア競技大会の聖火をマニラから運んで来た、同大会式典委員の中島茂（写真中央の聖火灯を手に持っている人物）。背景は、聖火を載せて来た航空自衛隊の対潜哨戒機 P2V-7。中島の左は、式典委員長を務めた松沢一鶴。このふたりは、引き続き 1964（昭和 39）年の東京オリンピック聖火リレーにも関わることになる。1958（昭和 33）年 4 月 25 日、鹿屋飛行場にて撮影。

は行かなかったものの、四月二二日に前回第二回大会の開催地マニラでオリンピック同様に集熱鏡を使って採火。その聖火を日本に持ち帰って、国内で聖火リレーを行ったのである。

その聖火を運んだ人々の中に、文部省から招集された中島茂という男がいた。佐賀県立三養基中学校（旧制、現・佐賀県立三養基高等学校）の陸上部に在籍中、一六〇〇メートル・リレーで日本記録を打ち立てた彼は、佐賀県の体育教師から文部省入りした人物。「役人らしからぬ」無骨で豪快な男だった中島は、後に一九六四年東京大会で大役を果たすことになる。だが、その前にアジア大会でも重要な仕事が待っていた。

「アジア大会聖火リレーのアンカー織田幹雄さんをコーチしたことです」……一九六四年四月三〇日付スポーツ中国に掲載されたインタビュー記事の中で、中島茂は「今までで楽しかったこと」を尋ねられてそう答えた。加えて中島は、「七日間早朝の国立競技場でリハーサルをしたんです」とニコニコ顔で語っている。しかし、実際に練習をする織田幹雄にとっては、「楽しい」とばかりもいっていられない体験だったようだ。

「昨年暮から練習のスタートを切ったが、思いがけぬ身体の故障に幾度か苦しめられた。五月に入って本式の練習では、走り方、階段昇り、点火に、それぞれ苦心を要し、式典委員を悩ませもした」……一九五八年五月二五日付朝日新聞に寄せた文章で、織田はこう綴っている。中島茂の手を煩わせたことを、申し訳なく思っていたようなのだ。織田はこうも語った。「あの八十五段の階段昇りは若い人に走らせたかった」

開会式での織田の走りを見て、同様の思いを抱いた人物がいた。一九三二（昭和七）年ロサンゼルス五輪の銅メダリスト、元・三段跳びの世界記録保持者である大島鎌吉である。当時、毎日新聞運動部の記者だった大島も、一九五八年五月二五日付の同紙に次のように書いている。「烈風は場内を一周する五十四才（本文ママ）の歩調を無慈悲にも乱し勝ちであった」

この両者の思いは、一九六四年東京大会の聖火ランナー選考に大きな影響を与えることになる。

第３回アジア競技大会・
最終聖火ランナーの織田幹雄

（提供：日刊スポーツ）

第３回アジア競技大会の聖火最終ランナーに起用された織田幹雄が、東京陸上記者会から贈られたユニフォームを手にする様子。1958（昭和33）年５月23日に撮影。日本人初のオリンピック金メダリストである織田幹雄は、1905（明治38）年生まれで当時すでに53歳。式典委員の中島茂に助けられてトレーニングにも励んだようだが、実際はかなりきつかったようだ。

昭和39年(1964年)　7月3日　(金曜日)　13版●　(14)

日の丸を再びこの手に

選手団長に選ばれた大島鎌吉氏

強い自信秘めて

「金メダル15個はとります」

戦後の体育理論を指導

後に東京五輪選手団長となった大島鎌吉

（1964〈昭和39〉年７月３日付『毎日新聞』より／提供：国立国会図書館）

1964（昭和39）年の東京オリンピックで、1932（昭和11）年ロサンゼルス大会銅メダリストの大島鎌吉が選手団長に選ばれたことを報じる記事。第３回アジア競技大会当時は毎日新聞の運動部記者であった大島は、すでに初老の域に達していた織田幹雄の最終聖火ランナー起用だけでなく、「マニラからの聖火リレーが青少年の手によらずに年老いた地方のいわゆる名士によって運ばれたこと」についても紙面で苦言を呈していた。

あの時と同じドイツの地で

夜空に場違いな白い旗が掲揚され、集まった人々の歓声がわき上がる。たった今、掲げられたばかりの白い旗は、色の異なる五つの輪が描かれたオリンピック旗だ。

一九五九（昭和三四）年五月二六日午後八時四〇分、東京・神田駿河台にあった岸記念体育会館前の広場でのことである。つい先ほど、電話で「第一八回オリンピック東京招致決定」の報が飛び込んで来たばかり。それとほぼ同時に、千代田区丸の内の東京都庁も興奮のるつぼと化していた。一九六四（昭和三九）年に開催される第一八回大会、その東京開催がついに現実のものとなったのだ。

この日、西ドイツのミュンヘンで開かれたＩＯＣ総会では、第一八回大会開催地を決するべく投票が行われることになっていた。当初は現地の夕刻にも結果が判明するはずだったが、繰り上げられて午前中に投票。現地時間で二六日午前一一時半（日本時間で午後七時半）に東京での開催が決定した。日本側代表団の一員として現地に赴いていたＪＯＣ総務主事の田畑政治は、殊に感慨深いものがあったのではないだろうか。実は、東京での五輪開催決定はこれが初めてではない。さかのぼること二三年、奇しくも同じこのドイツの地で、田畑はオリンピック「東京開催」決定の報を聞いていたのだ。

ベルリン・オリンピック開催を翌日に控えた一九三六（昭和一一）年七月三一日、同じベルリンにあるホテル・アドロンで開かれていたＩＯＣ総会で、一九四〇（昭和一五）年に開催される第一二回大会の東京開催が決定した。この知らせがもたらされるや、東京は市を挙げてのドンチャン騒ぎ。至るところに五輪マークが掲げられ、「万歳」の声が挙る……。それと同じ景色が、一九五九年のドイツと日本で再現されたのである。

同じ頃……か翌朝かは定かでないが、「東京決定」を知って確実に田畑と同じ感慨を覚えていたであろう人物がいた。東京から遠く離れた富山県射水郡大門町（現・射水市）に暮らす、八〇歳の牛塚虎太郎である。この老

「東京五輪」にわきたつ

乾杯・万歳のウズ 都庁

体協 夜空に高く五輪旗

体育協会の広場にあがった五輪旗

通りの結果

安井前都知

第 18 回大会の東京開催が決定

（1958〈昭和 34〉年 5 月 27 日付『朝日新聞』より／提供：国立国会図書館）

1959（昭和 34）年 5 月 26 日の IOC ミュンヘン総会において、デトロイト、ブリュッセル、ウィーンを破り、第 18 回オリンピック大会の東京開催が決定。その報を受けて、東京は大きく沸き返った。記事の写真左上は岸記念体育会館前での五輪旗掲揚、写真右下のは都庁・都民ホールにおける祝賀会の様子。

戦前「幻」の東京五輪開催決定

（『オリンピックと日本スポーツ史』〈日本体育協会〉より）

1936（昭和 11）年 7 月 31 日、ベルリンのホテル・アドロンにて行われていた IOC 総会で、1940（昭和 15）年の第 12 回オリンピック東京開催が決定する。写真は同ホテルにて記者会見を行う嘉納治五郎（中央）と本部役員の田畑政治（嘉納の左で立っている人物）、ベルリン大会日本選手団長の平沼亮三（田畑の左）。

人こそ、第一六代東京市長として戦前の第一二回東京大会に深く関わった人物なのだ。

前任者である永田秀次郎が発案したオリンピック東京招致を、具体的に実現に導いた市長が牛塚である。日本に呼んだ当時のＩＯＣ会長バイエ＝ラトゥールを、自ら接待攻勢で口説き落とした功労者だ。

だが一九三八（昭和一三）年七月、日中戦争や諸般の事情から東京大会は「幻」と消える。「あの時の無念さときたら、それはもう…」と、牛塚は一九六四年一〇月七日付朝日新聞の記事で語っている。

その「幻」が、今度こそ現実となる。「幻」の東京大会に関わった東京市長としては、永田秀次郎も後任の小橋一太もすでに鬼籍の人。見届けられるのは、牛塚ただひとりである。

しかし悲しいかな、老いが牛塚の身体を確実に蝕んでいた……。

さらに、「東京開催」決定に同様の感慨を抱いた人物が……少なくとも地球上にもうひとりいた。それもまたドイツ、北部の港町ブレーマーハーフェンに住むエーリッヒ・ディーツという人物である。

彼もまた「幻」の東京大会と因縁があった。一九六四年八月二八日付産経新聞と同年九月一六日付朝日新聞の記事によれば、一九三六年当時二〇代だったディーツは馬術選手の経験もあるスポーツマン。ベルリン大会での前畑秀子ら日本勢の活躍をラジオで聞き、一九四〇年開催が決定した東京大会をこの目で見ようと貯金を始めた。

だが、その期待も空しく東京大会は「幻」と化す……。

戦後、故郷のブレーマーハーフェンで写真屋を開いたディーツは、ヘルシンキ大会やロンドン大会など何度もオリンピックを見物。だが、五〇歳になろうとしている今も、「東京大会」の夢を片時も忘れたことはなかった。そんなディーツだから、今回の東京開催決定に狂喜しない訳がない。貯金再開である。

ただし、今回のディーツにはちょっとした野望があった。せっかく決まった長年の夢「トーキョー」である。単に見物に行くだけではつまらないではないか……。

Comte de Baillet-Latour leaving for home. He is seen off by Mayor Ushizuka and Mr. Kano at Tokyo Station.

五輪招致に奔走した牛塚虎太郎

(『THE JAPAN MAGAZINE - OLYMPIC NUMBER』1936 No.1-2〈ジャパン・マガジーン社〉より)

第12回オリンピックの東京招致を実現すべく、東京市長の牛塚虎太郎は自らIOC会長バイエ＝ラトゥールに猛烈な接待攻勢をかけた。オリンピック開催決定のプロセスでは、古今東西を問わずありがちな光景だ。この写真は、1936(昭和11)年3月19日に「視察」のために来日したバイエ＝ラトゥールが、4月9日に帰国の途につく時の様子。同日、東京駅での撮影である。右端がバイエ＝ラトゥール、その左が嘉納治五郎、バイエ＝ラトゥールと握手しているのが牛塚虎太郎である。

エーリッヒ・ディーツ

(Courtesy of Helmuth and Fabian Buller)

ドイツ北部の港町ブレーマーハーフェン(Bremerhaven)に生まれ育ったエーリッヒ・ディーツ(Erich Dietz)は、戦後はその生まれ故郷の街で写真屋を営んでいた。ヨーロッパで開催されたオリンピックを何度も見に行っていたディーツは、東京でのオリンピック開催を知って長年の夢を叶えるべく行動した。この写真は後の東京訪問を実現させて、1965(昭和40)年2月にドイツに戻って来た時のものである。

2. シルクロードの呪い

ローマの日本人たち

一九六〇（昭和三五）年八月二五日、炎天下のローマ。超満員のスタディオ・オリンピコで始まったローマ・オリンピック開会式は、強烈な日差しと人々の熱気でうだるような暑さ。そんな灼熱地獄の中に、当時の欧州では珍しかった日本人の姿が数多く見えた。彼らの大半は、胸に赤い丸が描かれた揃いのブレザーを着用。その胸の赤い丸は、亀倉雄策デザインによる東京大会エンブレムである。場内にいた日本人たちの多くは、来たる一九六四（昭和三九）年開催の東京大会の関係者であった。

その東京大会までに、残る時間は四年しかない。そして東京大会の開会式前に、参考にできる「本番」はこれをおいて他にはない。それゆえ、彼らは暑さも気にせず貪欲に周囲を見て回っていた。一九五八（昭和三三）年の第三回アジア競技大会で聖火派遣員を務めた、あの中島茂もそのひとりである。中島は再び文部省から組織委員会に呼ばれて、聖火リレー全般の調査や計画にあたっていた。

そんな緊迫感ある組織委員会関係者とは裏腹に、選手たちの中にはあまりの暑さに開会式不参加の者も続出。参加してもだれてしまいがちで、開会式はいささか締まりのないものになってしまったようだ。前述の日本人たちの中に一際目立つ白髪のダンディな紳士がいたが、この人物は後にこの式典について辛辣な一言を残している。いわく、「この開会式は失敗だ、という印象を受けた」。

朝日新聞

ローマ・オリンピック

第1日

競技はじまる

ボクシングと水球

聖火、会場に到着

ローマ・オリンピック開会式を報じる新聞記事

（1960〈昭和35〉年8月26日付『朝日新聞』より／提供：国立国会図書館）

1960（昭和35）年8月25日、ローマのスタディオ・オリンピコで開催されたローマ・オリンピック開会式を紹介する記事。最終聖火ランナーは、イタリアのトラック選手ジャンカルロ・ペリス。開会式当日に限らず会期中は猛暑に悩まされた大会だったようで、翌26日にはデンマークの自転車競技の選手が日射病で死亡するに至って、1964（昭和39）年東京大会の会期も再検討を促されることになった。

ローマ大会聖火採火式の巫女たちと中島茂

（提供：池田宏子、池田剛）

ローマ大会のための聖火採火式で巫女役を務めるギリシャ女性たちと、東京オリンピック聖火係の中島茂。来たる東京大会で聖火リレーを行うにあたって、参考としての見学である。1960（昭和35）年8月12日の採火式本番かそのリハーサル時に、ギリシャのオリンピアで撮影された。

一九六〇年八月二七日付朝日新聞に掲載されたこの言葉を残したのは、舞踊家、振付師、演出家として戦前から欧米で高く評価されていた伊藤道郎だ。パフォーマー、アーティストとして海外に知られていた、当時としては数少ない日本人である。それゆえ東京大会の組織委員会は、開閉会式を演出できる人物として伊藤を指名した。伊藤もまた、ローマに開会式の「偵察」に来ていたのだ。

翌一九六一（昭和三六）年一月、伊藤は開閉会式のみならず、東京大会の聖火リレー全般についてもひとつの提言を行った。それは、「古代のシルクロードを経由してリレーする」という雄大な構想だ。

実はこの構想、例の一九四〇（昭和一五）年に予定された「幻」の東京五輪の際に浮かんだプランと、どこか一脈通じるものがある。それは、ベルリン大会で聖火リレーを創案したカール・ディームが、著名なスウェーデンの探検家スヴェン・ヘディンに調査を依頼し、一九三六（昭和一一）年一一月にまとめたプランだ。こちらもシルクロード横断をブチ上げた壮大な計画だったが、日中戦争の勃発によって実現は不可能となった。その構想を、戦後に復活させようというのだ。日本というワクに収まりきらない伊藤ならではの発想である。

また、伊藤は聖火最終ランナー……というより、競技場での聖火台への点火方法についてもアイディアがあった。藤田富士男が伊藤の偉大な生涯を一冊の本にまとめた『伊藤道郎　世界を舞う』によれば、「国立競技場の観客席を大胆にカットして、馬の通れる勾配を作り、流鏑馬による点火式を立案していた」とのこと。これはもはや、従来からの最終聖火ランナーという概念を超えた破天荒なパフォーマンスだろう。

そんな大胆な構想を抱きつつ、ローマ大会の開会式を見つめていたであろう伊藤の他にも、来たる東京大会のためにローマ入りしていた国際的日本人がいた。映画監督の黒澤明である。

『羅生門』（一九五〇）以来、世界の映画界で名声を築き上げていた黒澤は、東京大会の記録映画監督に起用されていた。そんな黒澤にもまた、聖火リレーについては独自の腹案があったようなのだが……。

36年1月9日　（月曜日）　日本経済新

シルク・ロードを通って
アテネから東京へ
聖火運びに雄大な構想

東京オリンピックの聖火はギリシャから陸路シルク・ロード（絹の道）を通って東京に運ぼう――という構想が、近く東京大会組織委員会（会長津島寿一氏）に提案される。立案者は組織委員会顧問の演出家伊藤道郎氏。中央アジアから大砂漠を横断、中共、南北朝鮮を経て日本に至る一万余キロをアジア各国の青年の足と、ときにはラクダや馬の背も借りて一年がかりで突っ走ろうというもの。

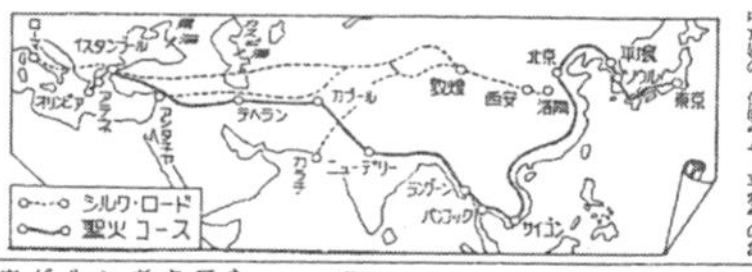

ことしは五輪開催準備がいよいよ軌道に乗る年だが、組織委はその手始めの仕事のひとつとして、この案を中心に聖火コースの検討にとりかかる。「四年後のオリンピックは国際情勢の進み方からいっても、いままでのように開催期間中だけの"休戦"や"平和"の象徴としてでなく、世界が"永久の平和"を誓い合い、祝い合う大会になるべきだ。その意味で東西の交流と握手の象徴であり、侵略者の道でなく文化伝播の道であった"シルク・ロード"を聖火のコースに選んではどうか。アジアで初めてのオリンピックを東京で開く意義もぐんと大きくなる」――これが伊藤氏の考え方だ。

古代中国の絹を西方へ運んだことから名づけられた"シルク・ロード"は、紀元前二世紀の末、漢の武帝の時代に開けた東西の通商路。中国の長安または洛陽から甘粛省西部のオアシス地帯を敦煌（とんこう）に出て、タリム盆地を横断"地球の屋根"パミール山脈を経てカスピ海南岸、黒海の南へと地中海沿岸に達した。マルコ・ポーロもこの道を歩いて「東方見聞録」を書き、日本（ジパング）の存在を初めて西欧世界に知らせた。

伊藤道郎氏

もっとも伊藤氏はなるべく多くのアジアの国を通るために「シルク・ロード"を広義に解釈して」ギリシャからシリア、イラク、テヘランを通りアフガニスタンのカブールあたりからインドを横断、タイ、ビルマからベトナムを経て北上、中共にはいり、北京を通って朝鮮半島を南下することを考えている。この間およそ二万キロ、聖火は大会の約一年前にオリンピアを出発、各国の青年たちによって走り継いでもらう。

さばくや原始林、大山岳地帯を通るからラクダや馬も使ってそれぞれの地方色をふんだんに出

伊藤道郎のシルクロード聖火リレー構想

（1961〈昭和36〉年1月9日付『日本経済新聞』より／提供：国立国会図書館）

1964（昭和39）年の東京大会開閉会式で演出を任された伊藤道郎が、当時の組織委員会に提案した聖火リレー構想。伊藤道郎は1893（明治26）年4月13日、東京生まれ。戦前よりヨーロッパ～アメリカ～日本を股に掛け、舞踏家、演出家として活躍。戦後はGHQに呼ばれてアーニー・パイル劇場（接収されていた東京宝塚劇場）の演出家となり、米軍も驚く一流のショーを上演した。映画俳優の早川雪洲らと並ぶ、戦前から欧米で名声を築いた日本人のひとりである。

"聖火リレーは馬で
中央アジヤの高原を越せ"
スエーデン探検家の提案

提案者ヘヂン博士

【ベルリン特電十六日發】オリンピック東京大會に際《さい》し聖火をギリシヤのオリンピヤから東京まで持ち運ぶいはゆる聖火リレーの方法についてスエーデンの有名な中央アジヤ探検家スヴエン・ヘヂン博士はその專門の立場から最近名案(?)をオリンピック東京大會組織委員會に申し送つた、ヘヂン博士の案は馬によつてリレー式に聖火を運び三キロ毎に交代、道順はソ聯邦の南に沿うて東に走り、中央アジヤの高原をよぎらうといふもので、このコースはスエーデンの探検家が發見したものだとある

スヴェン・ヘディンの聖火リレー案

（1937〈昭和12〉年3月17日付『大阪朝日新聞』より）

スウェーデンの有名な地理学者で探検家のスヴェン・ヘディン（Sven Anders Hedin）は、1865（元治2）年2月生まれ。中央アジアの探検とそれによる数々の発見で有名だが、戦前・戦中にナチスと深く関わっていたことが災いして晩年は不遇だった。この記事に書かれたリレー案は、1936（昭和11）年のベルリン大会組織委員会・事務総長を務めたカール・ディームの依頼による。なお、ヘディンは1952（昭和27）年に死去。

世界のイトウからクロサワへ

一九六一（昭和三六）年六月二二日正午、二台のクルマに分乗した日本人六人の一団がギリシャのアテネを出発する。ベルリン大会組織委員会・事務総長を務めた「聖火リレーの生みの親」カール・ディームやＩＯＣのエイベリー・ブランデージ会長などに盛大に見送られたその一団とは、朝日新聞社と日産自動車が組織委員会と組んで実施する「聖火リレーコース踏査隊」。翌日、オリンピアから正式出発し、ユーラシア大陸をシンガポールまで横断する、陸路での東京オリンピック聖火リレーの可能性を探る旅であった。

伊藤の提唱したシルクロード案は、実は当初から難点があった。一九五六（昭和三一）年のメルボルン大会以来、台湾問題で五輪ボイコットを続けていた中華人民共和国が、聖火リレーを通すはずもないのである。そこで、中国を避けて南に迂回し、陸路横断を試みたのがこの踏査隊である。

それから約半年後の一二月二八日、聖火リレーコース踏査隊は羽田空港に到着。それを報じた新聞記事には、隊員のひとり矢田喜美雄の「陸路の横断は十分可能性があるという確信を得た」というコメントが掲載されていた。だが、実態はどうだったのか。水害で道が通れなくなった不運はともかく、悪路に加えて熱病やら反政府ゲリラなど治安の悪さやらで、脱落者まで出た満身創痍の帰国だったというのが正直なところであろう。

そんな踏査隊の帰国を待たずして、同年一一月六日、聖火リレー陸路コースを提唱した伊藤道郎も脳溢血のためにこの世を去っていた。前述した藤田富士男の『伊藤道郎　世界を舞う』によれば、道郎は「東京オリンピックの式典の演出が、ぼくの人生の終幕になるだろう」と周囲の人々に語っていたようだが、残念ながらその夢は果たされることがなかった。組織委員会も踏査隊の結果を踏まえて、陸路から航空機による聖火輸送へと聖火リレー計画を軌道修正することになる。

伊藤案に替わって……なのか、話としては同時期に進行していたのか、それとはまた別の聖火リレー・プラン

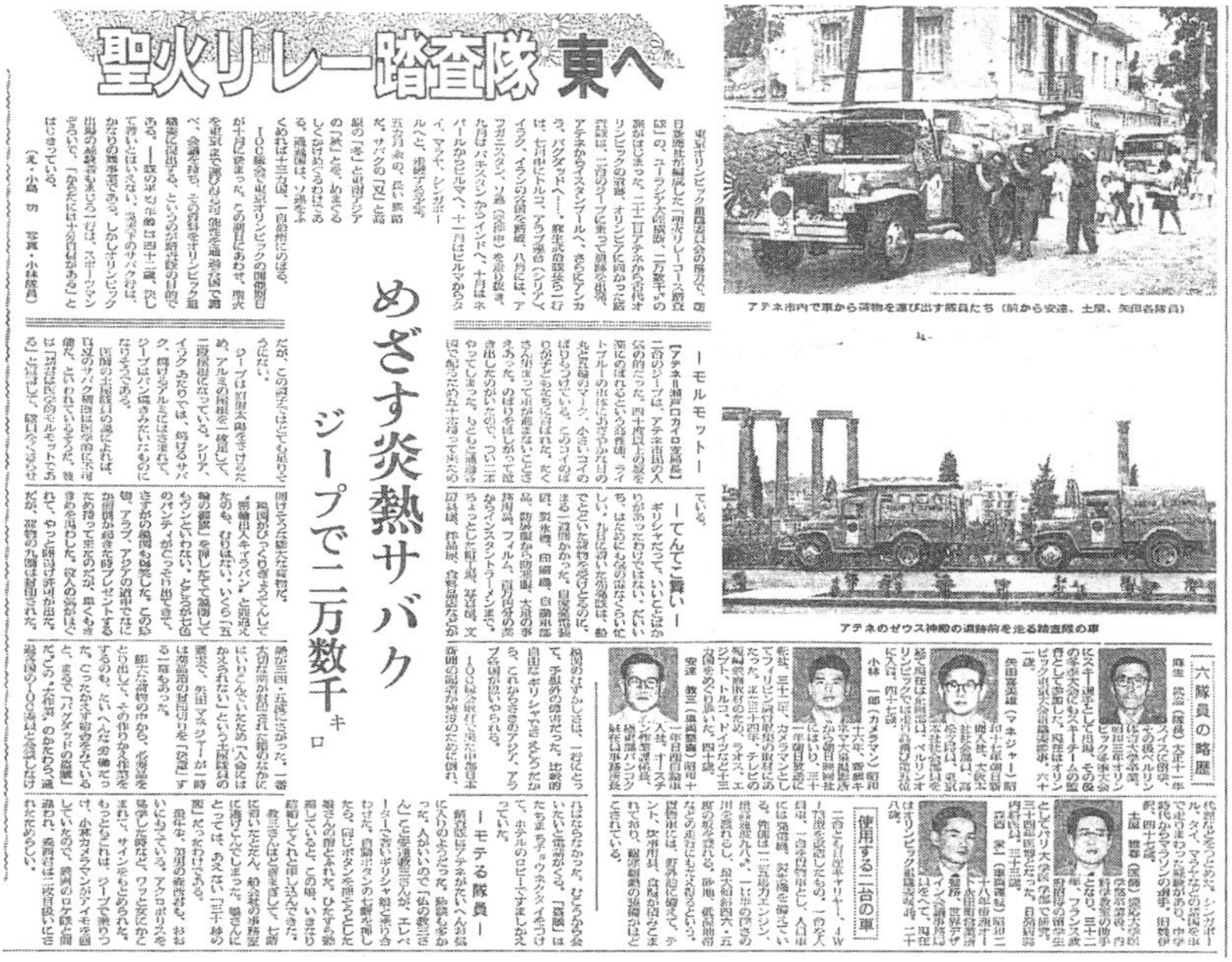
聖火リレー踏査隊 東へ

めざす炎熱サバク

ジープで二万数千キロ

アテネ市内で車から荷物を運び出す隊員たち（前から安達、土屋、矢田各隊員）

アテネのゼウス神殿の遺跡前を走る踏査隊の車

六隊員の略歴

使用する二台の車

ーモルモットー

ーてんてこ舞いー

ーモテる隊員ー

聖火リレーコース踏査隊に関する新聞記事

（1961〈昭和 36〉年 6 月 24 日付『朝日新聞』夕刊より／提供：国立国会図書館）

メンバーは組織委員会の麻生武治を隊長に、同じく組織委員会から森西栄一、朝日新聞社の矢田喜美雄、朝日放送カメラマンの小林一郎、慶応病院内科医員の土屋雅春、日産自動車の安達教三という布陣。1961（昭和 36）年 6 月 23 日のギリシャ・オリンピア出発から 12 月 22 日のシンガポール到着までの 182 日におよぶ行程で、当初はウズベキスタンのタシケント、カザフスタンのアルマアタ（現・アルマトイ）等の旧ソ連領内への訪問も予定されていた。

聖火リレーコース踏査隊に関するパンフレット

（『OLYMPIA → TOKYO 30000 キロ／聖火の道をもとめて』〈日産自動車〉より）

踏査隊帰国後に日産自動車が発行した、30 ページ以上あるパンフレット。文章の執筆は、日産の安達教三によるものと思われる。1962（昭和 37）年頃に、全国の日産ショールームで配布されていたようだ。

を構想していたのが、オリンピック映画の監督に起用されていた黒澤明である。

例えば、一九九四（平成六）年に出版された文春文庫ビジュアル版『異説・黒澤明』巻頭に掲載された映画『東京オリンピック』に関する座談会では、ゲストとして呼ばれた松江陽一が次のような証言を残している。

「アテネの空港からジェット機で世界の主要都市にその聖火をワーッととばして、東京のオリンピック・スタジアムで火がつくと同時に世界中で一斉に点火する。で、オリンピック・スタジアムの電光掲示板に『ノー・モア・ヒロシマ』って字が浮かぶんだ」

松江陽一は『隠し砦の三悪人』（一九五八）から黒澤作品に助監督として就き、黒澤のローマ大会視察にも同行。黒澤オリンピック映画に最も深く関わった人物だけに、信頼できる証言だといえる。

また、一九六三年一一月二四日付読売新聞夕刊には、かつて黒澤が「『私ならアテネから運んだ聖火の上陸地点を広島にする。一夜を広島で送り、ここで平和祈願の祭典をやって国内リレーを開始する。これこそ平和の象徴であるオリンピックの意義にかなうものだ』といっていた」とも書かれている。

これと同様のことは、黒澤が組織委員会事務総長だった田畑政治と一杯飲んでいた時の話……として、『週刊現代』一九六四年九月三日号の記事にも記載されている。田畑政治とはもちろん、一九四〇（昭和一五）年予定だった「幻」の東京大会の際も今回一九六四年東京大会の際も決定の場に居合わせていた、例の田畑である（P28参照）。この記事によれば、黒澤が田畑に聖火リレーと「原爆」とを結びつけるイメージを与えた……とのことだが、黒澤明が聖火リレーに「原爆」テーマを重ね合わせていたことはおそらく間違いないだろう。そして、それが後年の「最終ランナー」選考に大きな影響を与えることになったのかもしれない。

翌一九六二（昭和三七）年三月、組織委員会・総務委員の高島文雄と踏査隊メンバーだった森西栄一は、踏査隊で訪れた各国を改めて訪問して聖火の空輸に理解を求める「高島ミッション」の旅に出た。

総監督に黒沢明氏
「東京五輪」の記録映画製作

オリンピック東京大会組織委員会では、四年後に東京で開かれるオリンピック大会の記録映画製作の総監督を「羅生門」でグランプリをとった黒沢明氏に委嘱することになり、黒沢氏は七日これを正式に承諾した。

オリンピック大会には必ず記録映画をとることになっているため、組織委では東京大会の映画製作に当たる監督の人選を行なっていたが、このほど田畑組織委事務総長、東和商事川喜多長政社長らが話し合った結果、スポーツにも関心の深い黒沢氏に白羽の矢を立てた。

黒沢　明氏

映画製作の場合には、たいてい四、五十台のカメラを用意する大スタッフになるほか、製作方法などいろいろ問題があるので、来月二十五日から始まるローマ大会では、ロッセリーニ監督によるローマ大会の記録映画撮影の模様などを同氏に見てもらうことになっている。黒沢氏は来月十八日、助監督の松江陽一氏とともにローマに出発の予定。

黒沢氏の話　スポーツは好きなので一流選手の迫力あるゲームをとってみたいと思っていた。映画技術の進歩は早いので、どんな方法をとるかまだわからないが、大型、小型スクリーン用、カラー、白黒など数種類をとることになろう。日本といえば富士山という外国の人たちに、日本の本当の姿を知ってもらうよい機会だと思う。競技の種類も多く、とり直しがきかないというむずかしさがあるので、大会の一年ぐらい前からカメラマンの訓練が必要だろう。

で裁判長だったことも主任裁判官だったこともなかった。免訴言い渡しまでに時がかかりすぎたのには遺憾の点もあるが、それには事情もあり、三裁判官の責任を問うことはできないと判断する。

【注】裁判官分限法第二条「裁判官の懲戒は戒告、または一万円以下の過料とする」

美容薬など
だまさ

【名古屋】全国的な組織で約三万人の会員を募り、インチキ美容器を

黒澤明の五輪映画監督就任を報じた新聞記事

（1960〈昭和35〉年7月7日付『朝日新聞』夕刊より／提供：国立国会図書館）

組織委員会から東京大会の記録映画監督への就任を依頼された黒澤明は、1960（昭和35）年7月7日にこれを承諾。当時の黒澤は『隠し砦の三悪人』（1958）を大ヒットさせた余勢を駆って、1959（昭和34）年に黒澤プロダクションを設立。その第1作となる『悪い奴ほどよく眠る』（1960）を完成させて、ローマ大会視察に乗り込んだ。

「高島ミッション」に出発した高島文雄（左）と森西栄一（右）

（提供：熊田美喜／協力：阿部美織、阿部芳伸、阿部哲也）

高島は戦前から日本のスポーツ界では「国際派」だった人物で、アジア競技連盟（AGF）名誉主事でもあった。1962（昭和37）年7月からは組織委員会の聖火リレー特別委員会・委員長を務める。写真は聖火国外現地調査団として派遣されたギリシャのアテネで、1964（昭和39）年4月初旬に撮影。聖火リレーコース踏査隊メンバーだった森西は、高島ミッションにも同行。写真は聖火国外現地調査団による事前調査時の1964（昭和39）年4月頃に、トルコ・イスタンブールのホテル内で撮影されたものと思われる。

3. ジャカルタの嵐

魔女の季節

一九六二（昭和三七）年六月六日、モスクワでのＩＯＣ総会で日本側から出されたひとつの要求が承認された。それは、一九六四（昭和三九）年東京大会のバレーボール種目に女子も加えるという提案だ。

そのことだけを聞けば、イマドキの人々は至極当たり前の話と思うだろう。今日、オリンピックの種目に女子バレーボールが入っていないなど、まったく想像できない。しかし、実はバレーボールがオリンピック種目となったのは、男女両方とも東京大会が初めてだったのである。

前年の一九六一（昭和三六）年六月に開かれたＩＯＣアテネ総会では、かろうじて男子だけが種目として認められていた。だが、それでは日本側としては「嬉しさも中くらいなり」。いや、「中くらい」も怪しい。なぜなら、日本にとって女子バレーボールこそ当時「金メダル」最短距離の種目と思われていたからだ。

その快進撃ぶりは、あまりにも鮮烈だった。一九六〇（昭和三五）年一〇月にリオデジャネイロで開かれた第三回世界選手権に初参加した日本女子チームは、いきなり二位でデビューを飾る。これに味をしめたバレーボール関係者は、一九六一年一〇月に日紡貝塚の単独チームを欧州遠征へと送り出す。すると、これが全戦二二連勝という破竹の勢い。「東洋の魔女」との異名を頂戴したのもこの遠征時のことである。

そんな「乗りに乗った」日本女子バレーボールが、東京大会に出ないことなどありえない。果たして関係者は

新聞　第3種郵便物認可　12版△

喜びの乾杯あげる

バレーボール協会 〝金メダルめざし躍進〟

東京オリンピックのバレー・ボールに女子種目が加わったとのモスクワのIOC総会の知らせを受けた日本バレーボール協会は六日夜、東京・お茶の水岸体育館で関係者が集り、喜びの乾杯をあげた。前田豊協会理事長は「長い間続けてきたみんなの努力がやっと実を結んだ。早速ブランデージIOC会長やお世話になったIOC委員、東竜太郎氏、国際連盟などにお礼の電報を打つ。みなさんの厚意にむくいるためにわれわれができることは東京オリンピックで金メダルを取るにふさわしいチームをつくることだ。これを機会に男子も技をみがき、バレー界の一大躍進を期したい。男子十チーム、女子六チームとなって当然予選が行なわれるわけだが、その方法は十月モスクワで開かれるバレーの国際連盟総会で決められる」と、喜びを語った。

思いはせるヒノキ舞台

喜ぶ日紡貝塚チーム

【大阪】「東京オリンピックに女子バレーボールの参加決定」――。この吉報は、いちはやく日紡貝塚チームにもたらされた。六日午後府立体育館で行なわれた対ポーランド戦を控え、宿舎の南区河原町一丁目「ちくば旅館」でくつろいでいるところへ、報道陣がぞくぞくつめかける。

大松監督はじめ選手たちはさすがに喜びをかくし切れない表情だ。なかでも苦しい練習のすえ、世界一のチームに仕上げた大松監督は「いまのチーム全員が、このまま練習を重ねていけば金メダルの自信はある」といって、チームの一人でもやめるようなことにでもなれば自信はない。なにぶん相手はちょうど適齢期の女子ですからね」とい

女子バレーボール、オリンピック種目決定のニュースに喜ぶ日紡貝塚の選手たち。左から三人目が大松監督、その右一人おいて河西主将（大阪市内の宿舎で六日夜写す）

五輪道

公共用地審議会（建設大臣の諮問機関、飯沼一省会長）は六日午後、さきに東京都が申請していた

東京大会でのバレーボール女子参加決定を報じる新聞記事

（1962〈昭和 37〉年 6 月 7 日付『朝日新聞』より／提供：国立国会図書館）

1962（昭和 37）年 6 月 6 日、モスクワで開かれた IOC 総会で、1964（昭和 39）年東京大会の種目として女子バレーボールが承認された。これを受けて、東京でも関係者が祝杯を挙げた。記事の写真は、いち早く吉報がもたらされた日紡貝塚チームの面々の表情。左から 3 人目の「黒一点」が監督の大松博文。右ひとりおいて主将の河西昌枝。

出発

を

ルールで

はいえない。正当なスポーツとしてのばしていくためには、他の競技のレフェリーと同じように、適正な人間を選んで指導する必要がある」といっている。現在調査団は中央審判委員会（約20人で構成）がルール問題などについて協議しているが、将来はこういったものが、話なされていくようだ。ルールの問題は、トラブルの点

三万人の観衆を前に行われた世界バレーボール選手権女子日本対ソ連の熱戦＝マラカナ体育館で

女子でも身長180㌢台

世界バレー代表のみやげ話

ライオンのようなソ連選手

〝人気賞〟のカップまでもらい、国レーボール選手権初参加の日本代表の旅を終えて元気に帰ってきたが、森田、樫森両選手（ヤシカ）に聞い

○…男女とも決勝リーグに入り、女子は二位、男子は八位に入ったのは初参加チームとして立派だった。女子の場合は技術的にそう劣っていなかったが、リーグ戦の最初にソ連とぶつかったのは不運だった。日本はシードされており、ソ連はそうでなかったから、ようかったのだが、調子はシリ上りによかったから最後にやりたかった。ソ連には第三セット13－8、第四セットも9－4とリードしていながら逆転されたが、国際試合の経験が少なかったためだ。

男子はパスがまずいとかトスが悪いという問題ではない。体力の問題だ。ソ連の男子チームは

ンさ○ら点第あはだ

ゼロコーナー

ソ連サッカー・チーム「モスクワ・ロコモチフ・クラブ」を羽田に迎えるまで、日本のサッカー関係者の苦労は大変なもの。予定より五日も遅れたからだ。野津協会長、竹腰強化本部長、小野理事らがバスを用意して羽田空港に日参――それも深夜の出迎え。やっとのこと二十五日に到着してホッとしたという。

バレーボール世界選手権で日本女子が 2 位デビュー

（1960〈昭和 35〉年 11 月 30 日付『毎日新聞』より／提供：国立国会図書館）

1960（昭和 35）年 10 月、ブラジルのリオデジャネイロで行われたバレーボール世界選手権に初めて参加した日本女子チームは、いきなり 2 位という好成績を叩き出して鮮烈な世界デビューを飾る。ここから日本女子バレーボールの快進撃が始まった。記事の写真は、惜敗した対ソ連戦の様子。

こう考えたか、IOCのブランデージ会長はじめ関係各方面に猛烈にアプローチをかけて、何とかオリンピック種目に加えることに成功。東京大会は「目玉」を確保した。だから、これが「五輪前の予選で参加チームを少数に絞っておく」という条件付きの承認だったことなど、誰も大して気にしてはいなかった……。

また、一九六二年六月二九日の第三〇回組織委員会では、東京大会の会期が一九六四年一〇月一〇日～二四日と決定する。一九六四年一〇月一〇日……開会式まで一年三か月あまりのカウントダウンが始まった。

一方で、組織委員会は別の「目玉」の選考も進めていた。一九六二年八月三一日付日刊スポーツには、著述業の金山正直が『聖火リレー最終走者』という一文を寄せている。「(最終ランナー)選出は田畑(政治)事務総長に一任する」ことになっていたため、金山は「むずかしいことを一任されたもの」と田畑を労っていた。すでに最終ランナーの選考も進んでいたのだ。だが、当の田畑自身がそれどころではない状況に陥ってしまう。

一九六二年八月、ジャカルタでの第四回アジア競技大会で、それは起きた。中国やアラブ諸国との連携強化を図る主催国インドネシアが、台湾とイスラエルに参加要請状を出さなかったのである。

当時のインドネシア大統領スカルノの先鋭化した姿勢を露骨に反映させた結果だが、IOCはこれに抗議して正式な大会としての承認を拒否。すでに現地入りしていた日本選手団も、大会参加か否かの厳しい選択を迫られた。この時、東京大会の海外広報としてPRジャパン社から組織委員会に派遣されていた菅野伸也は、二〇一七年と二〇二一年の取材時にこう語っている。「僕は仕事としては東京オリンピックの海外広報がメインだったんで、アジア大会には当然、世界中からメディアが来るから、その広報係として行った訳ですよ。ところが、あの事件が起こった訳ですよね。(アジア競技連盟の総会に)一緒に来て(田畑さんの)隣に座って通訳せいという話になった。田畑さんに他の国の発言なんかをね、耳打ちしたりした訳です」

菅野は一九三五(昭和一〇)年九月二二日生まれ。米国メイン州ベイツ大学留学後に偶然にベイツ大学の先輩

新聞定価 1ヵ月390円・1部(朝刊)10円(夕刊)5円

"紛争"よそに開会待つ市民

入場券売り切れ

アジア大会のジャカルタ 炎天下に長い列

【ジャカルタ二十四日、長岡特派員】きょう二十四日は第四回アジア大会の開幕日というのに、舞台裏では国府、イスラエルの問題でもめつづけ大会開幕が危ぶまれている。ところがジャカルタ市民たちは、この紛争をまるっきり知らず、炎天下に開会式入場券を手に入れようと長い列をつくり売り切れてしまった。まもなく競技場も大変な人出が予想されている。

日の丸もまじえ各国旗がずらり並んで開会式を待つ(長野特派員撮影)

"日本すぐ引揚げよ"

地下鉄工事中 都電ストップ

警視庁―三原橋間

開会式を前に紛糾続くアジア競技大会を報じる記事

(1962〈昭和37〉年8月24日付『毎日新聞』夕刊より/提供:国立国会図書館)

台湾とイスラエルを閉め出した問題で揺れる、第4回アジア競技大会について報じた新聞記事。この件を議題にしたアジア競技連盟(AGF)の会議も延期に次ぐ延期となり、事態は空転したまま開会式を迎えることとなった。現地に乗り込んだ組織委員会事務総長の田畑政治や会長の津島寿一も、その渦中に放り込まれた訳である。海外広報担当で現地入りした菅野伸也は、「まず、肉体的につらかったですよね。会議室で同時通訳みたいなことやってた訳ですからね。何時間もですよ」と語っている。

アジア競技連盟総会での日本側メンバー

(提供:菅野伸也)

紛糾のあまり開会式前日の深夜に至るまでずれこんだ、アジア競技連盟(AGF)総会での様子。写真は1962(昭和37)年8月23日、ホテル・インドネシア会議場での撮影。左から菅野伸也(東京大会組織委員会・海外広報担当)、田畑政治(東京大会組織委員会事務総長、AGF評議員、JOC総務主事)、高島文雄(東京大会組織委員会・聖火リレー特別委員会委員長、AGF実行委員)、津島寿一(東京大会組織委員会会長、AGF評議員、JOC委員長、日本体育協会会長)。

だったＮＨＫ解説委員の平沢和重と知り合い、その紹介でＰＲジャパン社に入社。同社の社員として、東京大会組織委員会で海外広報の仕事に携わっていた。その流れで、ジャカルタ入りすることになった訳だ。

「会議室は会議室でメンバー同士でチャンチャンバラバラやっている訳ですけれども、外は外でね」と菅野は当時を回想する。「ホテル・インドネシアってところで会議をやってたんだけれども、玄関の前に噴水があって、その周りにインドネシアの人たちが取り囲んで。もしかしたら大会中止になっちゃうぞって。誰が悪いんだっていったら、オリンピック憲章にはずれているから中止だなんて叫んでる外国のアジア大会のメンバーが悪いんだと（笑）。ワーワーとデモをやっている訳ですよ。殺気だってましたよね」

そんな中も外も一触即発の中、徐々に追いつめられていく田畑の様子を、菅野は目の当たりに見ていた。

「田畑さんは大いに迷っていた訳ですよ。選手団出すか出さないかということで。で、片や日本の政治が絡んでいた訳です」と菅野は語る。「田畑さんとしては、俺が東京大会を呼んで来たんだと。素人はつべこべいうなと。片や政府の中には、あの田畑を何とかしなきゃいかんというムードが出来てた訳ですよ。だけど、（田畑さんは）まさか火の粉が自分の進退にまで及ぶとは、あの時点では感じてなかった」

結局、日本は参加を決断するが、これが裏目に出る。同年一〇月、東京大会組織委員会会長の津島寿一や副会長の竹田恒徳とともに、事務総長の田畑政治も責任をとらされ辞任に追い込まれてしまったのだ。事の如何はともかく、まるで「幻」の東京五輪の際に嘉納治五郎が亡くなってしまった時のように、一九六四年大会もイニシアティブを執っていた人間が途中で退場する事態に陥ってしまった。

そんな田畑の辞任からほぼ一年後、高額な製作予算見積やさまざまな条件が組織委員会と折り合わなかったためではあろうが、田畑と意気投合していた黒澤明も一九六三（昭和三八）年一一月五日に正式に記録映画から降板。その監督の座は、大会一年前を切っている段階で空席となってしまうのである。

第 4 回アジア競技大会開会式を報じた記事
（1962〈昭和 37〉年 8 月 25 日付『朝日新聞』より／提供：国立国会図書館）
1962（昭和 37）年 8 月 24 日午後 2 時（日本時間午後 3 時）、IOC や各国選手団との紛糾の中で始まった、ジャカルタのセナヤン・スタジアムでの第 4 回アジア競技大会開会式。写真は、気温 38 度という灼熱のフィールドを行進する日本選手団。しかし、これが最終的に日本側にとってまずい結果を引き起こすことになる。

辞任に追い込まれた田畑政治ら
（1962〈昭和 37〉年 10 月 03 日付『朝日新聞』より／提供：国立国会図書館）
第 4 回アジア競技大会への日本参加が引き金となり、1962（昭和 37）年 10 月 2 日の組織委員会懇談会の席上、組織委員会会長の津島寿一、副会長の竹田恒徳、そして事務総長の田畑政治が辞意を表明することになった。写真は懇親会後の記者会見の模様で、左から竹田恒徳、津島寿一、懇親会の座長を務めた IOC 委員の高石真五郎、田畑政治。

「千里馬《チョルリマ》」の報、千里を走る

田畑政治の組織委員会事務総長辞任によって、東京大会最終聖火ランナーの人選は一旦宙に浮いた。その方向性が改めて決まった経緯については、岡邦行の『大島鎌吉の東京オリンピック』が参考になるかもしれない。時期的には定かではないが、その後、選手強化対策本部本部長となっていた大島鎌吉（P26参照）が、組織委員会の総務委員会席上で聖火ランナーの原案に反対したのである。

その「原案」によれば、都道府県知事やら議員、財界有力者、スポーツ功労者が候補となり、最終ランナーも第三回アジア競技大会で「トリ」を務めた織田幹雄（P24参照）、あるいは織田と南部忠平、田島直人の戦前の五輪三段跳「金メダル・トリオ」が推されていたという。だが、大島はこれに異を唱えた。

「我々のような大人が大舞台の立役者になってもしょうがない。（中略）つまり、聖火ランナーは若者に任せればいい。ぼくはこの原案に反対します」

加えて、最終ランナー候補の織田幹雄当人も発言。「私も聖火ランナーの主役は、若者たちに限ると考えます。（中略）あの国立競技場の百八十段以上ある階段を、私たちが駆け登るのは大変だと思います」

それは、大島と織田が第三回アジア競技大会の際に抱いた実感だったのだろう。このふたりの発言が、その後の東京大会聖火ランナー選考における方向性を大きく決定づけたに違いない。

一方、一九六二（昭和三七）年の第四回アジア競技大会でジャカルタにおいて発火した火種は、翌一九六三（昭和三八）年に同じジャカルタの地でさらに火勢を増していた。アジア大会後、インドネシアのオリンピック委員会はＩＯＣから脱退。その代わり……という訳でもないだろうが、同年一一月一〇日より中国を含むアジアやアフリカ諸国等を集め、オリンピックに対抗してＧＡＮＥＦＯ（新興国競技大会）を開催したのだ。

これに国際陸上競技連盟、国際水泳連盟などが猛烈に反発。ＧＡＮＥＦＯ参加選手の資格停止を警告し、

開幕式に入場するわが國の選手と藝術家たち

GANEFO（新興国競技大会）開会式

（『今日の朝鮮』1964 年 2 月号〈外國文出版社〉より／提供：日本貿易振興機構　アジア経済研究所図書館）

1963（昭和 38）年 11 月 10 日、インドネシアのジャカルタで行われた GANEFO（新興国競技大会）開会式における北朝鮮代表団入場の様子。参加国は 49 か国におよび、約 3000 名のアスリート及び芸術家が参加した。

800メートルを2分以内で走つた世界最初の女性ー辛金丹選手のゴールイン

新記録を打ち立てた辛金丹

（『今日の朝鮮』1964 年 2 月号〈外國文出版社〉より／提供：日本貿易振興機構　アジア経済研究所図書館）

GANEFO に北朝鮮から参加した陸上選手の辛金丹（シン・グムダン）が、800 メートルで 1 分 59 秒 1 の世界新記録を出した瞬間。辛金丹は 400 メートルでも 51 秒 4 の新記録をマーク。ただし、国際陸上競技連盟はこの大会の記録を公式認定しなかった。

ＩＯＣもこれを支持した。後にインドネシアはＩＯＣに復帰したが、火種はその後もくすぶり続ける……。

そんな不穏な動きはともかく、このＧＡＮＥＦＯには中国などオリンピック不参加の国の有力選手が出場。その中のひとりに、北朝鮮から出場した超人的女子陸上選手の辛金丹《シン・グムダン》がいた。

辛金丹は当時二五歳。北朝鮮の咸境南道利原で農業を営んでいた一家に生まれた（異説もあり）が、一九五〇（昭和二五）年に勃発した朝鮮戦争に巻き込まれ、同年一二月に父親とは生き別れてしまう。戦後、機械工場の旋盤工として働いていたところ、その素質を見いだされてアスリートの道へ。以来、陸上選手として頭角を現し、本国だけでなく旧ソ連や東欧各国の競技大会で目覚ましい成績を挙げていた。

ことに注目を集めたのが、ジャカルタで開催されたＧＡＮＥＦＯにおける大活躍である。四〇〇メートルの五一秒四、八〇〇メートルの一分五九秒一……という記録は、当時の世界新記録だった。まさに「世界最速の女」。残念ながらこれらＧＡＮＥＦＯの記録は公認されることはなかったが、北朝鮮では彼女を「千里馬《チョルリマ》」と呼んだ。それは一日に千里を駆ける翼を持った伝説の馬の名であり、当時の北朝鮮が展開していた「千里馬運動」の象徴でもあった。それを見ても、いかに辛金丹が当時の北朝鮮で嘱望されていたかが伺えよう。

それから間もなく、辛金丹の母国からわずか数十キロ南下した韓国の首都ソウル……。一九六一（昭和三六）年のクーデターで政権を奪取した朴正熙《パク・チョンヒ》が、一九六三年一〇月の大統領選挙で大統領の座に就いたばかり。街は、とりあえずの落ち着きを取り戻しつつあった。そんなソウル中心部から三キロほど西にある新村《シンチョン》は、周辺に延世《ヨンセ》大学、西江《ソガン》大学、梨花《イファヨジャ》女子大学がある典型的な学生街。その中の延世大学キャンパスに隣接する同大学付属セブランス病院に、庶務係職員として働くひとりの中年男性がいた。

ある日、彼は新聞でＧＡＮＥＦＯに出場した超人的な北朝鮮女子選手の記事を見て、秘かに衝撃を受ける。この中年男性の名は辛文濬《シン・ムンジュン》。彼こそが、「世界最速の女」辛金丹の父親その人だったのである。

THE MAINICHI 昭和25年（1950年）6月26日（月曜日）

毎日新聞

北鮮・韓國に宣戰布告

38度線總攻擊

江陵、浦項にも上陸

開城すでに占領

臨津江西方全域失陥

金浦飛行場爆擊

臨津江を渡河

九州に嚴戒

國内治安に万全

朝鮮戦争勃発を報じた新聞記事

（1950〈昭和 25〉年 6 月 26 日付『毎日新聞』より／提供：国立国会図書館）

1950（昭和 25）年 6 月 25 日午前 4 時頃、北朝鮮軍が南北の境界線である 38 度線を越えて侵攻。韓国軍との間で戦闘を開始する。28 日にはソウルが北朝鮮軍によって陥落。1953（昭和 28）年 7 月 27 日の休戦まで泥沼の戦闘は続いた。

当時のソウル中心部

（『Here is KOREA』〈東京オリンピック在日韓国人後援会〉より）

典型的な盆地の都市であるソウルは、北朝鮮との軍事境界線からわずか 40 キロ程度南下した場所に位置している。この写真の中央部やや左に、景福宮の正面に建っていた当時の中央庁の建物（旧・朝鮮総督府、1996 年に解体）が見える。本文中に登場する延世大学付属セブランス病院がある新村は、写真の左外側に位置する。1964（昭和 39）年頃の撮影。

「年齢性別は一切を問わない」

さまざまな人物が登場しては慌ただしく去って行くなかでも、組織委員会では来たる東京大会の準備が着々と進んでいた。さまざまな議論が行われていた聖火の最終ランナーについてもしかり。

その実態は残されている文書なども少ないため非常に分かりにくいが、幸い組織委員会内部にいた人物が貴重な資料を残してくれていた。競技部式典課課長・松戸節三のスカウトで入ってきた、森谷和雄である。

森谷は千葉高校時代の先輩である松戸節三の口添えで母校である千葉高校で教壇に立ち、以来、教師生活を続けていた。ところが一九六三（昭和三八）年夏頃、またもや松戸から誘われて組織委員会の仕事に携わることになる。森谷は実直さが身上の人物だったようで、華やかなオリンピックとはまったく相容れないイメージである。だが、だからこそ松戸は誠実でコツコツ・タイプの森谷を求めたのかもしれない。森谷は開閉会式の運営や聖火リレーの計画実行を仕事とする競技部式典課に配属され、そこで生来の几帳面さを発揮。論議や課題などをノートに記録していった。ここでは、それを仮に「森谷ノート」と呼ばせていただく。

当然、森谷ノートには、聖火リレーの最終日（開会式）についてもその論議の過程が記録されていた。まず記録されているのは、一九六三年一一月一五日。組織委員会・聖火リレー特別委員会の下部組織である国内小委員会第一〇回会合でのことである。委員長の栗本義彦を筆頭に総勢一八人が集まった席で、メンバーの野沢要助は聖火リレーの都庁前（注：旧庁舎）での行事について次のように語っている（句読点等は筆者追加）。

「最後に都庁に入れるときの式典、都庁前で大行事をやらないでくれとの警視庁よりの申し入れ。余り大げさなものも考えられない。が、簡単すぎることも出来ない。宮城前は使用禁止」

ここで語られているのは、第一～第四コースの聖火が都庁に到着する際の行事のことである。そして、この段階ではまだ最終日（開会式当日）の聖火リレーも都庁前出発で計画が進んでいた。つまり、「到着時を大げさに

森谷和雄（左）と松戸節三（右）

（提供：熊田美喜／協力：阿部美織、阿部芳伸、阿部哲也）

森谷和雄は自らの出身校である千葉県立千葉高等学校を皮切りに教師人生を始めたが、その千葉高校の先輩で組織委員会競技部式典課の課長だった松戸節三から誘われ、1963（昭和 38）年後半より組織委員会のメンバーとなった。写真はどちらも、1964（昭和 39）年 8 月 14 日に香港啓徳空港で撮影されたもの。

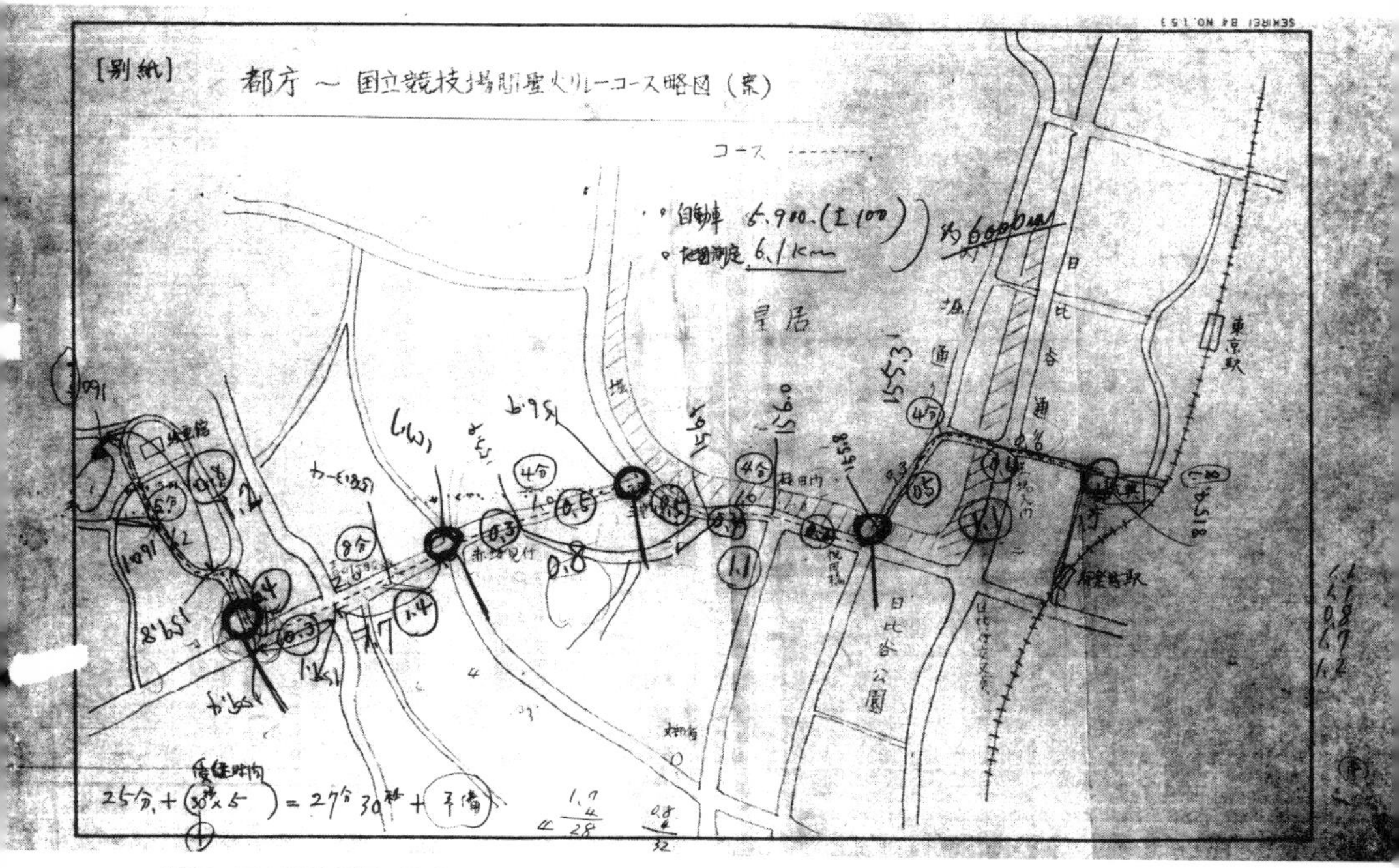

都庁〜国立競技場間の聖火リレー・コース略図

（提供：森谷和子）

競技部式典課の森谷和雄が自身のノートに貼り付けた、最終日リレー・コース略図。ご覧の通り、まだ都庁（注：旧庁舎）前出発で計画が進められている。各区間で計測した時間なども書き込まれた具体的な資料で、貼り付けたページの位置関係から 1963（昭和 38）年 12 月 21 日〜 26 日のものと考えられる。

されては困る」というのならば、最終日聖火リレーのスタート時はなおさら大変だということになる。また、この時点では「宮城（＝皇居）前は使用禁止」といわれていることも注目である。すでにこの時点で、最終日リレーの出発地点に皇居前が一応は検討されていたことを意味しているからだ。

続いて一一月二〇日の日付で「東京都庁より国立競技場までの、方法・コース・人選、の決定」として、「案・一人一～二k、スピード一五k（一四kか）」「（一k＝四分）（所要時間約三〇分）」「走者　一区間一人（予備者は車にて）」などの記述がある。また、一一月二二日の日付で「走者の人選のうち、男、女、年齢、特（判読不能）等問題で結論に至る」と書かれているので、実はこの時点で最終日ランナー……そして実際に国立競技場の聖火台に点火する「最終」ランナーの選考基準もある程度固まってきていたことが分かる。

さらに、一二月一三日の第一一回国内小委員会においても、はっきりと「都庁～国立競技場コース」について論議されたことが明記されている。ここではおもに警備の問題について語られていたようだが、議論の終盤で中島茂が注目すべき発言を残している。第三回アジア競技大会で聖火と関わった縁で組織委員会に呼ばれ、ローマ大会にも視察に赴いていた例の人物である（P26, P32参照）。

「最終走者については年齢性別は一切を問わないと考えておいて欲しい」

ちなみに、ここで「年齢を問わない」というのは、あくまで「若い人」の範疇での話であろう。また、この段階では最終日ランナーの数は五人程度、走る速度は時速一五キロぐらいと考えられていたが、女子は体力的にも難しいのではないか……という意見も出ていた。しかし、中島はそんな空気を軽く一蹴。「ふさわしい者すべてをまかせる」「（時速）一五ｋｍ絶対大丈夫である」と畳み掛けて場の空気を一変させた。

実際の開会式当日には、女子の聖火ランナーがふたり登場する。その実現は、この中島茂の発言が遠因となっていたのかもしれない。

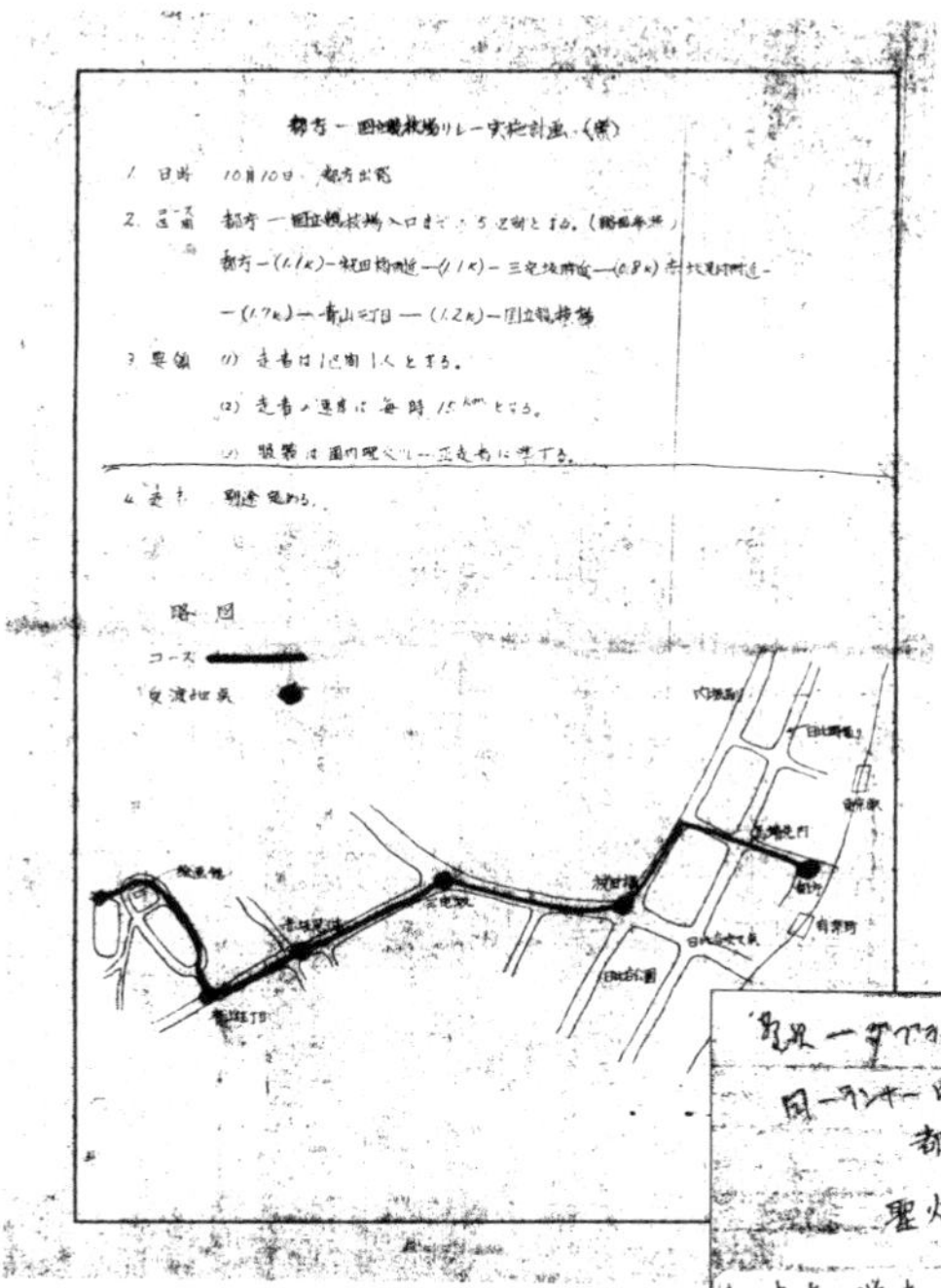

都庁－国立競技場リレー実施計画（案）

1 日時 10月10日 都庁出発

2 区間 都庁－国立競技場入口まで5区間とする。

都庁－(1.1K)－桜田門附近－(1.1K)－三宅坂附近－(0.8K)－赤坂見附附近－(1.7K)－青山三丁目－(1.2K)－国立競技場

3 要領 (1) 走者は1区間1人とする。

(2) 走者の速度は毎時15kmとする。

(3) 服装は国内聖火リレー走者に準ずる。

4 走者 別途定める。

路図

コース

受渡地点

都庁～国立競技場間の
聖火リレー実施計画案

（提供：森谷和子）

森谷ノートに貼付けられたもので、組織委員会・聖火リレー特別委員会の下部組織である国内小委員会の第14回会合の資料として提出されたもの。同会合は1964（昭和39）年4月9日に行われた。まだ都庁（注：旧庁舎）前出発で計画が進められているが、「最終」ランナーの部分を除いて全部で5区間、1区間＝15kmと考えられていたことがはっきりと分かる。

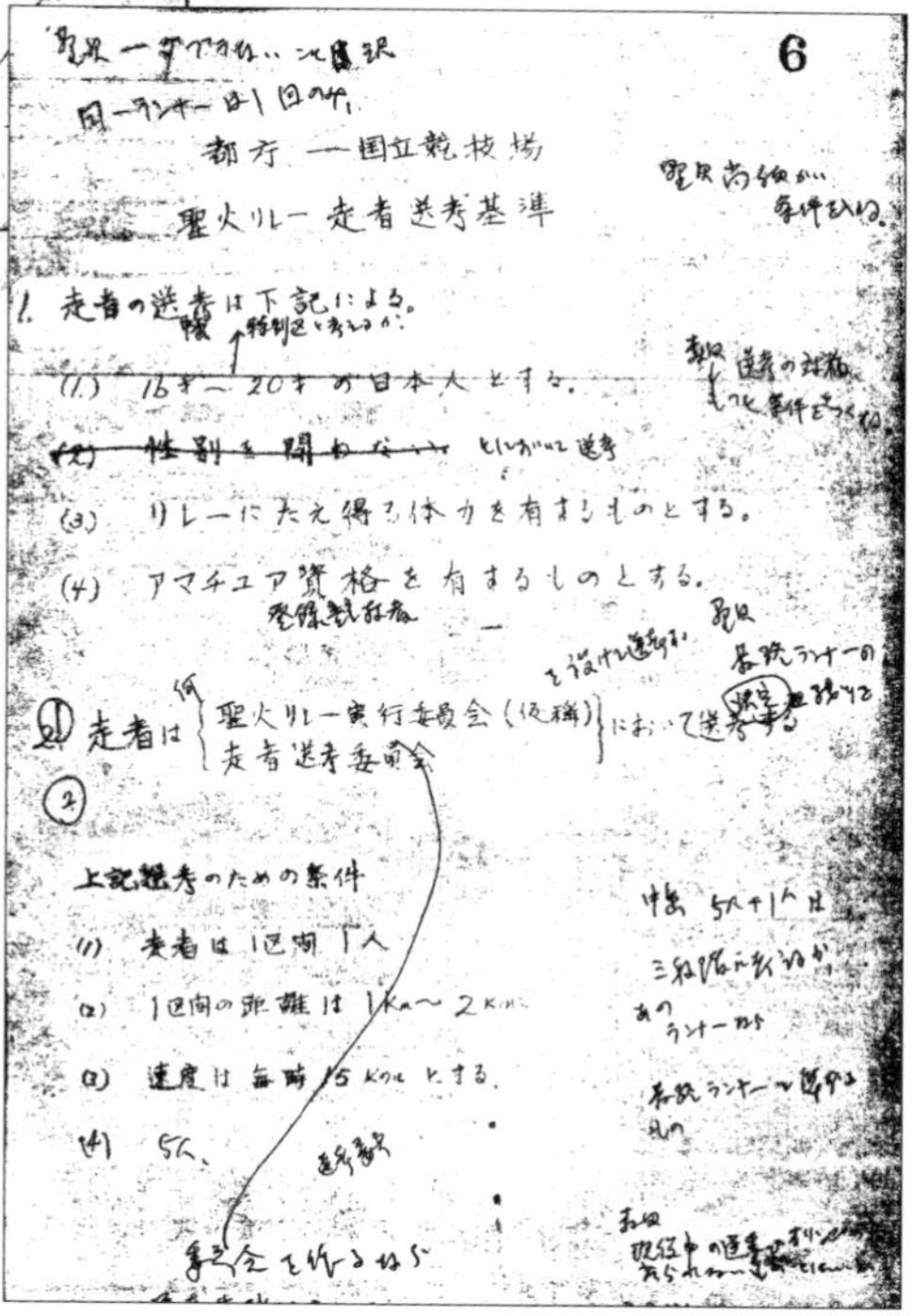

6

都庁 ―国立競技場

聖火リレー 走者選考基準

1. 走者の選考は下記による。

~~(1) 16才～20才の日本人とする。~~

~~(2) 性別を問わない~~

(3) リレーにたえ得る体力を有するものとする。

(4) アマチュア資格を有するものとする。

2 走者は 聖火リレー実行委員会（仮称）／走者選考委員会 において選考する

上記選考のための条件

(1) 走者は1区間1人

(2) 1区間の距離は1Km～2Km

(3) 速度は毎時15Kmとする。

(4) 5人、

都庁～国立競技場間の
聖火リレー走者選考基準

（提供：森谷和子）

こちらも森谷ノートに貼付けられたもので、1964（昭和39）年4月9日に行われた第14回国内小委員会の資料として提出されたもの。中島茂が主張した最終日聖火ランナーへの「女子起用」について、国内小委員会ではこの時点でもグラついていた可能性を示唆している。人選があまりに紛糾したせいなのか、「走者は聖火リレー実行委員会、走者選考委員会（仮称）において選考する」との一文もある。

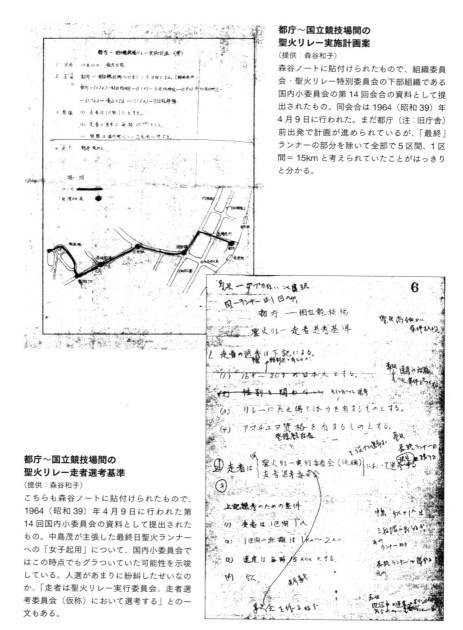

COLUMN 「TOKYO 1964」の風景（1）

もうひとりの聖火第一走者

東京五輪のトーチを持って、最初に実際に走った人物をご存知だろうか。トーチを開発した昭和化成品（現・日本工機）に、1964（昭和39）年の春に入社したばかりだった熊谷進がその人物である。

「私の配属先はトーチを作っている部署とはまったく別で、作業をしている人の就業時間の集計とか現場の監理など事務の仕事ですね」

昭和化成品の入社試験を受けたのは、同社にラグビー部ができたからだと笑う熊谷。彼が「聖火ランナー」になったのもラグビーの縁だ。

「ラグビー部の部長をやっていた方が現場を巡回していて、おまえヒマなら外行って走ってこいやと言われましてね。それでただ走っただけの話なんですけど（笑）」

どうやら、それまでトーチが燃え尽きるまで走るテストをしてなかったらしく、熊谷はいきなり会社のラグビーのグラウンドで、火をつけたトーチを渡されて走らされた。

「片手を挙げて走るってのは結構キツかったですよ。顔の近くに持って来ちゃうと熱いし（笑）」

結局、トーチを持って走ったのはその1回だけ。だが、それは永遠に残る1回だったのである。

1964（昭和39）年秋、青山の秩父宮ラグビー場での熊谷進。

聖火トーチの実物

（提供：日本工機株式会社　白河製造所）

第2章

1964年1月〜6月 オリンピックの年

掲示・回覧してください。　昭和39年6月8日発行

ダイハツ せんでんニュース

ダイハツ工業株式会社宣伝課

(写真はアクロポリスの丘、パルテノン神殿前に立つ走破隊員)

聖火コース走破隊、アテネで発表会開く

大鵬関、長谷百合さんも激励に

聖火コース走破隊の宣伝資料

(『ダイハツせんでんニュース』昭和39年6月8日発行〈ダイハツ工業株式会社宣伝課〉より／提供：ダイハツ工業株式会社)

毎日新聞社とダイハツ工業が組んで実施した「聖火コース走破隊」は、ユーラシア大陸をクルマで横断するプロジェクト。朝日新聞社と日産自動車が組んだ「聖火リレーコース踏査隊」(P36参照)を大いに意識したものであることは間違いない。1964(昭和39)年6月2日にはギリシャのアテネで現地メディアやオリンピック関係者を招き、発表会を兼ねたパーティーを開催した。

1. キャメラを回せ

白いワーゲンのマイクロバス

一九六四（昭和三九）年一月七日午前八時頃、ドイツの港町ブレーマーハーフェン。冬の冷たく乾燥した空気の中を、写真屋のエーリッヒ・ディーツ（P30）が長旅に出発しようとしているところだ。

その傍らには、前年一九六三（昭和三八）年に購入したばかりの白いフォルクスワーゲン・マイクロバス。虎の子の二万マルク（当時の日本円で約一八〇万円）をはたいて買ったスグレもので、車体には聖火ランナーのイラストや五輪マークを描いたコテコテ仕様だが、内部は暗室にもなり宿泊もできる重装備。この「愛車」を駆使して、ディーツは長年の夢……東京オリンピック訪問の旅を実現しようと考えていた。

つまり、このクルマを運転して東京まで行こうという壮大な計画である。

そのために、ディーツは旅の仲間も用意していた。ミュンスター出身のヘルムート・ビューラーという青年である。単独行ではさすがにキツいので、ディーツは昨年秋に写真関連の業界紙に広告を出して「相棒」を募集した。条件はふたつ。運転できることと一六ミリ・カメラを持っていること。そこに応募してきたうちのひとりが、このビューラーだったのだ。三〇人の応募者のうち彼に決まった経緯について、一九六四年九月一六日付朝日新聞の記事では、「愛用車を売った金で一六ミリを買入れるという熱の入れよう」「アフリカ旅行の経験もあり、英語もペラペラ」ということで、ディーツがビューラーに惚れ込んでの決定と書かれている。だが、ビューラー本

東西ドイツの地図

1964（昭和39）年当時の、東西分割されていたドイツの地図。東ドイツにあるベルリン自体も東西に分割され、アメリカ・イギリス・フランス占領下の西ベルリンは文字通り「陸の孤島」であった。エーリッヒ・ディーツの住むブレーマーハーフェンは北海に面した北部の港町で、ヘルムート・ビューラーは故郷のミュンスターからクルマを飛ばしてディーツに会いにブレーマーハーフェンまでやって来た。

現在のブレーマーハーフェン

(© DZT/Francesco Carovillano)

2008（平成20）年にオープンしたアトランティック・ホテル・セイル・シティー（ATLANTIC Hotel Sail City）など現代的な建物が目立っているが、それを除けばブレーマーハーフェン（Bremerhaven）という街の佇まいがお分かりいただけるはずである。同市は北海に注ぎ込むヴェーザー川（Weser）の河口にある港町だが、この写真に見える水面はヴェーザー川ではなく旧港のもの。ヴェーザー川は画面左側の奥となる。

人にいわせると、ちょいと事情は異なるようだ。

ビューラーが業界紙の広告を見て、ミュンスターからブレーマーハーフェンまで北に約二〇〇キロもクルマを走らせたのは、前年の九月のこと。初めて会ったディーツは、早速、条件の話を持ち出した。

「他の応募者がみんなお金を要求したので、私に決まったんですよ。私が無料で参加することに同意したんでね」と、ビューラーは二〇二〇（令和二）年に当時を思い出しながら苦笑する。「でも、その時のディーツさんはもう五一歳、私はまだ二四歳の若造だったんですけどねぇ」

だが、ビューラーがディーツから受けた印象は悪いものではなかった。「ディーツさんは活気があってリスクを恐れず、その一方で思いやりを持った人でした。私の第一印象では、彼は父親のようで親切な人でしたね」

旅の準備が進むなかで、彼らは強力な「武器」を手に入れていた。当時の西ドイツ首相ルートヴィヒ・エアハルトと、ノーベル化学賞受賞者の生化学者アドルフ・ブーテナントからの激励の手紙である。そんな大物からなぜ手紙をもらえたのか、少なくとも後者について、ビューラーは彼独自の見解を語ってくれた。

「ノーベル賞受賞者のブーテナント教授は、ディーツさんが住んでいた小さな町の出身でしたからね。あそこは、誰もがお互いのことを知っているような、そんな町ですから」と、ビューラーは冗談とも本音ともつかぬ口調で語る。調べたところ、ブレーマーハーフェンはそんな小さな町でもなさそうなのだが……。

そんな訳で、ディーツとビューラーはついに車中の人となる。翌日一月八日にはビューラーの故郷ミュンスターに立ち寄ったが、ここで彼は忘れ難い光景を見ることになる。

「母親がえらく悲しんでね。『クルマで世界旅行？　私の息子はもう二度と帰って来ないわ』なんて言うんです」とビューラー。「（出発の時に）母親は大きな布（ベッドシーツ）を振って涙を流してましたよ」

だが、それは決して大げさではなかった。彼らの目指す極東の地は果てしなく遠かったのである。

ヘルムート・ビューラー
（Courtesy of Helmuth and Fabian Buller）
ドイツの地方都市ミュンスター出身のヘルムート・ビューラー（Helmuth Buller）は、当時24歳。写真の仕事に就いていた関係で、ディーツが出した業界紙の広告に目を留めた。その広告に惹かれた理由は、どうやら「クルマ」での旅という点だったようだ。「私はかつて行ったイングランドからオーストラリアへの旅でも、行程のほとんどは船旅でしたからね。それでその広告に興味を持ったんです」と彼は語っている。

マイクロバスの前に立つディーツとビューラー
（Courtesy of Helmuth and Fabian Buller）
フォルクスワーゲン製のマイクロバスを背景にした、エーリッヒ・ディーツ（左）とヘルムート・ビューラー（右）。マイクロバスは、写真用の暗室として使用されたり宿泊用にも使われたりと大活躍したようだ。この写真は彼らが東京への旅を終えてブレーマーハーフェンに帰って来た、1965（昭和40）年2月に撮影されたもの。

世界に響く『抱きしめたい』

一九六四（昭和三九）年一月中旬、パリのシャンゼリゼ通りから程近いフォーシーズンズホテル・ジョルジュサンク。歴史的建造物に指定されているこのエレガントなホテルに、少々場違いな四人の若者が一〇日余り前から宿泊していた。ジョン、ポール、ジョージ、リンゴ……ご存知ザ・ビートルズの面々である。

彼らは一月一六日を皮切りに、初のパリ公演をスタートさせていた。本国イギリスではすでに大成功を収め、前年一九六三（昭和三八）年一一月には王室主催の「ロイヤル・バラエティ・パフォーマンス」にも出演するという押しも押されもせぬスターぶり。それに先立つ一〇月には初の海外公演としてスウェーデンに出かけ、ここでも大人気を博していた。他のヨーロッパ各国でも、彼らの人気には火がついていた。

しかし、その勢いに乗ってやってきたここフランスでは、少々勝手が違っていたようだ。ハンター・デイヴィスによる初の公式伝記『ビートルズ／その誕生から現在まで』には、BBCパリ支局アナウンサーによる彼らへの質問が紹介されている。「フランス人はビートルズについて、はっきり心がきまっていませんね」

もしフランス公演が数か月後であったなら、同国の写真誌『パリ・マッチ』の表紙は間違いなく彼らの写真で飾られていただろう。だが、同誌の一月一八日号はローマ教皇のパウロ六世が表紙だった。まだこの段階では、ビートルズにとって機は熟していなかったのだ。何より、戦後の世界をリードするあの「巨大な国」が、まだ彼らを受け入れてはいなかった……。

その日も歴史あるオランピア劇場での公演を終えて、ホテルに戻ってきた四人。一晩に二回のショーをこなしてさすがに疲れを隠せない彼らを待っていたのは、すこぶる付きの吉報だ。発表したばかりのシングル『抱きしめたい』が、二五日付のアメリカの音楽誌『キャッシュボックス』で一位を獲得したという電報が飛び込んできたのである。その夜、彼らとマネジャーのブライアン・エプスタインは、ホテルで内輪の晩餐会を開いて喜びを分かち合った。普段は真面目なエプスタインも、便器を頭にかぶってみせるはしゃぎようだ。

それから間もない一月二九日の現地時間午前一〇時五六分（日本時間午後六時五六分）、オーストリアのインスブルック市。同国のシェルフ大統領がベルグイゼールの丘のジャンプ場に到着してファンファーレが鳴り響き、インスブルック冬季オリンピックの開会式が幕を開けた。チロルの農民風コスチュームで身を固めたインスブルック音楽隊がオーストリア国歌を演奏。会場東側に立てられたポールに参加三六か国の国旗が次々と揚がっていく。いよいよこの日から二月九日まで、この地で冬季オリンピックの熱戦が繰り広げられるのだ。

インスブルックの街全体に、オリンピックの華やいだ気分が漂う。そんな冬の寒さを吹き飛ばす熱気の中に、あのエーリッヒ・ディーツとヘルムート・ビューラーのふたりもいた。何と彼らはこの年のオリンピックを、冬季・夏季ダブルヘッダーで楽しもうという大胆な計画を立てていたのだ。そのため一月一九日に現地入りして、大会を見るためにスタンバイしていた。だが、彼らの目的はそれだけではない。

「私たちは夕刻にインスブルックに到着しましたが、あまりに寒くて車内で寝るどころではありませんでしたよ」とビューラーは回想した。「それで、我々はＹＭＣＡに泊めてもらったんです」

まずインスブルック入りしていた西ドイツ代表チームとコンタクトをとった彼らは、この街で精力的に動き回った。そこで大いにモノをいったのが、彼らが持参した分厚くて大きい一冊のアルバム。ビューラーいわく、それが「私たちのバイブル」だった。そのアルバムに例のエアハルト首相とブーテナント教授の手紙を貼付けた彼らは、行く先々でその内容を充実させていこうと考えた。

「（アルバムに）アスリートや有名人にサインをお願いして、インスブルックから東京までワーゲン・バスで行く旅行計画を話した訳です」とビューラーは語る。「五輪の街から五輪の街に行く旅のことをね」

これが功を奏してか、現地に来ていたメディアが彼らに興味を持った。徐々に話題になっていった彼らは、そこで素晴らしいチャンスを得ることになる。

「インスブルック市長のラガー博士が、私たちを市庁舎に招待してくれたんです」とビューラー。「市長は私たちのアルバムに五輪開催地からの挨拶を書いてくれました」

そんなふたりは、インスブルック大会期間中あちこちの競技場を忙しく動いていた。そこで大活躍していたのが、ビューラーが持参した一六ミリ・カメラ。そこは、写真やカメラの素人ではないふたりである。この大会でさまざまな競技を撮影した彼らには、単なる「旅の思い出」づくり以上の目的があった……。

さて、キャッシュボックスでの全米ナンバーワンは、ビートルズの人気を決定的なものにした。二月一日には『キャッシュボックス』と並ぶ音楽業界誌『ビルボード』でも『抱きしめたい』が一位を獲得。二月五日には、日本でもビートルズ初のシングルとして『抱きしめたい』が発売された。ついに遥か極東の国・日本にも、彼らの旋風が到達したのである。

そして極め付きが、二月七日のこと。現地時間午後一時三五分、ニューヨークのジョン・F・ケネディ空港にパンナム一〇一便が到着。その瞬間、ボーイング707のジェットエンジンが放つ爆音などかき消すかのような、凄まじい喚声が空港を支配した。集まったのは、およそ一万のファン。ビートルズがアメリカに上陸した瞬間である。この並外れた騒ぎに、喚声慣れした彼らもさすがにテンションが上がったのではないか。

ビートルズがまだアメリカ滞在中の二月一六日、ディーツとビューラーは冬季五輪「取材」を終えてインスブルックを出発。アルプスを越えて南イタリアに行き、フェリーでギリシャに渡った。この旅のもうひとつの重要地点、ギリシャのオリンピアが待っていたからである。その道中では、ふたりが乗ったマイクロバスのカーラジオも、各国のラジオ局がこぞって流す『抱きしめたい』を盛んにキャッチしたに違いない。

インスブルックでのスナップ
(Courtesy of Helmuth and Fabian Buller)
エーリッヒ・ディーツとヘルムート・ビューラーのふたりが乗ったマイクロバスは、1964（昭和39）年1月19日の夕刻にオーストリアのインスブルックに到着。当夜は現地のYMCAに泊まったふたりは、そこから連日精力的に動き回った。1月29日にはインスブルック冬季オリンピックも開催。彼らは16ミリ・カメラを回して競技の模様や大会の様子を撮影。また、インスブルック市長と会見するなど、忙しい日々を送った。

ローマでのスナップ
(Courtesy of Helmuth and Fabian Buller)
1964（昭和39）年2月16日にインスブルックを発ったエーリッヒ・ディーツとヘルムート・ビューラーのふたりは、マイクロバスでヨーロッパを南下。3月21日には「オリンピックの聖地」ギリシャのオリンピアに到達した。これはその途中、ローマでヘルムート・ビューラーがカラビニエリ（国家憲兵）と話している様子である。

「オリンピック映画」本格始動

一方、東京ではいよいよオリンピック映画が本格的に始動。一月半ばには、監督に市川崑が決定していた。思えば黒澤明の離脱以来、今井正らの名が浮かんでは消えていたオリンピック映画の監督候補。さすがにオリンピック・イヤーを迎えながら、いまだ未定という訳にはいくまい。

だが、市川崑は自身の新作製作中だったため、まだ五輪映画には参加できない。そんな一九六四年三月一一日、この映画の中心的キャメラマン七人が集まって、第一回の技術分会が行われた。実は黒澤の去就が不透明だった時期に、ニュース映画会社七社によって「財団法人東京オリンピック映画協会」が結成されていた。前述の「七人」とは、これら七社から「撮影集団の中枢」として参加した人々だったのである。

「僕は中日映画社を代表して出たんです。会社から国の仕事だから行ってこいと」と語るのは「七人」のひとり、松井公一である。松井は、二〇一七（平成二九）年に当時を振り返って語ってくれた。

誰が呼んだか「七人の侍」と呼ばれたこの集団の中でも、松井が最も若い三一歳。だが松井自身は、選ばれたことを名誉とも嬉しいとも思っていなかったようだ。「責任重大だから嫌だったんだよ」

黒澤正式降板直前の一九六三年一〇月一一日から一六日、東京国際スポーツ大会が開かれた。先に第三回アジア競技大会を東京大会の「予行演習」的なものと語ったが、この東京国際スポーツ大会は正真正銘、東京大会の「予行演習」として開催されたものである。そしてこの大会で、試作品として記録フィルムが回された。だが、その結果は惨憺たるシロモノ。屋内施設の光量が足らない、いいキャメラ・ポジションを確保できない……。あくまで東京大会「本編」を撮るための「叩き台」とはいえ、あまりに問題山積である。

「機材の購入計画書をつくってくれということで、それから始まったんですね」と語るのは、「七人の侍」の別のメンバーである毎日映画社の田中正。『映画技術』一九六五年一月号に掲載された座談会『記録映画〝東京オ

東京大会映画の監督に決まった市川崑

（『映画テレビ技術』2008/09・No.673〈日本映画テレビ技術協会〉より／提供：日本映画テレビ技術協会）

東京大会記録映画の監督から黒澤明が正式に降板して以来、監督の座が空席のままオリンピック・イヤーを迎えることになった。今井正などの名前が浮かんでは消える中、ついに市川崑の名前が浮上。いよいよ東京大会の映画は具体的に動き出すことになる。写真は映画『東京オリンピック』製作中のスナップで、自らキャメラを覗いてサイズ決めをしている様子である。

映画『東京オリンピック』の中心スタッフ

（提供：株式会社崑プロ）

国立競技場でのロケハン時に撮影したもの。前列（しゃがんでいる人々）右から二人目が松井公一。後列（立っている人々）左から12人目のほぼ中央にいるのが市川崑。「東京オリンピック映画協会」を構成したニュース映画社は、日本映画新社、読売映画社、朝日TVニュース、新理研映画、毎日映画社、スポーツニュース社、中日映画社の7社。松井はその中日映画社からの参加である。

リンピック〟の製作技術』で、第一回の技術分会が開かれた目的について説明したコメントである。だが、こんな混沌とした状況では事はそう簡単に進まない。

「要するにこの機材の購入計画のそういう目安を出せといっても、なかなか目安になるものがないわけですよ」と同じ座談会で当時の松井はこう語っている。「市川さんの構想以前にわれわれがいままで撮っていた常識的の撮り方に基づいた概算で算出するより方法がないわけですよ（原文ママ）」

一方、東京大会の開会式については、すでにさまざまな方針が固まりつつあった。一九六四年四月四日付東京新聞では、組織委員会は聖火台に火を灯す最終聖火ランナーについて、「国立競技場で三百メートル走ってから百七十段の階段をのぼるのでは年配者ではムリ。やはり若い人が……ということで年齢も十六歳から二十歳を基準にしている」と報じている。あの大島鎌吉や織田幹雄の発言（P46参照）が、選考基準に大きく影響を与えたのだろうか。さらに、この時点では最終ランナーを八月までに決めることになっていたようだ。

また、四月七日付毎日新聞は、四月六日に組織委員会の式典運営協議会企画部会で、開閉会式の原案となる具体的要綱がまとまったと報じている。もはや記録映画だけがモタついている訳にはいかない。

そんな四月のある日、待ちに待った日がやってきた。監督に就任した市川崑の体がようやく空いて、製作本部の事務所を初めて訪れたのである。日本オリンピック委員会公式ウェブサイトの記事『東京オリンピック1964／市川崑総監督が語る名作「東京オリンピック」』で、市川崑自身が当時を振り返ってこう語っている。「ニュース映画五社（注：七社の間違い）がつくった『東京オリンピック映画協会』が制作を引き受けており、その事務所が銀座二丁目の『トラヤ』という帽子屋さんの四階にあるというので行きました」

しかし、市川は想定外の状況に驚かされる。「そこに田口委員（注：田口助太郎）と事務員が二人。四月でしたから、これで一〇月から始まる大会に間に合うのかと唖然としましたね」

東京国際スポーツ大会開会式

（提供：朝日新聞社）

東京スポーツ大会は1964（昭和39）年東京大会の「予行演習」、いわゆる「プレ・オリンピック」として開催されたスポーツイベント。1963（昭和38）年10月11日～16日に国立競技場で開催され、36か国の選手が参加した。10月11日に国立競技場で行われた開会式では、「予行演習」らしくブルーインパルスも登場した。

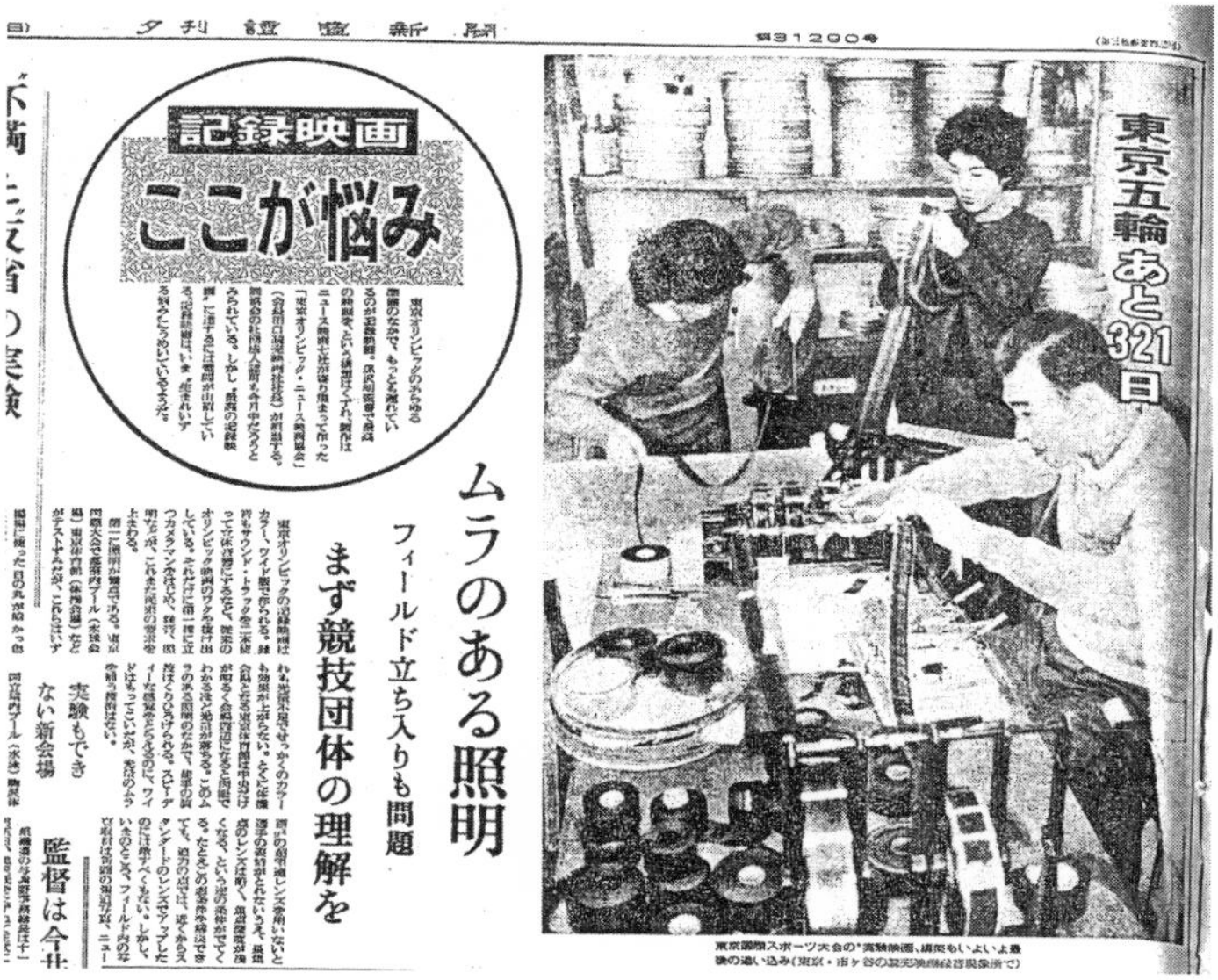
夕刊読売新聞

記録映画

ここが悩み

東京五輪あと321日

ムラのある照明

フィールド立ち入りも問題

まず競技団体の理解を

実験もできない新会場

監督は今井

東京大会記録映画製作への懸念を報じた記事

（1963〈昭和38〉年11月24日付『読売新聞』夕刊より／提供：国立国会図書館）

黒澤降板後、迷走する東京大会記録映画を報じた新聞記事。1963（昭和38）年10月の東京スポーツ大会で試験的に撮影したフィルムは、その問題点を浮き彫りにした。写真はテスト・フィルム編集中の様子。記事によれば、この時点では『ひめゆりの塔』（1953）、『武士道残酷物語』（1963）などの今井正が最有力の監督候補だったようだ。

2. TOKYOへと草木もなびく

チャンスの予感と災厄の前兆

四季がないシンガポールは、一年を通して蒸し暑い街である。だが一九六四（昭和三九）年四月、この街に漂う暑苦しい空気は、必ずしもそのせいだけではなかったかもしれない。

第二次世界大戦後に盛り上がってきた宗主国のイギリスに対する独立運動によって、一九五八（昭和三三）年には自治領となったシンガポールは、一九六三（昭和三八）年九月にはマラヤ連邦、ボルネオ島のサバ州とサラワク州と合流してマレーシア連邦を形成する。それは独立という長年の夢を叶えた快挙であったはずである。だが、現実というものは常にそう甘くはない。

マレーシア連邦政府がとるマレー系住民優遇の政策が、中国系住民が圧倒的多数のシンガポールをジワジワと蝕んでいく。目に見えぬ緊張感が、この街の暑苦しさを確実に倍増させていた。

そんなシンガポールの街に、中国系の若者フランシス・ヨウもいた。

ここからは一九六四年八月二五日付のシンガポールの新聞『The Straits Times』の記事を参考に話を進めるが、ヨウは中等学校ヴィクトリア・スクールの生徒で、当時は一七歳。同学校はシンガポールで二番目に古い由緒ある州立中等学校で、ヨウはそこの薬学クラスで学んでいた。勉強ばかりでなくスポーツにも熱心だった彼は、学校ではサッカーとバレーボールの代表選手でもあった。文字通り「文武両道」の若者である。

フランシス・ヨウ

（1964〈昭和 39〉年 10 月 10 日付『産経新聞』より／提供：国立国会図書館）

1964（昭和 39）年 8 月 25 日付『The Straits Times』の記事によれば、シンガポールの中国系の若者だったフランシス・ヨウ（Francis Yeo）は当時 17 歳。由緒ある州立中等学校ヴィクトリア・スクールに通い、薬学クラスで学んでいた。学校でサッカーとバレーボールの代表選手になるほど熱心なスポーツマンでもあった。父親が教師ということもあり、彼自身も優秀な学生であったことは間違いないだろう。

オリンピック・エッセイ・コンテストの広告

（1964〈昭和 39〉年 10 月 10 日付『産経新聞』より／提供：国立国会図書館）

東南アジア 8 か国の若者に向けて応募したオリンピック・エッセイ・コンテストについて、主催した伊藤忠商事が出した新聞広告。高校生を対象にしたオリンピック懸賞論文を 8 か国の有力紙を通して募集した。応募者は合計で約 2000 人にのぼる。この日本国内向け広告は、受賞者たちを日本に招待するタイミングで掲載されたもの。

そんなヨウだから、東京オリンピックにも関心は大ありだった。アジアで初めてオリンピックが開催されるとあれば、興味がないはずがない。少なくとも、それまでのように欧米で開催されるオリンピックよりは、身近に感じていたはずだ。一九六四年の東京大会はおそらく今日の我々が感じているよりもずっとエポック・メイキングなイベントであり、特にアジアの人々にとってインパクトの大きい出来事だっただろう。

だが、ヨウの家は男兄弟一〇人、女姉妹ひとりの大家族。彼の父親は中国系学校の教師だ。さすがに海外旅行など夢のまた夢だっただろう。オリンピックを見るために日本まで出かけるなど、当時は大人にとってもなかなか難しかった時代である。

それは、同時代の日本人だって同様だった。一般の日本人にとって海外旅行が一般的になってきたのは、ジャンボジェット機の導入で旅客の大量輸送が可能になった一九七〇年代以降のことである。

閑話休題、だからヨウには東京大会をナマで見るなどとても無理な話だった。

そんな彼が千載一遇のチャンスに気づいたのは、一九六四年四月二八日のことだ。同日付『The Straits Times』五面に、それは載っていた。「学生諸君ご注目!」とうたわれた募集広告である。デカデカと書かれた「無料で東京オリンピックに行けるチャンス!」というフレーズが、ヨウの目に一気に飛び込んだ。これはまるで、彼のためにあつらえたような話ではないか。

それは日本の商社・伊藤忠商事が仕掛けたキャンペーンで、東南アジア各国の学生に「オリンピックが極東で開かれることが重要なのはなぜか」というテーマで論文を書かせ、それぞれの国で一等賞をとった若者を日本に招待しようという豪華なものであった。さまざまな施設の見学や観光、そして何より東京オリンピックへの招待が魅力的である。これを逃す手はないだろう。しかも、不敵にも彼には勝算があった。

「僕が勝つのでは……という予感があったんです」と、後日、ヨウは同紙にそう語っているのである。

一方、シンガポールで一七歳のフランシス・ヨウがそんな夢を抱き始めていたほぼ一か月後、日本では各地で聖火リレーの準備が着々と進んでいた。実際のトーチを使った試走会もそのひとつである。

五月二七日の快晴の日、全国に先駆けて聖火リレー試走会が行われたのが神奈川県である。ここからは、五月二八日付神奈川新聞を参考に語るが、午後から始まった試走会は鎌倉市腰越橋から始まり横浜市の県庁に至る二五区間、四八・二キロの距離で行われ、五七五人のランナーが疾走。この日の結果が国内聖火リレーの最初のテスト・ケースとなることから、組織委員会のメンバーや関東管区警察局の面々も見学に訪れた。また、一般の人々のほかに報道陣も多数詰めかけた。

午後〇時三三分、聖火皿から点火されたトーチを掲げて試走会がスタート。江ノ島を背景に七里ヶ浜の磯づたいをリレーは進む。沿道の人々もランナーに声援を送っていたが、リレーが横浜市に差し掛かってくると、集まった人々の興奮は本番さながらに盛り上がって来る。

伊勢佐木町では群衆が溢れ返る中、聖火がこの日の最終ランナーへと引き継がれる。こうして最終ランナーが神奈川県庁へと到着したのは、午後五時五七分。これは予定より五分遅れの到着ということなので、試走会はまずは成功だったというべきだろう。

だが、アクシデントはその後に起こった。

神奈川県知事の内山岩太郎は最終ランナーからトーチを受け取る時に思わず両手を差し出したのだが、これがいけなかった。トーチはグリップ部分だけが断熱構造になっていたので、そこを持った右手は問題なかった。だが先端部分を触れた左手が火傷してしまったのだ。人差し指に火ぶくれをつくった程度の軽傷だったため、新聞記事ではこれを「オリンピック事故の第一号」と笑い話にしていた。だが今日振り返ってみると、それは東京大会開催までに待ち構えていた、幾多の災厄につながる前兆にも思えるのである。

洋の東西で「オリンピック映画」

その頃、西ドイツから東京をめざす旅に出たエーリッヒ・ディーツとヘルムート・ビューラーのふたりは、ユーラシア大陸横断の途中だった。

インスブルックに続くオリンピックの「聖地」訪問として訪れたギリシャのオリンピアは、二日間滞在しただけで三月二三日に出発。それからトルコを通ってイランに向うというコースは、すぐ後にホンモノの聖火が通過するコースとほぼ重なっていた。

「砂漠を通ってパキスタンに向かうドライブはかなりの冒険でしたよ」と、ビューラーは当時のマイクロバスの旅を回想する。「左側通行に切り替えなければならなかったしね」

その旅は、単にマイクロバスを運転して先を急ぐ旅ではなかった。実は、行く先々で自前の一六ミリ映画を上映する、巡回映画会を行っていたところが「彼ら流」だった。

「旅の間、私たちは思い出を映画に追加し続けました」とビューラー。「私たちはリバーサルフィルムを作り、どこでもそれらを現像し、どこの立ち寄り先でも上映会でフィルムを見せました」

インスブルック大会からカメラを回し続けていたのは、先に述べたように「思い出作り」ではなかった。実はそれを旅の「原動力」に使おうという、結構したたかなアイディアだったのである。さすが、写真を生業にするふたりならではのチャッカリした発想だ。

「これらのフィルム講演は、すべての立ち寄り先のゲーテ・インスティテュート（注：ドイツ政府による国際的文化交流機関）やスポーツクラブで行われました」とビューラーは語る。「イベントの料金は私たちの収入源でしたからね、食費や車の維持費として現金が必要ですから」

こうしてディーツとビューラーのふたりが自らの「オリンピック映画」を披露しながら旅を続けていた頃、日本では東京大会記録映画のために市川崑が動き出していた。

当然、この映画はドラマではなくドキュメンタリーである。だが、市川崑は劇映画の監督でスポーツ・ドキュメンタリーはやったことがない。そこで、まずはシナリオを執筆するところから作業を始めたのだ。

「シナリオはどうするのだろうと思っていたら、オリンピック委員会の方から必要だというので、夏十さん（市川夫人で脚本家の故・和田夏十）、谷川俊太郎さん、白坂依志夫さんに協力を要請し、四人で打ち合わせを始めたのですが、どんなシナリオを書けばいいのか、困りました」と、ＪＯＣウェブサイトの記事『東京オリンピック１９６４／市川崑総監督が語る名作「東京オリンピック」』の中で、市川は語っている。市川はまず、オリンピックとは何かを調べてみた。それがシナリオの出発点となったのである。

「つまり四年に一度、人類が集まって平和という夢を見ようじゃないか。それがオリンピックの理念だとわかりました。これをテーマにシナリオを書いたのです」

こうして出来上がったシナリオをスタッフが目にしたのは、いつのことだったのか。毎日映画社の田中正は『映画技術』一九六五年一月号の座談会でこう説明している。「逆算していくと六月の二日に初めて脚本読みやったんですよ。そのときに市川さんが来られたわけです」

「五月から脚本を書き始めて五月末に渡されて、それから二、三日してちょっと打ち合わせが始まったから。そんなもんですね」と、同じ座談会の中で「七人の侍」最年少の松井公一もこれに同意する。

「おかげでスタッフに制作意図がよくわかってもらえたと思います」と、前述したＪＯＣウェブサイトの『市川崑総監督が語る名作「東京オリンピック」』で市川は語っている。「スタッフにぼくの意図がどう浸透するか、これがいちばん重要なことなのです。特に記録映画は初めてでしたからね」

だが実際には、スタッフはまだ市川の構想をハッキリ掴むまでには至っていなかった……。

3.「あと半年」に迫る中で

「直前の予行演習」だった新潟国体

一九六四（昭和三九）年六月六日、昼過ぎの新潟市の新潟県営陸上競技場。五発の打ち上げ花火と高らかなファンファーレが鳴り響く。第一九回国民体育大会「新潟国体」の開会である。

ただ、今回の国体はいつもの単なる国体ではない。第三回アジア競技大会以来、東京大会の「予行演習」的な大会は何度もあったが、その中でも今回は「直前の予行演習」。ここでも聖火が用意され、会場内に設置された聖火台に点火される。聖火台は、縄文時代の火焔土器をモデルにした凝ったデザインだ。

そんな「予行演習」的な気構えでこの新潟国体を訪れていた人物の中に、例の東京大会記録映画キャメラマンである松井公一もいた。「あと半年」となってロケハンにやってきた松井だったが、『映画技術』一九六五年一月号の座談会での松井の発言を見ると、どうやら思惑通りにはならなかったようだ。「やはり新潟国体のスケールと国立競技場のあの広さとはまた問題にならないから」

六月一〇日には羽田空港に初めて海外からの選手団がやってきた。それは韓国の馬術競技選手団一行七人。日本に圧倒的に近い「地の利」を活かし、東京の馬事公苑でジックリ練習しようという訳である。

またこれに先立ち、北朝鮮の東京大会調査団も東京を訪れていた。この時点で、彼らは東京大会に出る気満々。競技施設を意欲的に視察していた。心配はインドネシア絡みの一件（P46参照）のみ……。

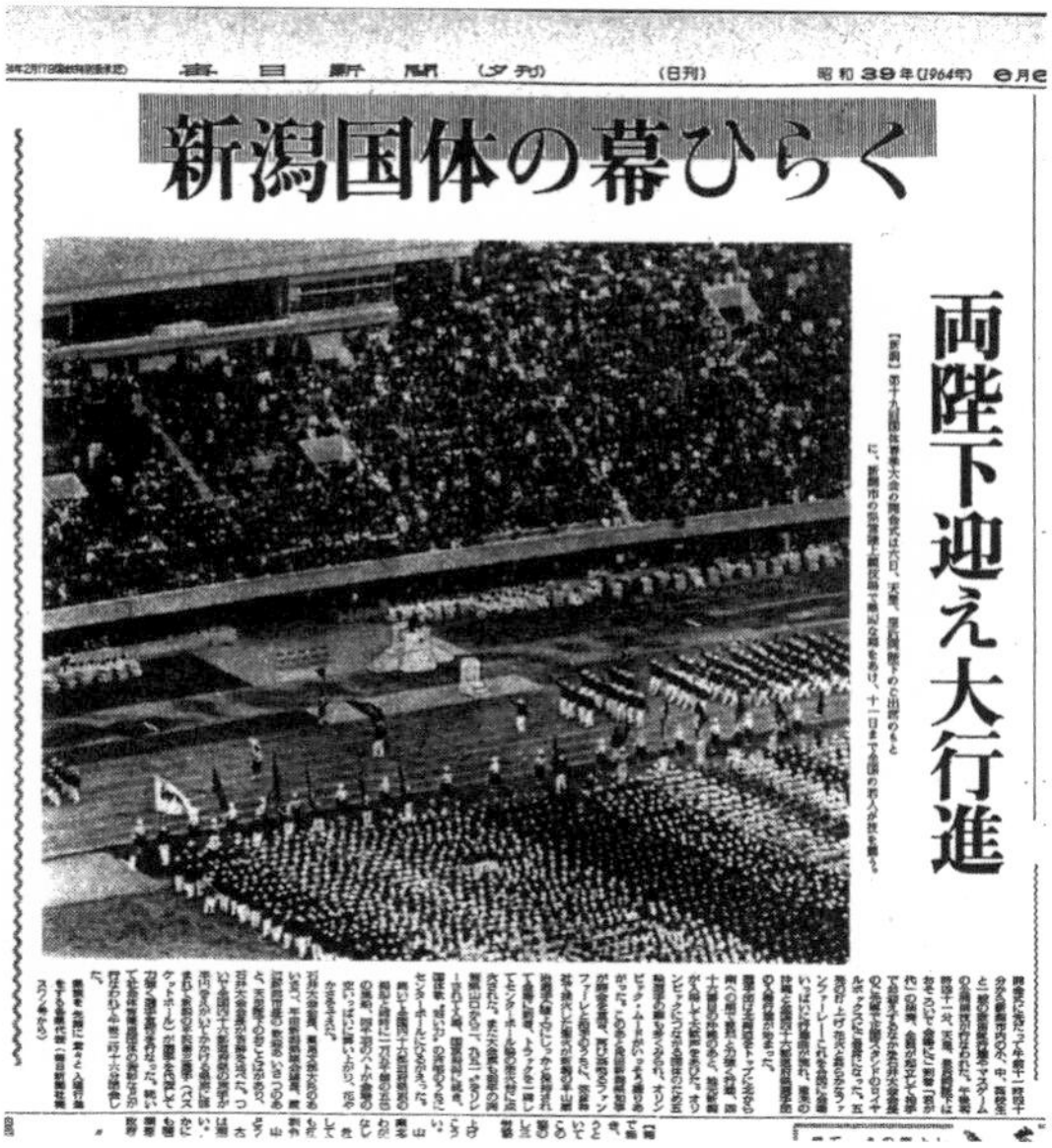
毎日新聞（夕刊）　昭和39年（1964年）6月6日

新潟国体の幕ひらく

両陛下迎え大行進

第19回国民体育大会「新潟国体」開会式

（1964〈昭和39〉年6月6日付『毎日新聞』夕刊より／提供：国立国会図書館）

1964（昭和39）年6月6日、新潟市の新潟県営陸上競技場で開催された、新潟国体開会式の様子。全国46都道府県と沖縄の選手約1万8000人が集まったこの大会は、従来の秋季大会と夏季大会（水泳を除く）をこの六月に繰り上げて一気に行う、「オリンピック仕様」の変則大会。陸上競技では、本来なら国体種目にないものまでプログラムに加えた変則ぶりである。

（1964年）6月11日（木曜日）

東京五輪に一番乗り

韓国から馬術の7人来日

羽田に着いた金コーチ（下から2人目）ら7人の韓国馬術選手団

韓国馬術選手団の来日

（1964〈昭和39〉年6月11日付『毎日新聞』より／提供：国立国会図書館）

1964（昭和39）年6月10日午後5時10分、ノースウエスト航空機で羽田空港に到着した韓国の馬術選手団が、東京大会の外国選手一番乗りとなった。さすがにこの時期から来日する選手団は他になく、次の来日は9月6日朝に到着したメキシコ馬術選手団となった。

沖縄の第一走者は日本の第一走者

「降って湧いたような大事件でした。青天の霹靂です」と、宮城勇は当時を思い出して語った。「抽選会の内定者リストを示されて、『宮城さんが第一走者に選ばれています。感想を……』と言われてね」

それは一九六四（昭和三九）年六月一一日の夜、沖縄の浦添村（現・浦添市）にある宮城の自宅でのこと。宮城勇は当時二二歳、琉球大学教育学部体育学科の四年生である。そんな彼に降って湧いた「青天の霹靂」とは、沖縄で行われる東京大会の聖火リレー第一走者に選ばれたことだった。

郷土で行われる聖火リレーの第一走者に選ばれるのは、それなりに名誉なことではあるだろう。だが、この第一走者はただの第一走者ではない。聖火はギリシャのオリンピアで採火された後、中東から東南アジアへの国外リレーを通過して日本へと運ばれる。その際、聖火が最初に到達する日本の地は沖縄だ。つまり、沖縄の第一走者とは日本の第一走者に他ならない。それは確かに「大事件」であったに違いない。

特に一九六四年当時の沖縄が置かれた状況を考えれば、この事の重みが伺える。そもそも「日本で最初に聖火を受ける場所」を沖縄とする方針は、東京大会の聖火リレー計画の最初から打ち出されていた。それは一九六二（昭和三七）年七月四日、組織委員会内の聖火リレー特別委員会の第一回会合でのことである。

この会合では、まず委員長に総務委員だった高島文雄（P38参照）を選出。そして、この段階で早くも「日本の最初の着陸地点は沖縄とする」ことが決まった。それは、地理的条件だけが理由ではなかったはずだ。敗戦後ずっと米軍占領下にあった沖縄は、「日本であって日本でない」状況に置かれていた。貨幣は円ではなくドルが流通し、道路ではクルマは右側通行、日本本土に渡るにはパスポートが必要な「外国」扱いだったのである。そこに「東京五輪」の聖火が届くという案には、何らかの象徴的な意味があったに違いない。

だが、それゆえに沖縄の聖火リレー計画は、当初からさまざまな思惑が絡まりあっていた。外務省外交史料館

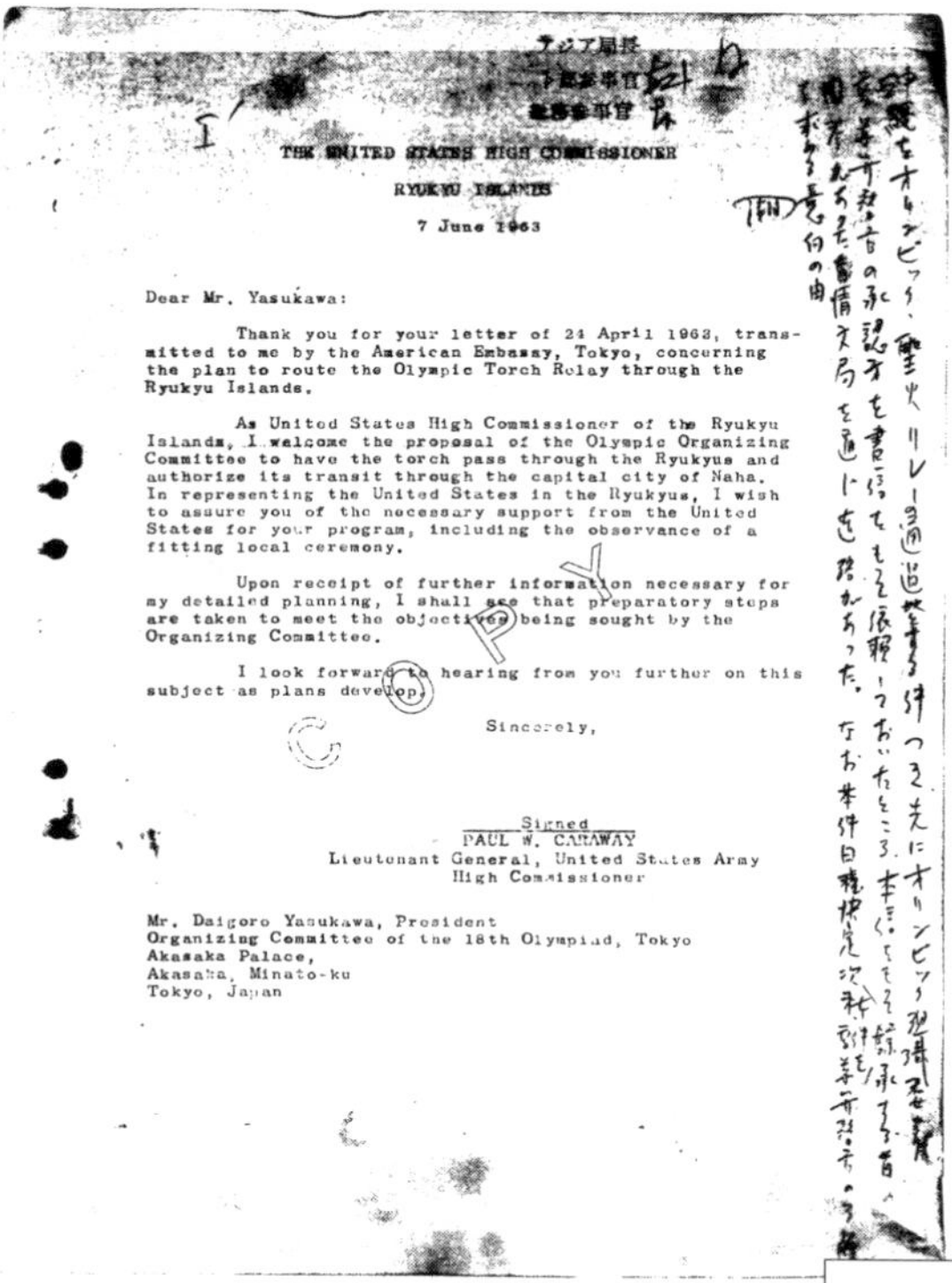

THE UNITED STATES HIGH COMMISSIONER
RYUKYU ISLANDS

7 June 1963

Dear Mr. Yasukawa:

Thank you for your letter of 24 April 1963, transmitted to me by the American Embassy, Tokyo, concerning the plan to route the Olympic Torch Relay through the Ryukyu Islands.

As United States High Commissioner of the Ryukyu Islands, I welcome the proposal of the Olympic Organizing Committee to have the torch pass through the Ryukyus and authorize its transit through the capital city of Naha. In representing the United States in the Ryukyus, I wish to assure you of the necessary support from the United States for your program, including the observance of a fitting local ceremony.

Upon receipt of further information necessary for my detailed planning, I shall see that preparatory steps are taken to meet the objectives being sought by the Organizing Committee.

I look forward to hearing from you further on this subject as plans develop.

Sincerely,

Signed
PAUL W. CARAWAY
Lieutenant General, United States Army
High Commissioner

Mr. Daigoro Yasukawa, President
Organizing Committee of the 18th Olympiad, Tokyo
Akasaka Palace,
Akasaka, Minato-ku
Tokyo, Japan

COPY

キャラウェイ琉球列島高等弁務官からの書状

（提供：外務省外交史料館）

当時の琉球列島高等弁務官ポール・W・キャラウェイから東京大会聖火の沖縄通過を承認する旨を伝えた、1963（昭和38）年6月7日付の書状。前出した森谷ノート（P50参照）によれば、これは組織委員会がアメリカ大使館を通じてキャラウェイに発送した、1963年4月24日付の承認依頼状への返答である。沖縄統治では強権を発動したことで知られるキャラウェイだが、この時点では聖火リレーに全面的な協力を申し出ていた。

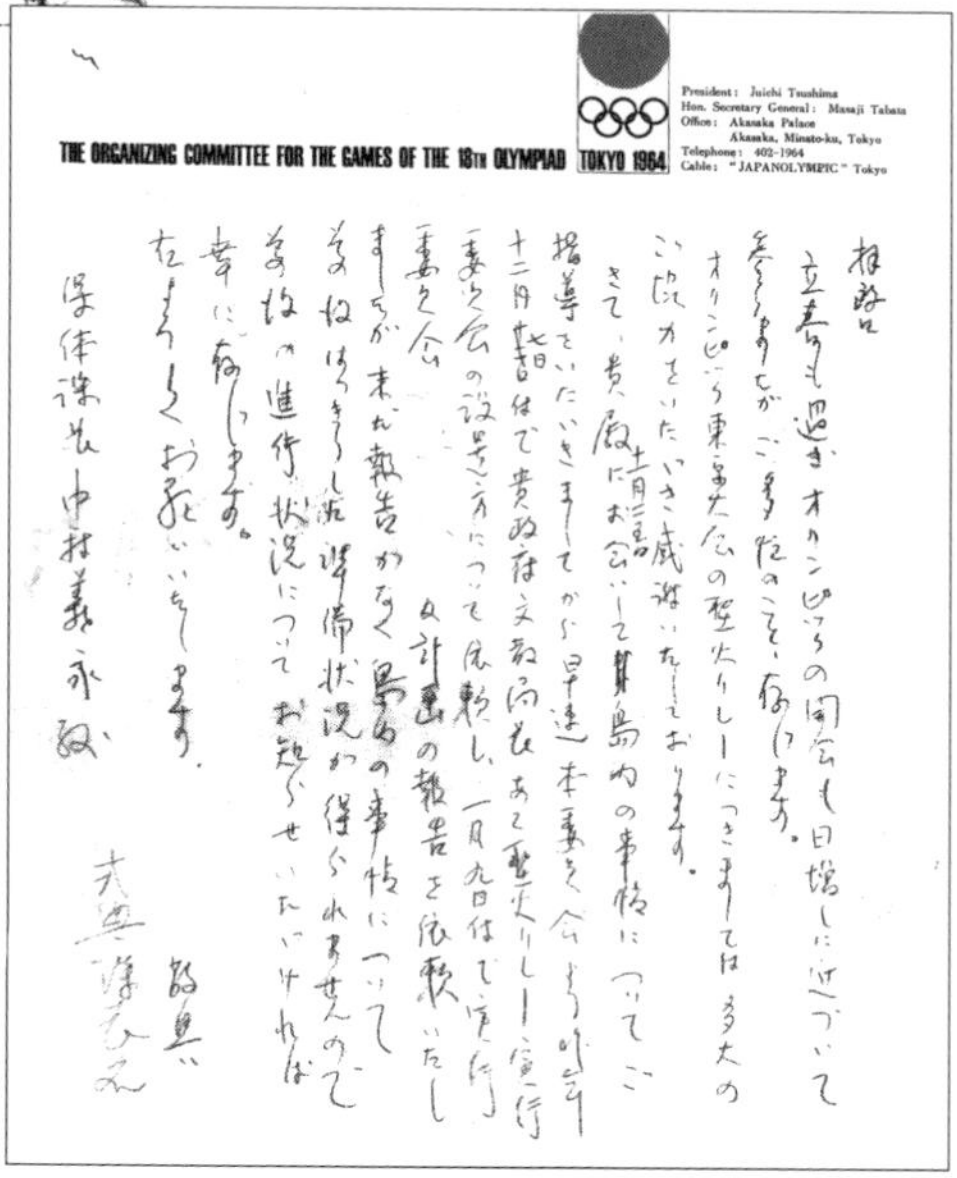

THE ORGANIZING COMMITTEE FOR THE GAMES OF THE 18TH OLYMPIAD TOKYO 1964

President: Juichi Tsushima
Hon. Secretary General: Masaji Tabata
Office: Akasaka Palace, Akasaka, Minato-ku, Tokyo
Telephone: 402-1964
Cable: "JAPANOLYMPIC" Tokyo

拝啓
立春も過ぎオリンピックの開会も日増しに近づいて参りましたが、ご多忙のことと存じます。
オリンピック東京大会の聖火リレーにつきましては多大のご協力をいただき感謝いたしております。
さて、貴殿に十一月二十五日にお会いして貴島内の事情についてご指導をいただきましてから早速本委員会より昨年十二月七日付で貴政府文教局長あて聖火リレー実行委員会の設置方について依頼し、一月九日付で実行委員会計画の報告を依頼いたしましたが未だ報告がなく貴島の事情についてはっきりした準備状況が得られませんので委員会の進行状況についてお知らせいただければ幸に存じます。
よろしくお願いいたします。
敬具
松戸節三
保体課長 中村義永殿

琉球政府保健体育課長への書状

（提供：森谷和子）

森谷ノート（P50参照）に添付されていた、組織委員会・式典課長の松戸節三から琉球政府文教局保健体育課長の中村義永に宛てた書状の原稿。中村は1963（昭和38）年11月25日に組織委員会を訪問。その打ち合わせを踏まえて、組織委員会から同年12月7日付で琉球政府文教局長の阿波根（あはごん）朝次宛てに、沖縄聖火リレー実行委員会の設置を依頼する書状を送付。さらに翌1964（昭和39）年1月9日付でその件の報告を依頼する書状を送付したが連絡がなく、改めて進捗状況の報告を催促したのがこの書状である。この経緯を見ても分かる通り、沖縄側ではなかなかスムーズに計画が進まなかったことが伺える。

に所蔵されている一九六二年一一月一三日付の『オリンピック聖火リレー・コースに関する件』という文書には、そのあたりの事情がズバリと書かれている。そこには、米国大使館のサタリン一等書記官から組織委員会に対して「聖火が日本領土に到着する最初の土地が沖縄であるということは云わないで欲しい」との要望があったと書かれている。沖縄を「日本領土」というなとクギを刺しているのである。また、一九六四年四月九日には組織委員会の会合で沖縄聖火リレー実行委員会の計画案が了承されたが、そこでは聖火リレーに沖縄の選手のほかにアメリカのハイスクールの生徒も加えることになっていた。これは「各走者は一六〜二〇歳の日本人」という組織委員会の「実行案」を、沖縄聖火リレー実行委員会からの要請で変更したもの。「沖縄聖火リレー実行委員会」には米軍も加わっていたことから、それはあくまでアメリカ側の意向と思われる。

こうした原案に基づき、沖縄での聖火リレー走者の人選が行われた。人選の最終的な打ち合わせは、一九六四年六月一一日。そこで走者が決定すると、取材していた新聞記者が同日夜に宮城の家に駆けつけた。本項冒頭にある宮城の発言は、その時のことを語っている。当然、宮城には寝耳に水の出来事である。

「琉球大学教育学部体育学科の学生リーダーをやっていたんです」と、宮城は語った。「これがいちばん大きな理由かなと思いますが、確認はしていません」

正直なところ、最初のうち宮城は今ひとつ実感が湧かなかったようである。

「そりゃそうですよ。こんなに大騒ぎになるとは思わなかった」と宮城。その時点では、沖縄にはまだ「オリンピック気分」はなかったようだ。「ないですね。まさに内定者リストが発表されてからです」

翌日の朝刊に宮城の顔写真入りで記事が出た時点で、宮城を取り巻く状況が変わった。それから聖火リレーが行われる当日に至るまで、彼は徐々に「自分に課せられた仕事が人生を変えるほど大変なことなんだ」と思い知らされることになるのである。

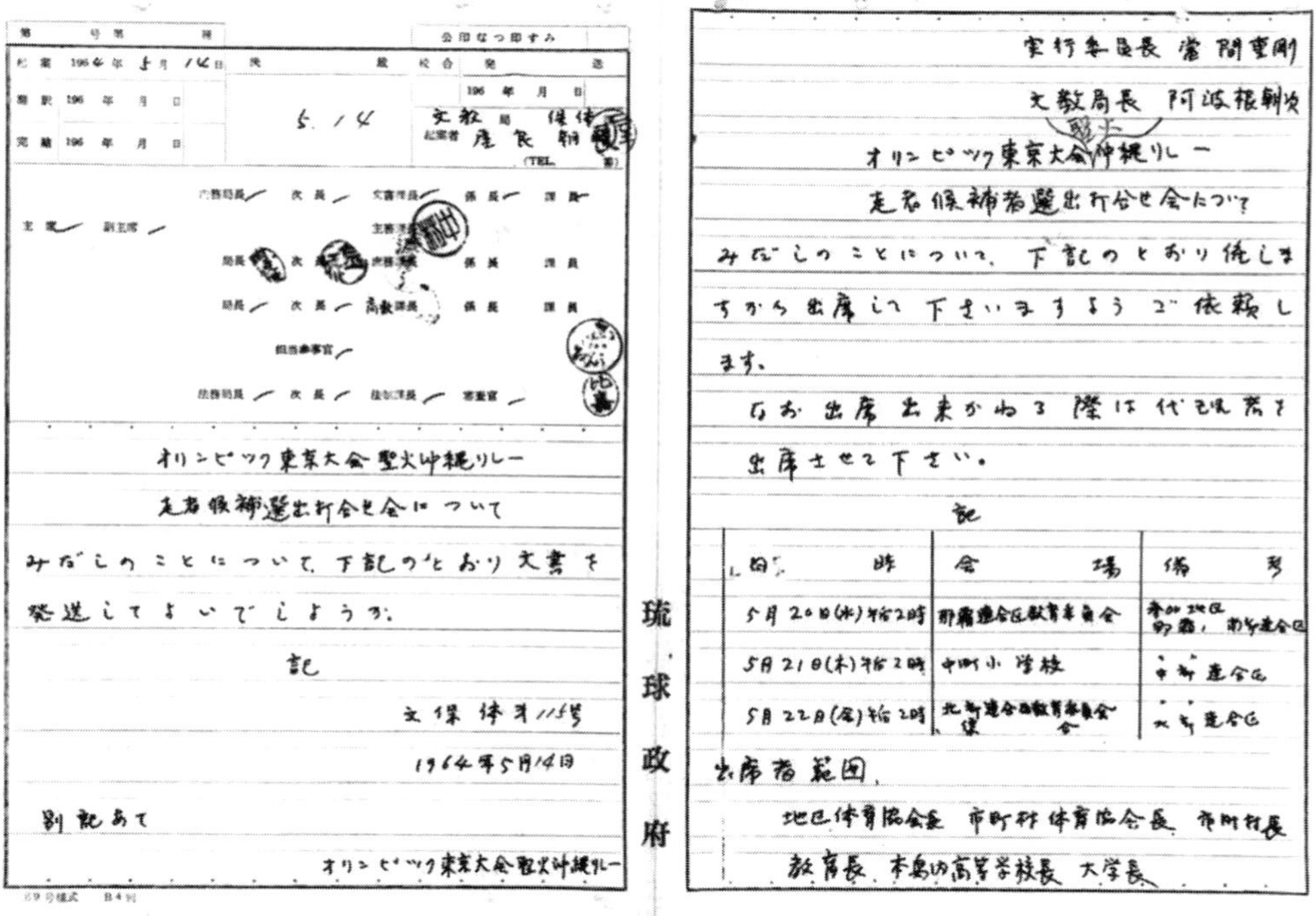

5.14

文教局 保体

オリンピック東京大会聖火沖縄リレー

走者候補選出打合せ会について

みだしのことについて、下記のとおり文書を発送してよいでしょうか。

記

文保体第115号

1964年5月14日

別記あて

オリンピック東京大会聖火沖縄リレー

実行委員長 當間重剛

文教局長 阿波根朝次

オリンピック東京大会沖縄リレー

走者候補者選出打合せ会について

みだしのことについて、下記のとおり催しますから出席して下さいますようご依頼します。

なお出席出来かねる際は代理者を出席させて下さい。

記

日時	会場	備考
5月20日(水)午後2時	那覇連合区教育委員会	南部地区 那覇、南部連合区
5月21日(木)午後2時	中町小学校	中部連合区
5月22日(金)午後2時	北部連合区教育委員会	北部連合区

出席者範囲

地区体育協会長 市町村体育協会長 市町村長

教育長 本島内高等学校長 大学長

琉球政府

沖縄聖火リレー走者候補選出に関する書類

（提供：沖縄県公文書館）

沖縄における聖火リレー走者候補を選出するために行われた、打合せ会についての1964（昭和39）年5月14日決裁文書。聖火沖縄リレー実行委員会の當間重剛委員長と琉球政府文教局長の阿波根朝次から、地区体育協会長、市町村体育協会長、市町村長、教育長、本島内高等学校長、大学長に宛てたものである。リレーの各区間は原則として地元の青少年が走者を務めることになっていた。

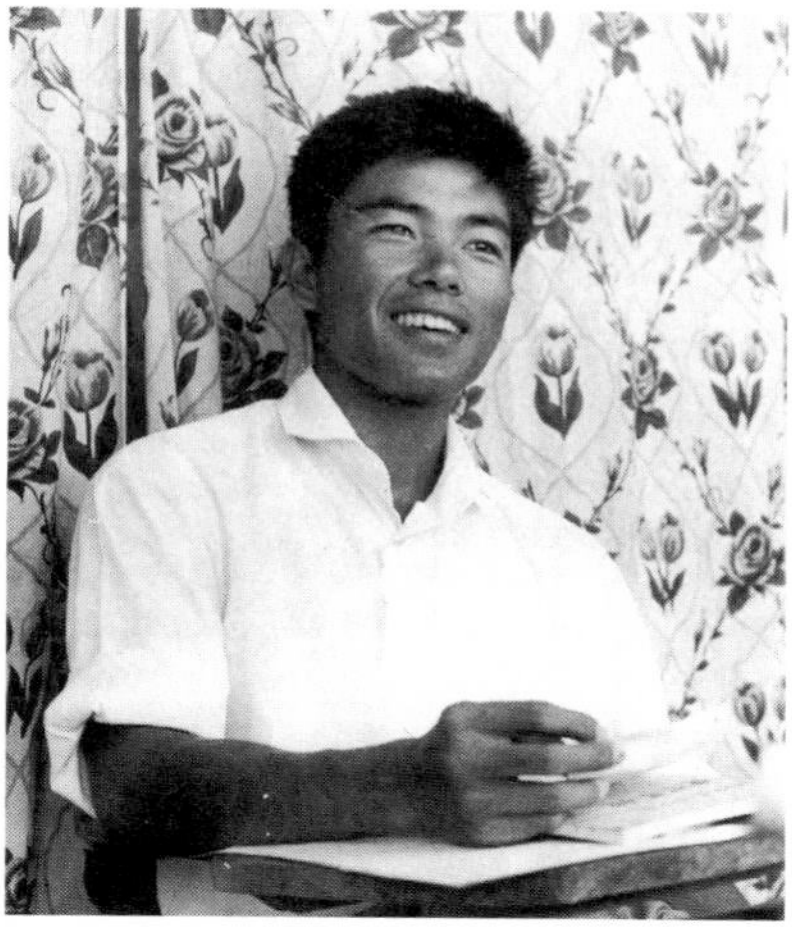

宮城勇

（提供：宮城勇）

宮城勇は、1964（昭和39）年当時は琉球大学教育学部体育学科の4年生。宮城本人いわく、体育学科の学生リーダーをやっていたことが選出の理由ではないかとのことだが、体育学科の主任教師が各都道府県の聖火リレー実行委員会メンバーだったことも理由のひとつではないかとも語っていた。この写真の撮影は1964年8月、琉球大学教育学部の体育教官室にて。

西ドイツ隊と聖火コース走破隊

西ドイツのエーリッヒ・ディーツとヘルムート・ビューラーは、まだまだワーゲンのマイクロバスによるユーラシア大陸の旅を続けていた。

砂漠の真ん中で方角が分からなくなったり、深い川にクルマごと落ちたり……と長旅ならではのアクシデントも多かった。だが一九六四年九月一六日付朝日新聞の記事によれば、当時のビューラーは楽天的にこう語っている。「でも、みんな親切。カラチで車がこわれたときは、市長が修理代を出してくれましたし」

ただし、これも五四年後に語った本人のコメントになると、いささかニュアンスが違って来る。「それはタイヤ交換などのちっぽけな修理でしたけどね」

そのカラチではモンスーン・シーズンを迎えており、彼らは大雨のせいでクルマではボンベイに行けなくなった。この年は東南アジア各地が異常気象に見舞われていたようだが、聖火リレーコース踏査隊（P36参照）も同じ困難な状況に陥っていた訳だから、そもそもこのコースは「鬼門」だったのかもしれない。「私たちは船で行かねばならなくなって、カラチ〜ボンベイ・フェリーに乗り込むことになりました」

そんなディーツとビューラーのふたりが東南アジアで珍道中を繰り広げていた頃、まるで彼らを追いかけるようにギリシャから旅立った日本人の一団がいた。

彼らは毎日新聞社とダイハツ工業が組んで派遣した「聖火コース走破隊」。そのネーミングからして、朝日新聞社と日産自動車が組んだ「聖火リレーコース踏査隊」を連想させる。いわば対抗意識メラメラの、聖火コース陸路制覇を目的としたチームである。「踏査隊」が過酷な条件にも耐えられるニッサンキャリヤー4W73型改造車二台なら、「走破隊」はコンパクトなファミリーカーであるコンパーノ・ベルリーノ二台とハイライン・トラック一台というのも対照的。五月一五日に、隊長の徳岡孝夫と南川昭雄の毎日新聞メンバーが先遣隊として羽

パキスタンを行くマイクロバス

（Courtesy of Helmuth and Fabian Buller）

エーリッヒ・ディーツとヘルムート・ビューラーのふたりはギリシャを出た後、トルコ、イラン、パキスタン、インド、セイロン（現・スリランカ）……と旅を続けた。1964（昭和39）年9月16日付『朝日新聞』の記事では、パキスタンのカラチで市長がクルマの修理代を出してくれたほか、快く水を分けてくれるなど「みんな親切」だったとビューラーは語っている。写真はそのパキスタンの風景で、1964年6月頃の撮影と思われる。

毎日 聖火コース走破隊

オリンピアを出発

クーベルタンの森に勢ぞろいしたオリンピアー東京・聖火コース走破隊＝南川特派員撮影

【アテネ十二日徳岡特派員】東京オリンピックの聖火コース一万八千キロを踏破するオリンピアー東京・聖火コース走破隊（毎日新聞社主催、外務省後援、ダイハツ工業協賛）は、十二日午前七時四十五分（日本時間午後二時四十五分）オリンピックのふるさとギリシャのオリンピアにあるクーベルタンの森をあとに栄光のスタートを切った。快晴、二十四度、走行距離〇キロ。私たちは日誌にそう書きこんだのち、エンジンキイをひねった。ペロポネソス半島をおおった青い空は、あるかなきかの雲を浮かべてすみきっている。松と糸杉が入りまじった森から出ると枯草を焼く煙が聖火を象徴するかのように高々と上がっていた。古代オリンピックの競技場跡は神殿や宝物殿のくずれ残った列柱に囲まれて静まりかえっている。

この日の行程はアテネまで三百五十七キロ。八月二十一日には聖火をささげたランナーが走るというリレー・コースをたどってわたしたちは先を急いだ。オリンピック精神のたいまつをかかげた日本人六人のコンパニオン（仲間）紺色とアイボリーホワイトのコンパーノ・ベルリーナ二台と一台の空色のハイライン・トラック。カルカッタまで一万八千キロの大マラソン。前途は長い。

走りはじめた車にオリンピアの村の農夫がロバの背から手をふりながら叫んだ。「ヨーゴーゴー」わたしたちも手をふってこたえる。行く手の道には"逃げ水"がキラキラと光っている。三台の車はそのきらめきを追って、すべるように走る。

聖火コース走破隊がオリンピアを出発

（1964〈昭和39〉年6月14日付『毎日新聞』より／提供：国立国会図書館）

1964（昭和39）年6月12日午前7時45分（日本時間午後2時45分）、聖火コース走破隊はオリンピアにあるクーベルタンの森から旅をスタートさせた。走破隊メンバーは、毎日新聞から隊長の徳岡孝夫、南川昭雄、ダイハツ工業から由本一郎副隊長、西田弘、武藤五一、そして岩本勝次の総勢6名であった。

田空港から出発。後から四人のダイハツ工業メンバーが追いかけてアテネで合流した。

こうして現地時間六月一二日午前七時四五分（日本時間午後二時四五分）、ギリシャのオリンピアにあるクーベルタンの森を出発。いよいよ長丁場の旅がスタートする。

「正直、現地の食事は口に合わなかったんです。ギリシャで目玉焼きを頼んだらオリーブオイルに浸かっているようでした」と当時を振り返るのは、自動車雑誌『オールドタイマー』No.175・二〇二〇年一二月号でインタビューに答える当時の走破隊隊員・ダイハツ工業技術部実験課の岩本勝次である。「そのうち、お腹がすくと何でも食べられるようになりました（笑）」

聖火コース走破隊の面々は中東の劣悪な道路事情に大いに泣かされたようだ。さらに、アフガニスタンでは五一度の高温を体験したというから、想像を絶する話である。隊員の岩本はこう語っている。

「窓を一度閉めて走り、水筒の水を飲んで汗を出して、再び窓のハンドルをクルクルと回して開けて、流れた汗を気化熱で飛ばして涼しさを感じる、ということを繰り返していました」

例の朝日新聞社・日産自動車の「踏査隊」も水害、反政府ゲリラ……と悪条件に手こずらされたが、「走破隊」もその過酷さは変わらない。そんな中で、隊長の麻生武治が脱落したり隊員が熱病に冒されたりした「踏査隊」と比べて、こちらはひとりの脱落者も出なかったのはまさに幸運だったといえよう。

こうして先行するディーツ＝ビューラーの西ドイツ隊を追いかけるように、ユーラシア大陸を横断していった聖火コース走破隊。その進路は、前述したようにほぼ実際の国外聖火リレーコースをなぞるようなカタチをとっていた。ただし、組織委員会による国外聖火リレーコースは、すでに航空機を使用することが決定済み。それゆえ今回の走破隊の目的は、一九六四年八月二日付け毎日新聞に掲載された隊長の徳岡による独白に表れているといえよう。「私たちは聖火を飛行機で運ぼうという東京オリンピック組織委員会の決定に、なにか割り切れない

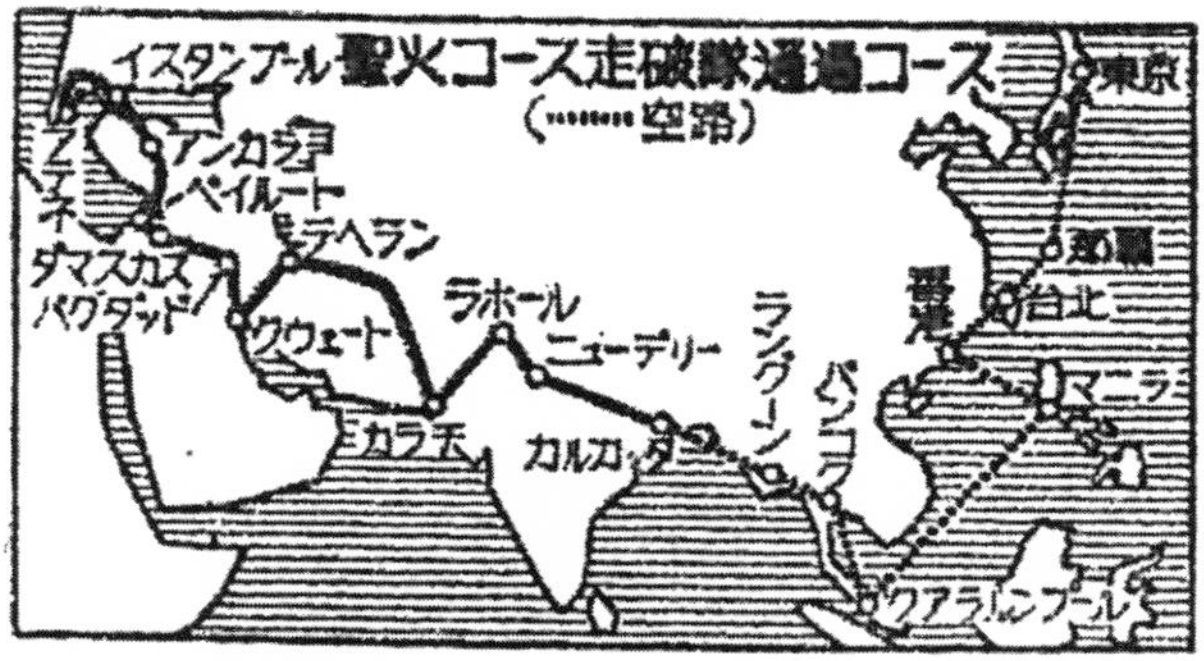

聖火コース走破隊通過コース

（1964〈昭和 39〉年 4 月 24 日付『毎日新聞』より／提供：国立国会図書館）

アテネからカルカッタ（現・コルカタ）までは、ほぼ実際の国外聖火リレーのコースを辿る。それだけでも走破隊の意義は大いに認められるが、その後は完全に空路となってしまうあたりが聖火を陸路で運ぶことの難しさを如実に現している。

イランを行く聖火コース走破隊

（『〈ベルリーナ〉〈ハイライン〉によるオリンピア→東京聖火コース 18,000 キロ走破ニュース』昭和 39 年 7 月 31 日発行〈ダイハツ工業株式会社宣伝課〉より／提供：ダイハツ工業株式会社）

7 月 3 日、クウェート砂漠で砂嵐に遭い立ち往生した走破隊は、何とか自力で砂漠を脱出。その日の深夜にイラン南西部にある港湾都市ホラムシャハルに到着した。7 月 5 日にはそこから北のケルマーンシャーに向けて出発。写真はテヘランの北東約 70 キロにあるイランの最高峰で、富士山そっくりの火山デマバンド山の麓を行く走破隊。

ものを感じる。（中略）もし地上を走れば、それは何億人かの人々がこの〝アジアの誇り〟を、また平和と友愛の五輪精神を分かち合う機会を与えたことだろうに」

果たして、それは本当に可能なことだったのだろうか。それは、この後の東南アジア諸国の情勢を見ていくうちに、徐々に明らかになっていく……。

そんな聖火リレー走破隊がオリンピアを出発した六月一二日、ある奇妙な一団が東京に出現する。白装束に赤いのぼり、ホラ貝を吹いて大都会を練り歩く彼らは、志賀高原からやって来た山伏の一団だ。

天狗の面をかぶった猿田彦命はじめ九人の神様の面をかぶった山伏たちは、ホラ貝の音で東京に巣食う悪魔を退散させ、「東京オリンピックを成功させる」べくやって来たとのこと。最後には都庁を訪れて、厄払いの祈願を行ったというありがたいお話。だが、そもそも彼らが「悪魔退散」のために訪れたこと自体、東京大会の前途に漂う不穏さを現してはいなかったか。

案の定、それはわずか四日後の六月一六日に起こった。新潟市を襲った新潟地震である。

あの第一九回国民体育大会「新潟国体」が、この一一日に終わったばかり。そこに、マグニチュード七・五、住家全壊一九六〇、半壊六六四〇、浸水一五二九七、死者二六の大地震である。被害は新潟県・山形県を中心に九県に及び、特に新潟市の被災状況は悲惨だった。地震発生後一五分ほどで津波が押し寄せ、信濃川沿いなどの低地帯で浸水も発生。一方で火災が石油タンクに引火し、水と火の両方が襲いかかってきた。さらに、液状化現象で同市川岸町の鉄筋コンクリート四階建ての県営アパートが横倒しとなり、他にも傾いたり沈下した建物多数。東京大会目前のこの大災害は、災害列島日本でのオリンピックを大きく揺さぶった。しかも、三か月後には全都道府県を巡る聖火リレーも行われようという何ともイヤなタイミング……。

これこそが、山伏たちが退散させようとした「悪魔」の仕業なのか？

オリンピック前にヤク払い
山伏たちが都心をねり歩く

…志賀高原に住む山伏たちの一団が十二日昼前、ホラ貝を吹きながら都心のビル街をねり歩いた。ホラ貝の音で東京に巣食う"悪魔"を退散させ東京オリンピックを成功させようというわけ。
白装束に赤いノボリ、テングの面の…をはじめ…九人の神さまの面をかぶった山伏たちは、パレードのあと都庁を訪れ「オリンピックが無事に終わりますように」とヤク払いの祈願。外出中の東知事に代わって関オリンピック準備局長が神妙においのりを受けていた。

オリンピック成功祈願を終えパレードする山伏たち（皇居前で）

都心を練り歩く山伏たち

（1964〈昭和 39〉年 6 月 12 日付『毎日新聞』夕刊より／提供：国立国会図書館）

1964（昭和 39）年 6 月 12 日の昼前、志賀高原から東京にやって来た 9 人の山伏たちを報じた新聞記事。都心のビル街を練り歩いた彼らは最後に都庁を訪れ、「オリンピックが無事終わるように」と厄払いの祈願を行った。あいにく東京都知事の東龍太郎は不在だったため、関オリンピック準備局長が神妙にお祈りを受けたということである。写真は、都庁での祈願を終えて皇居前を練り歩く山伏たち。

毎日新聞

新潟地震 暗黒と恐怖の一夜

タンクつぎつぎ誘爆
油が流れ民家に延焼
新潟市

十六日昼過ぎ新潟、山形、秋田地方を中心に東北、関東、中部地方を襲った"新潟地震"の被害は調査が進むにつれ拡大、十七日午前二時現在死者二十四人、行方不明十四人、負傷二百五十七人に上っている。新潟市では夜になって昭和石油の四万五千キロリットルのタンク二基はじめ三万キロリットル三基など十基がつぎつぎと誘爆、恐怖におののいている。

文字通り火の海
消火手段なし

火と水に追われる人々

信濃川はんらんの濁流に洗われる新潟市内の道を行く避難民と傾いたビル。後方は燃えるガソリンタンクの黒煙

新潟地震の被害を伝える記事

（1964〈昭和 39〉年 6 月 17 日付『毎日新聞』より／提供：国立国会図書館）

新潟国体からわずか 5 日後、新潟県を中心にマグニチュード 7.5、最大震度 5 の巨大地震が発生。津波、火災も発生して被害が拡大しただけでなく、液状化現象によって鉄筋コンクリートの建物が横倒しになったり沈下したりした。記事の写真は、信濃川から流れ込んだ濁流の中を避難する人々の様子。後方には傾いたビルとガソリンタンク炎上による黒煙も見える。

知られざる東京五輪映画

今日、東京大会の興奮を映像で味わうとすれば、やはり市川崑監督の傑作『東京オリンピック』（1965）にトドメを刺すだろう。では、オリンピック開催中の東京の雰囲気を、今日の我々に最も伝えてくれる映像は？　それが、往年のハリウッド・スター、ケイリー・グラントが主演するコメディ映画『歩け走るな！』（1965）だ。

イギリス人実業家グラントが五輪開催中の東京にやって来るが、ホテルがどこも空いていないため、同居人募集中のサマンサ・エッガー嬢の部屋に上がり込む。彼女は女性の同居人を探していたからカンカン。さらにグラントは、五輪の競歩選手ジム・ハットンと意気投合して彼も同居させてしまうので、話はさらにこじれる……。かなり大々的な東京ロケを行っていて、巨大な五輪エンブレムが建物壁面に下がっている東京駅八重洲口が映画冒頭に登場。ヤマ場はグラントが乱入する競歩場面で、懐かしい東京の風景が堪能できる。しかも当時の外国映画には珍しく、日本を奇妙に描いていない。五輪翌年の撮影のはずだが雰囲気が出ていて、一見の価値ありだ。

ケイリー・グラント（帽子の人物）とジム・ハットン（その左）

『歩け走るな！』
デジタル配信中／DVD レンタル中
発売・販売元：ソニー・ピクチャーズエンタテインメント

＊2021 年 1 月時点の情報

第3章

1964年7月〜8月
「最終日」ランナーたちの招集

ユニフォームを着た最終日聖火ランナー

（提供：岡野政子）

撮影時期・場所ともに不明だが、事前のユニフォーム試着時か1964（昭和39）年10月10日の開会式当日に旧・国立競技場内（現在は解体済み）で撮影されたものではないかと思われる。左から最終日聖火ランナーの鈴木久美江、青木政子、坂井義則。

1. 躊躇している段階ではない

セイロン島から海を超えて

東京大会の記録映画キャメラマンたちが、国立競技場にやってきた。一九六四（昭和三九）年七月三日、第四八回陸上選手権大会が五日までここで開催されるため、彼らはテスト撮影を試みることになったのである。もちろん、そこには例の「七人の侍」最年少キャメラマン松井公一もいた。

松井は新潟国体でのロケハンで、スケール感の違いをイヤというほど痛感していた。それ故に、国立競技場でのテスト撮影でようやく手応えを掴めたのではないだろうか。テスト撮影をしたその夜、松井らキャメラマンの面々は市川崑監督と会って、その構想をはっきり捉えることになる。『映画技術』一九六五年一月号に掲載された座談会で、松井自身がそのあたりの事情を語っている。

「全日本のテストやって、そのあととどとや（旅館）に行ったでしょう、あの日だね。八月初め、三日か四日だ。（中略）全日本で一回テストして、その日の夜相当突っ込んだ話になってきたわけだ」

ここでいう「全日本」は話の前後の関係から「第四八回日本陸上競技選手権大会」であるため、日にちは実際には七月三〜五日の間違いである。後の話で、松井自らも時期を七月といい直している。

「市川さん自身がスポーツを全然知らないし、いままでと全然違ったもんだし、われわれの話を聞いても何もわからないのです」と松井。「結局七月の初めの全日本だね、あそこにカメラを持っていって、そして各カメラポジションをみんな自分でのぞいて歩いたわけですから」

この打ち合わせの場に至って、どうやら市川崑は初めて自身の狙いを明確にスタッフに伝えられたようだ。その特徴的なポイントについて、同じ座談会で「侍」のひとり三輪正がズバリと指摘している。「われわれが最初計画したものとだいぶ変わったというのが、非常に超望遠を使うということですよ」

この「超望遠」のおかげで、松井は後に散々苦労をすることになるのだが……。

一方、ドイツからワーゲンのマイクロバスを飛ばして来たエーリッヒ・ディーツとヘルムート・ビューラーの一行は、一九六四年七月六日にインドからセイロン（現・スリランカ）のコロンボへと辿り着いた。その時、ふたりの傍らにはもうひとり同行者がいた。

その「同行者」カール・モンタークは、三〇過ぎの登山家である。ふたりと同じドイツ人で、しかも東京に向う旅の真っ最中。ただし、こちらは一年がかりでヒッチハイクで到達しようというのだから気の遠くなる話である。同国人で同じ東京を目指す仲……という偶然も手伝って彼らは意気投合。ここから東京まで、しばらく行動を共にすることになる。

「カール・モンタークはインドを旅行していたんです」とビューラーは語る。「彼は広く世界を見て来た人で、楽しい旅の道連れでした」

そんなモンタークを加えて三人になった一行は、コロンボの街でなぜか日本大使館と関わりを持つことになる。このあたりの経緯は定かではないが、日本大使は彼らの計画に関心を示したようだ。

「コロンボにある日本大使館の人は、私たちがクルマで東京を目指していると聞いてとても興奮していました。それで、日本の貨物船に乗って行けるように手配してくれたんです」

この件については一九六四年八月二八日付産経新聞の記事でも触れていて、「現地の日本大使館の好意で船旅に切りかえ」……と書かれている。おそらくはインスブルックの時と同様に、例の大きな分厚いアルバムが威力を発揮したに違いない。

しかしながら、せっかくの日本大使の厚意にも関わらず、事は計画通りにいかなかった。一行がコロンボの港で出発を前に眠っている頃、東京からこの件についての電報が到着。それによると、クルマを貨物船で運ぶのはいいが、法律的・医学的な理由で「旅客」は乗せられないとのこと。しかたなくマイクロバスだけを貨物船で運ぶことにして、彼らは船員用のホステルで旅客船を待つために数日間待機することになる。

その後、客船「ベトナム」の到着を待ってコロンボを出発。彼らは一路日本へと向ったのである。

ちなみに、客船……と聞くと彼らの旅が一気にゴージャスになった観があるが、この船旅の運賃はどちらかといえばリーズナブルな価格。しかも、日本大使の計らいでさほどフトコロは痛まなかったとビューラーは白状する。「(客船の)チケット代だけで、クルマはタダで運んでもらいましたからね」

そんなディーツとビューラーがコロンボで足止めをくっていた頃、偶然にもそこから程近いインド洋沿岸近くで、故国から遠く離れて漁を行う一隻の日本の遠洋漁船がいた……。

敗戦後、日本漁船の活動範囲はGHQにより著しく制限されたが、一九五二(昭和二七)年以降はそれも撤廃され、遠洋漁業は再び発展していった。インド洋もすでに日本漁船の活躍の場だったのである。

その漁船で漁師たちが底引き網で引き揚げた大量の「海の幸」の中に、あるモンゴウイカが忍び込む。ここで「モンゴウイカ」と呼んでいるのは日本での市場名で、インド洋沿岸で漁獲されるそれは「トラフコウイカ」だそうである。ともかくそのモンゴウイカは漁船の凍結室で急速冷凍され、それからほぼ一か月半以上冷蔵されたまま日本へと運ばれた。その後、そのモンゴウイカが東京大会を脅かす事態をもたらすとは、その時はまだ誰ひとりとして気づくはずもなかった……。

インドを行くマイクロバス

(Courtesy of Helmuth and Fabian Buller)

客を乗せる象のすぐ横に停まっている、エーリッヒ・ディーツとヘルムート・ビューラーのマイクロバス。1964（昭和39）年8月28日付『産経新聞』の記事によれば、ドイツ人の登山家カール・モンターク（Karl Montag）と出会ったのはセイロン（現・スリランカ）とのことだが、ビューラー本人が2020（令和2）年に語ったところによると、どうやらインド旅行中に遭遇したようである。この写真はおそらく1964年6月末から7月初め頃の撮影。

セイロン島での旅

(Courtesy of Helmuth and Fabian Buller)

1964（昭和39）年8月28日付『産経新聞』の記事によれば、同年7月6日にセイロン（現・スリランカ）のコロンボに到着したとのこと。ここで日本大使館と接触を持った一行は、その厚意によって船旅に切り替えることになったということである。写真はマイクロバスの前に立つディーツ（左）とビューラー（右）である。

水面下で動き出した「最終日」リレー

ここで話は少しさかのぼって、一九六四（昭和三九）年四月四日付東京新聞の記事を見てみたい。それは東京大会の聖火リレー全般について解説したものだが、未定だった最終ランナーについても言及している。

「古橋広之進氏とか、金メダリスト説、女子説などとりざたされ、最後には皇太子殿下（現・明仁上皇）までおよんだこともある」とこの記事では書かれているので、一時はかなりビックリな案も浮かんでは消えたのかもしれない。だが、最終的にはやはり大島鎌吉と織田幹雄が提言した「若い人」というところに落ち着いたようだ。同記事では「年齢も十六歳から二十歳を基準にしている」「陸上競技をやっているものが一応対象になる」「高校生の中距離ランナー、実業団、大学生の千五百メートル以上のランナーがその圏内」と具体的に対象を絞り込んだ末に、「新潟国体の中長距離で好記録を出したものが一挙に浮かびあがるのではないか」と結んでいるが、どうやらその最後の部分の予想ははずれたようである。

その「最終」聖火ランナーという言葉だが、実際の一九六四年一〇月一〇日開会式当日のリレーでは「補欠」も含めて合計一〇人のランナーが選ばれた。ここからは混乱を避けるために、開会式当日の聖火リレーに選ばれたランナー一〇人全員を「最終日」聖火ランナー、その中でも国立競技場の聖火台に点火するランナーを「最終」聖火ランナーと呼ぶことにする。その「最終」ランナーが、ご存知坂井義則（P12参照）だ。

さて、前述した東京新聞の記事からおよそ三か月後。いよいよその「最終」ランナーについて、具体的な選考の話が報道されるようになってきた。例えば一九六四年七月九日付毎日新聞や同日付朝日新聞夕刊などの記事を参考にすると、その七月九日の午前九時から赤坂プリンスホテルで開かれた組織委員会・競技委員会の会合で、最終ランナーの選考基準などが検討されたという。毎日の記事によれば、六月二二日の前回の競技委員会で過去の有名選手や第一線の現役選手などよりも若手を起用すべきとの空気が強くなり、その線で選考基準を決めよう

聖火最終ランナー

きょう選考基準きめる

「戦後の東京っ子」

容姿や学業の面からも

JOCに推薦を依頼

東京オリンピック聖火リレーの最終ランナーをどう選ぶか、組織委は九日の競技小委員会で選考基準を決めたのち、具体的な人選にはいる。小委では組織委事務局案をもとに検討をすすめるが「戦後生まれた東京っ子」に落ち着くもようで、これが決まれば開催都市トウキョウと新生日本を象徴しようというアイデアから生まれた無名の少年ランナーが栄冠をになうことになる。

小委ではこれまで具体的な選考方法にはふれず、いわば"思想統一"のための会議を重ねていた。

この過程のなかで過去の有名選手、第一線の現役選手などが話題となっていたが、その後新しい日本で開くオリンピックのために、若手を起用しようではないかとの空気が強くなり、前回の小委（六月二十二日）ではその線で選考基準を決める運びとなった。

この基準は数多くの選考方法をふるいにかけ、候補者をしぼるのが目的で、あとは一気に具体的人選にはいろうという考え。

最終ランナーは東京大会の栄誉を背負ったもの、というのがポイントではあるが"栄光の座"につく少年としては、容姿、人格などもすぐれている必要がある。これらが選考基準の条件になるのは当然だが、実際に人選にはいるには年齢のほかに地域も限る必要があるというのがこれまでにまとまった小委の意見。

開催都市"東京"がそこから浮かび上がってきたもので、これらをまとめると、年齢、地域、競技歴、人格などの条件から候補者をしぼることとなり、具体的には

❶昭和二十年八月十五日（終戦）以降に生まれた男子❷東京在住者❸全国競技大会に参加した競技歴のあるもの❹身長一・70以上、体重65㌔前後❺学業、人格ともにすぐれた少年

などとなる。九日の小委では組織委事務局の案をもとに検討するが、これらの条件をもとにした基準が決まるとみられる。

この基準で対象となる候補者はごく少数に限られてくるが、具体的な人選は組織委では不可能のため、大会に参加する競技団体の統括体であるJOC（日本オリンピック委）を通じ、各競技団体から候補者の推薦をうけ、その中から最終ランナーを決めることになりそうだ。

候補者推薦を依頼する競技団体が陸上だけになるか、複数になるかはまだ不明だが、いずれにしてもメルボルン（一九五六年）ローマ（一九六〇年）各オリンピックに続いて少年ランナーが誕生することは確実である。

選手団は三四〇人

JOC常任委「大島団長」を承認

JOC（日本オリンピック委員会）の常任委員会は八日午後四時から代々木の岸記念体育会館で開かれ、二日オリンピック東京大会の日本代表選手団の団長として選手強化本部長の大島鎌吉氏を決めた編成小委員会案を全会一致で承認し、二十二日のJOC総会にはかることになった。

また日本選手数はさきに三三八人と決めていたが、陸上競技、フェンシングをそれぞれ一人追加し、

最終聖火ランナー選考基準に関する記事

（1964〈昭和39〉年7月9日付『毎日新聞』より／提供：国立国会図書館）

1964（昭和39）年7月9日午前9時から赤坂プリンスホテルで開かれた組織委員会・競技委員会の会合で、最終ランナーの選考基準などが検討された。この会合の後、記事の見出しにもなっている「戦後の東京っ子」という選考基準が一般にも浸透した。しかし、これがその後の「最終」ランナーを巡るメディアのスクープ競争を、大いに迷走させる原因となったともいえる。

皇居前の「最終日」聖火リレー出発地点

（提供：千代田区広報公聴課）

当初は東京都庁（注：旧庁舎）前からスタートする予定（P50参照）だった開会式当日（最終日）の聖火リレーだったが、その後に検討を重ねた結果、皇居前からスタートに変更されることになった。写真は1964（昭和39）年10月9日夕方、皇居前広場の特設聖火台の前でスピーチする東龍太郎。写真左側の来賓席最前列には、古代ギリシャのコスチュームを着た採火式の主巫女アレカ・カッツエリ（P148参照）の姿も見える。

ということになったようである。大島鎌吉や織田幹雄の意見（P46参照）が与えた影響は大きかったのだ。

こうして決められた「選考基準」は、両紙の記事を総合すると次のようなものだった。

（1）戦後の出生者（昭和二〇年八月一五日以降生まれ）、（2）体格は若い世代の代表としてふさわしいもの、例えば男子の場合は身長一メートル七〇以上、体重六五キロ前後のもの、（3）地域的には予行演習の便利な東京近郊の在住者とする。

このうち（3）について、毎日の記事では「開催都市〝東京〟がそこから浮かび上がってきた」云々と書いており、「練習のために便利」なことだけで候補者の在住地域を選んでいる訳ではないことが伺える。また、朝日の記事によれば、具体的な人選はJOC総務主事で日本陸連理事長の青木半治とJOC委員長の竹田恒徳、JOC相談役の久富達夫の三人で行う……とのことであった。

なお、同じ朝日の記事には「開会式前夜、聖火を宮城（皇居）前に一晩置く」という方針を実施するよう努力する……云々の記載もあった。つまり、開会式当日の聖火リレーのスタート地点を都庁（注：旧庁舎）前から皇居前へと変更させることがすでに検討されていたのだ。都庁前が人だかりが集まるには狭いことと、開会式当日のスタートには華やかさに欠けること……などが、変更の理由だった可能性がある。

このように、一九六四年も七月に入ると最終ランナーや最終日ランナーを巡る人選もかなり具体化していた。実際には、すでに人選はかなり絞られていたのかもしれない。

「七月くらいじゃなかったかなぁ」と、東京都杉並区にある東京都立西高等学校の三年生だった池田元美は、最終日聖火ランナーに選ばれたことを知った時期についてこう語っている。「学校で聞いたような気がする。学校で言われた記憶があるけど、実際に誰から聞いたかは覚えてない」

はっきりしないのも無理もない。何しろ半世紀以上前の話である。「夏休みに入る直前だったかもしれないね。

高校３年生の池田元美

（提供：池田元美）

東京都立西高等学校３年生だった池田元美は、東京都三鷹市の生まれ。いわゆる「越境」で、東京都杉並区にある西高に通っていた。この写真は高校の卒業アルバムに掲載された写真。1964（昭和 39）年暮れから 1965（昭和 40）年春の撮影と思われる。

表彰台での池田元美

（提供：池田元美）

池田元美は、1964（昭和 39）年７月に立川市営陸上競技場で開かれた都下陸上競技選手権大会に出場。７月 19 日の同大会２日目に、1500 メートル障害で４分 34 秒１で優勝した。池田本人によれば、「私の想像ですが、この成績が聖火ランナーに選ばれる理由になったようです」とのこと。１位で表彰台に上がっているのが池田である。

それとも、先生から電話があったのかなぁ」

池田は生まれも育ちも東京都三鷹市。西高に通っていた当時も三鷹市に住んでいた。いわゆる「越境入学」のはしりといえるかもしれない。陸上をやり始めたのは中学からで、西高でも引き続きのめり込んだ。

「都下陸上競技選手権大会に行ったら一位になっちゃった。調子に乗ってね（笑）」と池田は記憶をたぐって語る。「だから私の印象では、あの時に優勝したから（聖火ランナーに）選ばれたんだなと」

おそらくほぼ同じ七月半ば頃だと思われるが、埼玉県立飯能高等学校三年の青木政子も最終日聖火ランナーに選ばれたことを告げられている。

青木は高校時代、陸上競技で一年から三年まで三度も国体に出場していた。本人いわく「そこそこの記録を持っていた」とのことだが、それがランナーに選ばれた理由であったかどうかは分からない。

「校長先生から伝えられたと思います」と青木は当時のことをあまり覚えていないといいながら、記憶を辿って語る。「選ばれてから八月の練習まで、そんなに期間が無かったと思います。だから夏休みに入る前の七月頃の時期だと思うんですよね」

告げられたのは、学校のグラウンドでのこと。クラブ活動の練習中に、単に「決まったから」といわれたようである。それを受けた青木の反応も、実に淡々としたものだったらしい。

「すごく大変なことというより、あっけらかんと」と青木は笑いながら語った。「（私は）性格的にそんな感じだから、深刻に考えなかった。だから、『はい、わかりました』とだけ」

都立西高の池田元美も飯能高校の青木政子も、特に「大変なこと」とは思っていなかった。その点では、最初の反応は沖縄の宮城勇（P76参照）も同じである。だがそれ以降、聖火ランナーたちが抱く感情は、彼らが置かれた状況によって大きく異なっていくのである。

国体会場での青木政子と鈴木久美江

（提供：岡野政子）

青木政子（右）が「最終日」ランナーの中でもうひとりの女子ランナーであった鈴木久美江（左）と国体の会場で撮影した写真（中央の人物は、青木の飯能高校での後輩）。鈴木が高校生となった東京大会後の 1965（昭和40）年秋、岐阜国体での撮影と思われる。撮影場所は岐阜県営総合運動場岐阜陸上競技場。

雑誌の表紙に掲載された青木政子

（『陸上競技マガジン』昭和 41 年 8 月号〈ベースボール・マガジン社〉より／提供：岡野政子）

中学時代から走高跳を始めた青木は、高校で陸上部に入ってから高校総体の走幅跳、日本陸上選手権の走高跳で優勝するという活躍ぶり。この表紙になった写真は、高校卒業後に実業団の東急に入ってから走幅跳 6 メートル 01 で自己記録をマークした際のものである。1966（昭和 41）年の撮影。

翼よ、あれが五輪の灯だ

「二号機の飛行試験の主任でしたから、二号機というと俺の飛行機という感じでした」と語るのは、当時、日本航空機製造でＹＳ-11の開発に携わっていた山之内憲夫である。一九六四（昭和三九）年七月二〇日にはＹＳ-11の実用飛行試験がスタートしたが、山之内もそこに参加していた。

東京大学工学部航空学科を卒業して一九六三（昭和三八）年四月に日航製に入社した山之内は、入社後二か月ぐらい経った頃にいきなり名古屋に呼ばれた。「名古屋に飛行試験の要員で行って来いと言われて、昭和三八年六月から昭和四〇年のはじめくらいまでずっと飛行試験をやっていました」

今でこそ「昭和のレガシー」として名高い戦後初の国産旅客機ＹＳ-11だが、その開発は苦難に満ちていた。一九六二（昭和三七）年八月三〇日に初飛行に成功してからはスムーズに事が運ぶと思われたが、そこからがいけない。さまざまな技術的問題が発覚して、計画がベタ遅れに遅れてしまう。

「ＹＳ-11は、六〇人を乗せて一二〇〇メートルの滑走路から離着陸できることを最大の売り物として設計されました」と山之内。「しかし、その影響で舵の問題が出たりした。特に上反角の改修の影響は大きくて、そうした問題の克服で時間がかかってしまったんです」

何やら最近どこかで聞いた話のようにも思われるが……これらトラブルの余波は、思わぬところにも影響を与えていた。一九六四年東京大会の聖火リレーである。

聖火の国外リレーを陸路で行うという当初の計画は、聖火リレーコース踏査隊（P36参照）の辛酸をなめ尽くした旅によって回避されることになった。これによって空輸へと転換した国外聖火リレー計画だったが、そこにはひとつの大きな目算もあったかもしれない。開発中だった国産旅客機ＹＳ-11のＰＲである。

国産機ＹＳ-11で聖火を運べば、海外に向けてこれ以上の宣伝効果はない。一九六三年三月一九日付読売新聞

初飛行、みごと成功

国産ジェット機YS―11

戦後初のターボ・ジェット・エンジンを備えた国産旅客機YS―11の飛行テストは快晴の三十日朝、名古屋空港で行なわれ、みごとに成功した。国産の翼は戦後十七年より、再びよみがえったのだ。

午前六時すぎ、新三菱重工小牧工場の第四格納庫前に真っ白な上半分にブルーの横線を配した双発六十人乗りのYS―11がスマートな姿を見せると、待ちかねた約二百人の報道陣が取り巻く。YS―11はぐっと翼を張った全幅三十二㍍に対し、四・四三㍍というプロペラの大きさが目立つ。設計者の一人、太田稔日航製企画部長は「このため馬力がぐっとふえて、片方のエンジンだけでも滑走路が千二百㍍もあれば離着陸は十分、滑走路が少々狭くても苦にならず全

快調に 名古屋市周辺の上空を初飛行する国産中型旅客機ＹＳ―11型１号機（中央は矢田川の天神橋）＝毎日新聞社機明星号から30日午前7時45分ころ写す

YS-11 初飛行を報じる記事

（1962〈昭和 37〉年 8 月 30 日付け『毎日新聞』夕刊より／提供：沼口正彦）

YS-11 初飛行を伝える新聞記事。見出しに「国産ジェット機」とあるのは、YS-11 に搭載されたターボプロップ・エンジンが、ガスタービン出力の多くでプロペラを回転させるジェットエンジンの一種だからである。離陸したのは同日午前 7 時 21 分。名古屋空港の上空を一周した後、四日市～横須賀と伊勢湾上空を高度約 3000 メートルで旋回。方向舵・昇降舵の効果を確認したり、左右旋回や失速テストなどの各種テストを行った後で、午前 8 時 17 分に名古屋空港に着陸した。

試作 1 号機を背景にした山之内憲夫

（提供：山之内憲夫）

ふたりの人物のうち左が山之内で、右は技術部第 2 技術課計測班の中澤勝彦。YS-11 の機首先端にピトー管がついていることから、これが試作 1 号機による飛行試験と分かる。主翼の上反角を上げる前と見られるため、1963（昭和 38）年の撮影で場所は名古屋と思われる。

によれば、聖火空輸にＹＳ‐11を使うという話は一九六二年七月の段階で日本航空協会会長の久富達夫から組織委員会に持ち込まれていた。一九六二年七月四日、組織委員会内に聖火リレー特別委員会が立ち上がった第一回会合（P76参照）の際に、すでにＹＳ‐11に関する資料が提出されているのだ。それ以降、聖火空輸は「ＹＳ‐11ありき」のかたちで論議されていく。そのＹＳ‐11に不具合が出れば、国外聖火リレー計画全般に影響が及ぶのも当然のことである。議論はいつまでも空転を続け、何とか具体的な計画を先に進めようとする同委員会メンバーの中島茂（P26, P32, P52参照）のメンタルをさらに疲弊させることになる。山之内が名古屋に呼ばれた頃、開発中のＹＳ‐11は、まだトラブルの渦中にあった。

「あの時は、初飛行を飛んだら一年で型式証明を取るつもりだったんです」と山之内は語る。単なる試験飛行ならば、型式証明などなくてもできる。だが航空会社が運航するためには、型式証明が必要だ。今回の国外リレーは、航空会社が運航する「民間機」による空輸が前提である。その見通しがまるでつかない。

スケジュールの遅れは、別の問題も引き起こしていた。新たに開発されたＹＳ‐11は、果たして劣悪なコンディションに耐えられるか否かが分からない。予定されているのは、それでなくても過酷な夏の中東〜東南アジアのコースだ。本来なら事前のテスト飛行を同じ条件の夏に行わねばならないが、前年の一九六三年夏までにはＹＳ‐11は間に合わない。かといって、一発勝負はあまりにリスキーだ。

さらには一機だけでこのフライトを行うのは危ういということから、もう一機を並行して飛ばすというプランまで出て来る。しかし、これではコストが倍かかることになる。さすがに合理的ではない。

結局、聖火リレー特別委員会は厳しい決断を下すことになる。スケジュールだけでなくさまざまな条件からどう考えても国外聖火リレーには使えないＹＳ‐11は、一九六三年一〇月二日に開かれた第四七回組織委員会会合で計画から姿を消す。代わりに選ばれたのは、安定した性能を誇る日本航空保有のダグラスＤＣ‐６Ｂだ。この時点で国外聖火リレーまでの残り時間は、わずか一〇か月余。それまでコースなど具体的な計画はまるで進んでいなかったのだから、かなり無茶な話である。中島の心労もいかばかりだったか。

ところがどっこい、ＹＳ-11での聖火空輸はここで終わらない。

一九六四年七月一五日付各紙朝刊に、全日空社長の岡崎嘉平太が前日の記者会見で述べた驚きのコメントが掲載されたのである。いわく、「オリンピック聖火の国内輸送にＹＳ-11を使うつもりだ」

国外ではなく国内での空輸で、再び忽然と甦ったＹＳ-11の空輸計画。そこには理由があった。

「昭和三九（一九六四）年の四月か五月には、型式証明がこういうスケジュール（八月）で取れそうだと分かっていましたからね」と、山之内憲夫は語る。

実際に、一九六四年五月二〇日にはアメリカ連邦航空局（ＦＡＡ）の係官も調査のために来日するなど、型式証明取得のための動きは活発化していた。

ただし、この時点では全日空もＹＳ-11の国内聖火空輸起用に諸手を挙げて賛成していた訳ではなかった。一九六四年六月六日付毎日新聞によれば、六月五日に同社はフォッカーＦ-27フレンドシップを使うと発表している。その後、ＹＳ-11を使うことになったものの、沖縄から鹿児島、宮崎、千歳（札幌）に聖火を運ぶ国内コースのうち、沖縄～鹿児島間にだけはフレンドシップを使うと主張していた。

当時の鹿児島空港は今日とは異なり、鹿児島市鴨池にあった別の空港であったが、滑走路の長さなどＹＳ-11の着陸に対する不安材料が多かった。そのため、フレンドシップとの併用といういささか不名誉な案が持ち上がった訳だ。そこでこの項の冒頭に出て来た、七月二〇日からの実用飛行試験が重要になってくる。

その結果は、早くも七月二二日に出た。この日、ＹＳ-11は試験の一環として鹿児島空港に着陸。その性能を見事に証明できたのである。もはやＹＳ-11の起用に何の心配もない、例の型式証明を除いては……。

2. めでたさも中くらいなり

郷里に届いたハガキ

ＹＳ－11の鹿児島空港着陸が成功裏に終わった翌日の一九六四（昭和三九）年七月二三日、午前九時から組織委員会・競技小委員会の会合が東京の赤坂プリンスホテルで開かれた。

そこではいくつかの議題が検討されたが、そのうちのひとつは最終日ランナーの出発場所の変更。一九六四年七月九日の組織委員会・競技委員会会合で議題にのぼったように、最終日の聖火リレーを従来予定されていた都庁前から皇居前での出発に変える（P94参照）ことが提案されたのである。

さらにこの日は、聖火最終ランナーについての検討も行われたとのこと。一九六四年七月二三日付朝日新聞夕刊によれば、この日の検討の結果、「最終日」ランナーのグループを八月中旬に、中でも聖火台に点火する「最終」ランナーを九月頃に決定することになったようだ。まだこの段階では新聞紙上には例の坂井義則の「さ」の字も出て来ていない。一般的には、「最終」ランナーの人選は混沌としているかのようであった。

そんな七月後半のある日のことである。

ここからは、日本オリンピック委員会公式サイトの『東京オリンピックから四〇年／東京オリンピック聖火最終ランナー・坂井義則氏』というインタビュー記事や、佐藤次郎著の文春新書『東京五輪１９６４』、そして二〇二〇（令和二）年六月二三日付日刊ゲンダイに掲載された岡邦行による『東京五輪への鎮魂歌・消えたオリンピアン／一九六四年東京五輪・最終聖火ランナー坂井義則さん（上）』などを参考に書き進めていく。

場所は中国地方のほぼ中心、広島県の北部に位置する盆地の街・三次市。その街にある一軒の住宅に、東京から一枚のハガキが届けられた。そのハガキの宛名は「坂井義則」。この後に「最終」聖火ランナーとして全国に知られることになる名前（P12参照）である。この家は、あの坂井義則の実家だったのだ。

坂井は東京の早稲田大学に通っていたが、オリンピック代表になり損ねて、無念の思いを抱いて帰郷していたのだった。前述のJOC公式サイトのインタビューでも、坂井本人がこう語っている。「代表から漏れた後は、ほとんど抜け殻のようなもんです。（中略）だから実家に帰ってぶらぶらしていたんです」

坂井がオリンピック代表選考に漏れたという話は、数々の記事や資料に出て来る有名なエピソードだ。大概が「代表選考会で敗退」などとなっていて、佐藤次郎著の『東京五輪１９６４』では「選考会の四百メートルでは四位にとどまった」とまで明確に書かれている。だが、肝心の「代表選考会」がどれか分からない。

新聞報道を調べてみると、この時期で陸上の「代表選考会」といえるものは、七月三日〜五日の第四八回日本陸上競技選手権大会（P88参照）だったようである。日本陸上競技連盟は同大会の成績を基に、第二次代表選手を決定している（第一次はマラソン、競歩の選手）。では、この大会に坂井は出ていたのか。

この大会で四百メートルの競技が行われたのは、二日目の七月四日。だが、四百メートルの一位から六位までの選手の中に坂井の名前はない。念のため『早稲田大学競走部七十年史』でこの大会での早稲田の選手を探してみても、彼の名前は見つからない。どうやら、坂井はいわゆる「代表選考会」には出ていないようなのだ。

その代わりに、同年五月二九日〜三一日の第三三回日本学生陸上競技対校選手権大会で、坂井は四百メートルで四位という成績を残している。さらに二〇二〇年六月二三日付日刊ゲンダイに掲載された岡邦行の記事の中には、坂井のコメントとして「六月のオリンピック代表陸上選手選考会の準決勝で敗退」と書かれている。「六月」

と時期的なズレはあるものの、「選考会の準決勝」とはこの「日本学生陸上競技対校選手権」のことを指しているのではないだろうか。だとすると、いくつかのナゾが解けてくるのである。

坂井がそのハガキを受け取った時期もハッキリしないが、前後の関係から、ここでは七月後半とする。ともかく、問題は坂井に届いたハガキの内容である。そこには次のような文言が書かれていたという。

「聖火最終ランナーの候補者に君の名前がある。これからは自重するように」

このハガキが誰から来たかということについても諸説あるが、『東京五輪1964』では、坂井を早稲田に引っ張って来た人物で、当時は五輪強化コーチを務めていた小掛照二であると断定している。だが、坂井は今ひとつ事情が飲み込めていなかったようだ。彼自身が前述JOCのサイト記事でこう語っている。「行動を慎むようにといわれても……何だか聖火ランナーなんてピンとこなかったというのが、あのときの感想です」

そんな奇妙なハガキを坂井が受け取った日から間もない、一九六四年七月二九日の韓国・ソウル。この日の午前〇時で、韓国全土に布告されていた戒厳令が五六日ぶりに解除。街は久々に平穏さを取り戻した。

日本では五輪に湧いていたこの年、韓国は激しく揺れていた。日韓両国はいまだ正式な国交がなく、朴正熙大統領は国交正常化を目指していた。だが、請求権問題の合意が秘密裏に行われたことから、それに憤った学生たちが蜂起して反政府運動へと拡大。ソウルでは市街戦の様相を呈した。そこで六月三日、朴正熙政権は戒厳令を布告。軍の力ですべてを制圧するに至る。当然、日韓の交渉は暗礁に乗り上げたまま……。

そんな周囲の騒然とした状況とは裏腹に、はやる気持ちを抑えきれずにいた男がいた。北朝鮮の「世界最速の女」辛金丹の父親、辛文濬（P48参照）である。彼はGANEFOでの辛金丹のニュースを見て以来、連絡をとりたいと思いつつ「韓国から手紙を出して迷惑でもかかったら」とじっとこらえていたのだ。

そんな辛文濬に、想定外のチャンスが舞い込んで来た……東京オリンピックである。

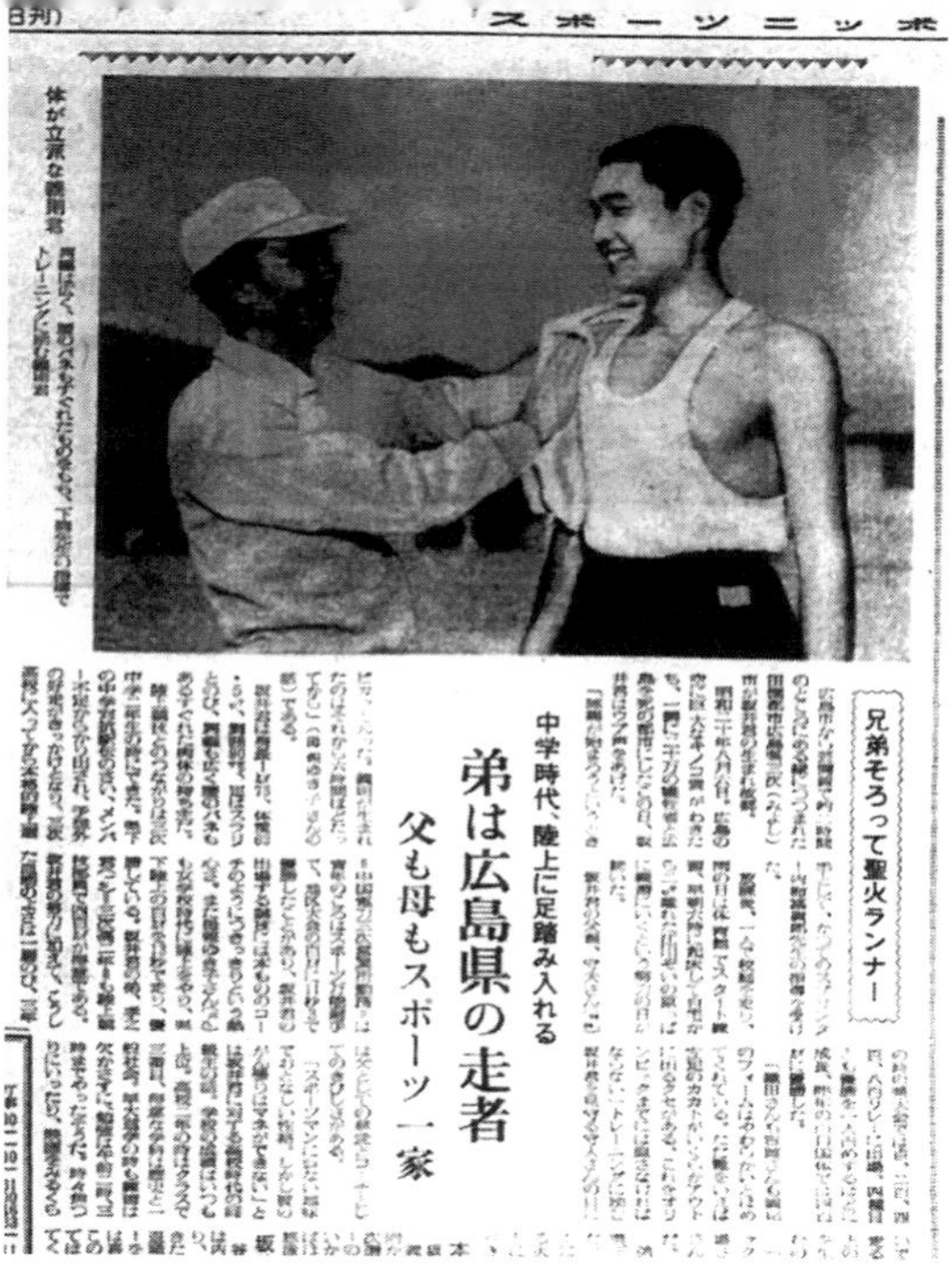

スポーツニッポ

兄弟そろって聖火ランナー

中学時代、陸上に足踏み入れる

弟は広島県の走者

父も母もスポーツ一家

坂井義則に関する記事

（1964〈昭和39〉年8月11日付『スポーツニッポン』より／提供：国立国会図書館）

坂井義則の生い立ちから陸上競技との出会い、選手としての成績などについて紹介した記事。両親ともにスポーツマンで、弟も陸上競技部員というスポーツ一家で、特に弟は広島県での聖火リレーランナーをつとめる予定であることも書かれている。坂井の最終聖火ランナーへの抜擢がリークされた際、ほぼ同時に掲載された記事である。

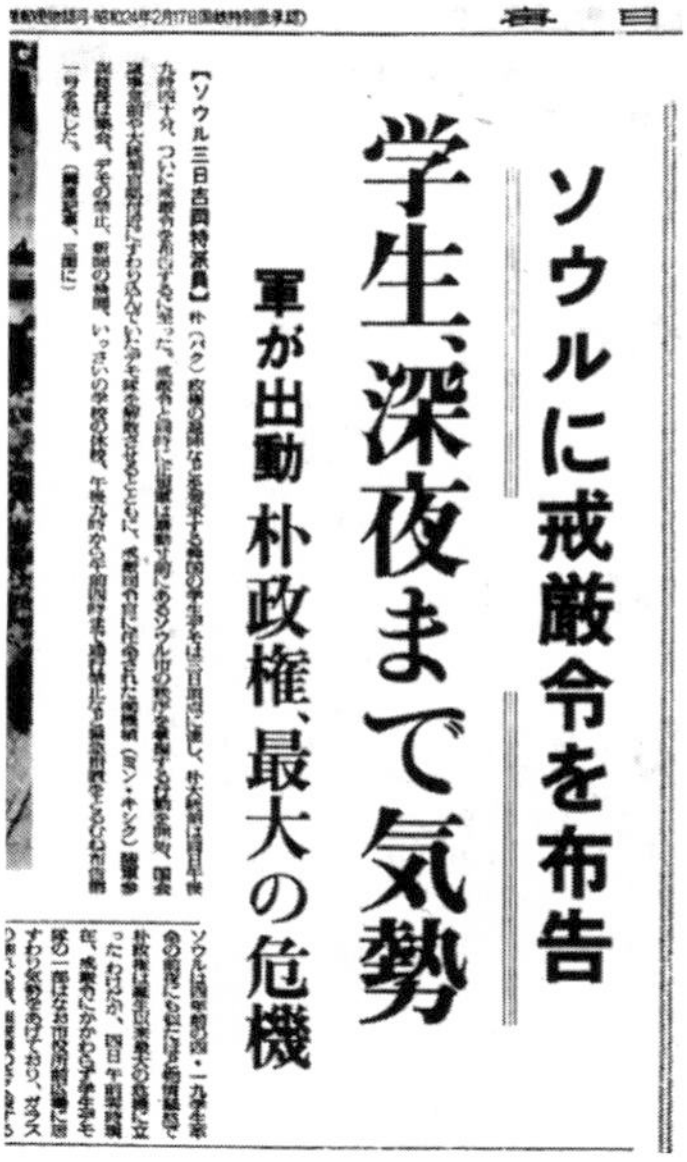

毎日

ソウルに戒厳令を布告

学生、深夜まで気勢

軍が出動 朴政権、最大の危機

ソウルの戒厳令布告を報じた記事

（1964〈昭和39〉年6月4日付『毎日新聞』より／提供：国立国会図書館）

日韓国交正常化に向けて秘密裏の折衝を行っていたことが発覚し、国民の怒りを買った金鐘泌（キム・ジョンピル）民主共和党議長は、自ら辞表を提出。しかし、1964（昭和39）年6月1日夜に朴正熙（パク・チョンヒ）大統領はこれを却下。翌6月2日昼から学生たちによるデモが起こり、やがて警官隊と市街戦さながらの衝突を起こした。そこで朴大統領は、6月3日午後9時40分にソウルに戒厳令を布告することになる。この戒厳令は7月29日の午前0時に解除されるまで、実に56日も続いた。

勝利を手放しで喜べたのか

シンガポールの一七歳の若者フランシス・ヨウは、一九六四（昭和三九）年七月三一日付のシンガポールの新聞『The Straits Times』の一七面を見て、目を見張っていたかもしれない。

そこには日本の伊藤忠商事がイラスト入りでブチ上げた広告が、華々しく掲載されていた。

「伊藤忠商事のオリンピック・エッセイ・コンテストの勝者はこちら！」

「一等受賞者　フランシス・ヨウ、一七歳、ヴィクトリア・スクール、シンガポール」

同年四月二八日付の同じ『The Straits Times』に募集広告が掲載されていた、アジアで最初のオリンピックに関する懸賞論文の受賞者発表である。募集広告を見たヨウは、早速エッセイを応募していた。東京オリンピックと日本への招待旅行がその賞品となれば、挑戦して損はない。それがまさかの受賞である。

八月二五日の同紙記事を参考にすると、三五〇件近くの応募を三段階の審査を経てふるいにかけたとのこと。そんな狭き門を潜り抜けての一位受賞となれば、その感激もひとしおだろう。

このコンテストはマレーシア、インド、香港、タイ、フィリピン、韓国、パキスタン、インドネシアの若者に向けて行われ、それぞれの国からひとりずつ日本に招待するというキャンペーンだった。その中で、フランシス・ヨウはシンガポール代表として選ばれた訳ではない。彼はマレーシアのワクの中から選ばれた。前述したように、当時のシンガポールはマレーシアの一部だったからである（P68参照）。ヨウはシンガポールだけでなく、そこに半島マレーシア地区、サバ州とサラワク州（ボルネオ島北部）を加えたマレーシア全土からの代表として選ばれたひとりだった。

「僕が勝つのでは……という予感はあったんです」と、前述したようにこの記事の中でヨウは語っている。「それでも、受賞の知らせが来た時にはビックリでした。とっても嬉しいです」

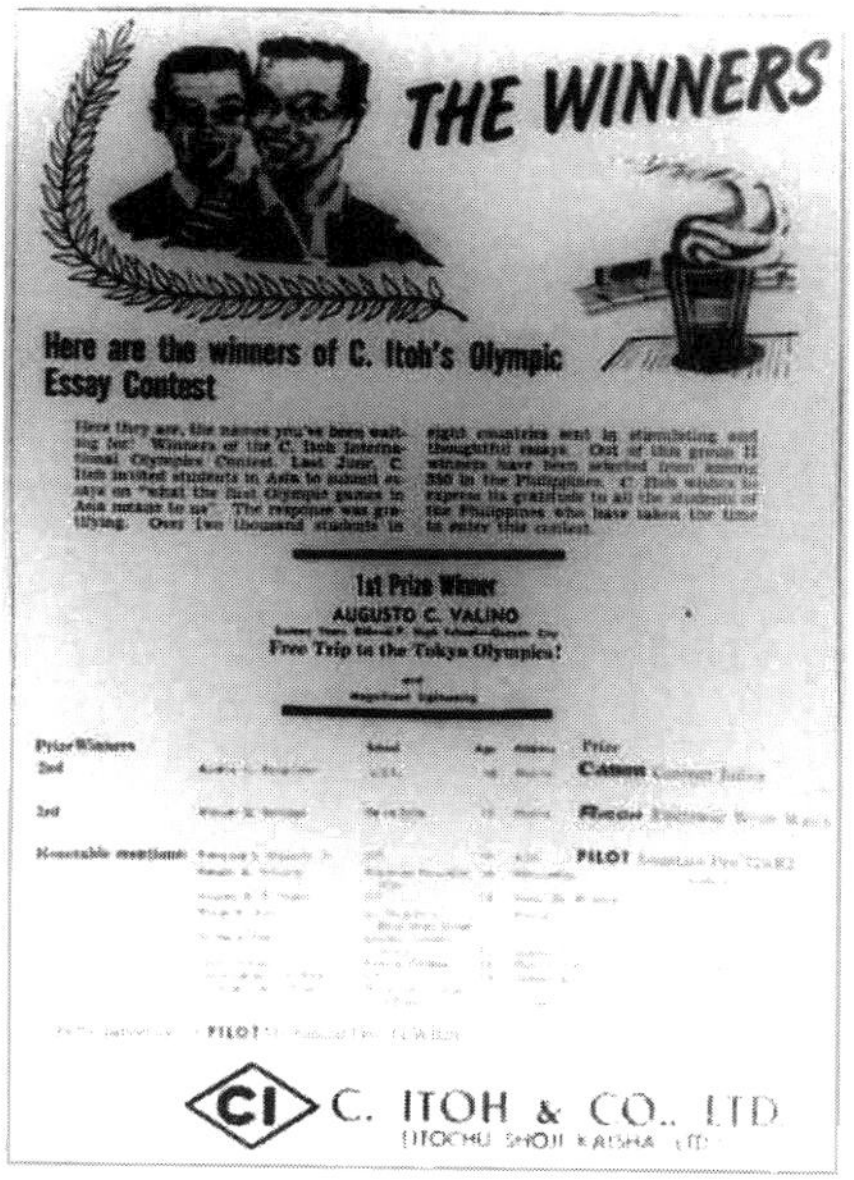

オリンピック・エッセイ・コンテスト受賞者発表の広告

（"The Sunday Times" August 2.1964／Clip of THE SUNDAY TIMES is archival documents of the National Library of the Philippines.）

この広告は、1964（昭和39）年8月2日付のフィリピンの新聞『The Sunday Times』に掲載された、同国におけるオリンピック・エッセイ・コンテスト受賞者を発表する広告である。マレーシア（当時のシンガポールはマレーシアの一部であった）でも、同年7月31日付の『The Straits Times』にほぼ同内容の広告が掲載されていた。おそらくコンテストが行われた他の東南アジア各国においても、同時期に同内容の新聞広告が掲載されていたものと思われる。

工商日報

今日出紙三張半仍售壹毫

華巫兩族衝突再爆發
新加坡局勢嚴重
死傷二百餘今晨將解嚴三小時半
增援部隊自吉隆坡空運抵星戒備

星總理與大馬副總理
促人民保持鎮靜
謂馬來西亞人民正處危境
倘各族分裂必將同歸於盡

對星洲華巫衝突事件
拉曼在美感震驚
認為係外來勢力所促起

四百南越軍
空運邊境

星洲華巫衝突事件
我國官方表示關切

シンガポールの人種暴動勃発を報じた新聞記事

（1964〈昭和39〉年7月23日付『香港工商日報』より／Image courtesy of the Robert H. N. Ho Family. Clips of the Kung Sheung Daily News are archival documents of the Hong Kong Central Library）

1964（昭和39）年7月21日、暴動の状況とシンガポール首相のリー・クアンユーが市民に冷静を取り戻すよう求めたことを伝える記事。また、7月23日付シンガポール紙『The Straits Times』の記事によれば、当時の副首相トゥン・アブドゥル・ラザクは「分断は我々を敵の手の内に落とすだけだ」と声明を発表。当時のマレーシアが、しばしば先鋭化したインドネシアの攻撃に脅かされていたがゆえの発言である。

確かに嬉しかったに違いない。だが、果たして彼は無条件に喜べたのか。それというのも、彼の喜びに少なからず陰りを落としかねない出来事が、つい一〇日前にこの地で起こっていたからである。

一九六四年七月二一日、シンガポールの街で中国人とマレー人との対立から人種暴動が勃発したのだ。

ここからは一九八九（平成元）年七月二三日付『The Straits Times』の回顧記事などを参考にして語っていくと、それは預言者ムハンマドの誕生日を記念した、マレー人のイスラム教徒二万五〇〇〇人による大行進が発端となった。シンガポールがマレーシアの一部となって以来、中国人とマレー人との間にはすでに緊張が高まりつつあった。そんな下地があったところに、同日の午後一時半頃には行列の参加者たちが集まり始めていた訳だ。そして、夕方になって行列がカラン・ガス工場近くを通過していた時、脱線気味になった行列の人々が周囲の通行人や観衆たちと小競り合いを起こし、たちまち暴動に発展。結果として、この日だけで四人が死亡、一七八人が負傷するというシンガポール始まって以来の大惨事となってしまった。

午後九時には夜間外出禁止令が発令されたが、市内に漂う興奮と緊張感はなかなか治まらない。結局、外出禁止令は数日間取り下げられることがなかった。

当然、いかにまだ一七歳の若者とはいえ、この出来事にフランシス・ヨウが無関心でいられる訳がなかったはずだ。いや、むしろ多感な時期だからこそ強い衝撃を受けたのではないか。何しろ彼が通うヴィクトリア・スクールは、衝突が最初に起こったカラン・ガス工場から西に一キロも離れていない場所にある。暴動が起きる前から、そのザワついた雰囲気は学校にも伝わって来ただろう。

そのほとぼりも冷めない時期に分かった、コンテスト当選の知らせだ。念願の当選を果たしても「めでたさも中くらいなり」だったのか、それとも「だからこそ」海外への旅を熱望したのか。その時のフランシス・ヨウの本音は、今日の我々には分かりようがない。

發言人指出
軍集結海南
備支援寮越共

在緊急戒嚴狀態下
新加坡有如死市

·本報駐新加坡記者·

新加坡實施戒嚴後，熱鬧的商業區宛如死市，闃無行人。

外出禁止令下のシンガポール市内

（1964〈昭和 39〉年 7 月 25 日付『香港工商日報』より／ Image courtesy of the Robert H. N. Ho Family. Clips of the Kung Sheung Daily News are archival documents of the Hong Kong Central Library）

1964（昭和 39）年 7 月 21 日に起こった騒乱はシンガポールの中心部からやや東に位置するゲイラン地区全体へと急速に広がり、暴動開始から 2 時間後の午後 7 時半頃になると市内各所で衝突が報告されるに至った。午後 9 時には夜間外出禁止令が発令され、鎮圧のために半島マレーシア地区から軍隊が派遣される。だが、外出禁止令は数日間解除されず、シンガポールは記事に掲載された写真のごとく「無人の死の街」と化した。この一連の人種暴動は、シンガポール戦後最悪の事件として深い傷跡を残すことになる。

旧・ヴィクトリア・スクール校舎

（提供：田名邉雄）

フランシス・ヨウが通っていたヴィクトリア・スクール（Victoria School）の前身は、1876（明治 9）年に設立。シンガポールで 2 番目に古い、伝統ある州立中等学校である。ティルウィットロード（現・ラヴェンダー地区）添いに移転して来たのは 1933（昭和 8）年で、その際に「ヴィクトリア・スクール」と改名。ヴィクトリア・スクールは 1984（昭和 59）年にゲイラン・バルに移転したが、建物は 2010（平成 22）年から人民協会（People's Association）の本部として使用されている。写真では手前に建っている部分が旧校舎で、後方にそびえる大きな建物は移転後に建設されたものである。撮影は 2021（令和 3）年 1 月 25 日。

ミッションは道半ば

シンガポールでフランシス・ヨウがコンテスト受賞に驚いていた一九六四（昭和三九）年七月三一日、埼玉県では人々が空を見上げて感嘆の声を上げていた。

時間は午後二時半、場所は航空自衛隊入間基地。この日、同基地には防衛庁長官の小泉純也はじめ自衛隊幹部や東京大会組織委員会の面々、そして報道関係者ら約四〇〇名が詰めかけていた。それらの人々が見守る中、航空自衛隊が誇る展示飛行専門チーム「ブルーインパルス」のF-86F五機が浜松北基地より飛来。空に巨大な五つの輪を描いたのである。これが、ブルーによる五輪展示飛行の初公開だった。

この日の展示飛行について、文部省が発行した『オリンピック東京大会と政府機関等の協力』には「航空自衛隊入間基地で公開した五輪飛行において、その成果を確認した」と書かれている。ここでの「その成果」とは、色煙の染料、発煙装置の改造等の開発研究を指している。開会式の目玉として五輪展示飛行を考えていた自衛隊幹部と組織委員会は、この日のパフォーマンスにかなりの手応えを感じていたようだ。だが、五輪を描いていた当人たちにとっては、必ずしもそうではなかった。

「いい出来じゃなかったですね。あまりよく覚えていませんが」と語るのは、ブルーインパルスで赤のスモークを出す五番機を担当していた藤縄忠（当時二尉）だ。「でも、ここまで出来てればまぁまぁかな」

自分たちの仕事にも容赦なくダメ出しする藤縄は、一九三七（昭和一二）年生まれ。一九六四年当時はまだ二七歳。彼が航空自衛隊に入隊したのは、一九五五（昭和三〇）年六月のことである。

そんな藤縄は、一九五九（昭和三四）年秋にアクロバット飛行チームに誘われた。まだ、正式なアクロバット・チームとは認められていない頃の話である。

「やってみないかといわれて訓練を始めた。そしたら、昭和三五（一九六〇）年の三月には正式に航空自衛隊

入間基地上空での五輪展示飛行初披露

（1964〈昭和 39〉年 8 月 1 日付『スポーツニッポン関西版』より／提供：国立国会図書館）

1964（昭和 39）年 7 月 31 日午後 2 時半、松島基地から飛来したブルーインパルスの F-86F が、多くの人々が見守る中で五輪展示飛行を二回実施。これがブルーの五輪パフォーマンス初披露となった。記事に掲載された写真は、組織委員会会長の安川第五郎が五輪パフォーマンスを見上げて拍手している様子。

当時の藤縄忠 2 尉

（提供：藤縄忠）

1937（昭和 12）年 3 月 25 日、東京の日本橋本町に生まれた藤縄は、1955（昭和 30）年 6 月に第 1 期操縦学生として航空自衛隊に入隊。それが藤縄の飛行機との長い付き合いの始まりだった。アクロバット飛行チームの正式発足は 1960（昭和 35）年 3 月だが、藤縄はすでに 1959（昭和 34）年秋にこの道に足を踏み入れており、5 年にわたって戦闘機操縦教官と兼務することになる。写真は 1964（昭和 39）年 10 月 20 日、開会式展示飛行の功績を称える防衛庁での慰労会にて撮影。

でアクロバットチームとして認められた。その三月に浜松でやったショーが、正式チームの第一回目なんです」

それと同じ頃、彼らが東京大会開会式でパフォーマンスを披露する話も持ち上がっていた。前述の『オリンピック東京大会と政府機関等の協力』によれば、一九六〇～一九六一（昭和三六）年頃から航空自衛隊内で五輪パフォーマンスについて取りざたされていたというのだ。

航空自衛隊第一航空団発行の冊子『青い衝撃』によれば、一九六三（昭和三八）年一月に「東京オリンピック委員会事務局」から開会式でのフライバイを要請される。「フライバイ」とは、単に「航過」するだけの飛行である。それが空に五輪を描くパフォーマンスに化けたのは、同年の五月のことだったようだ。『航空自衛隊五十年史』によれば、「特命を受けたブルーインパルス・チームは、五輪を描く高度や輪の大きさなど細部の実施要領の検討に入り、一〇日あまりで該案を得て、本番に向けた訓練を開始した」とある。この東京大会開会式の話がブルーの面々に持ち込まれた時には、すでにブルーは隊長の松下治英一尉らあの日の「五輪」メンバーになっていた。ただ、五輪プランは最初からスンナリ決まった訳ではないようだ。

「最初は旗に五つの輪が描いてあるイメージでね、タテに描いてくれっていって来たんですよ」と、藤縄は当時を振り返って、改めて語った。「タテじゃね、ダメだって（笑）断ったんですよ」

飛行機が上昇する時、スピードはどんどん減退していく。それによって旋回半径も徐々に変わってしまうので、円がまん丸ではなく楕円になってしまうというのである。「タテは絶対ダメ。それで、水平なら円はまん丸に描けますからね、水平なら描けるといった訳ですよ」

そこから試行錯誤が始まった訳だが、それでも高度や速度はどうするのか、課題は尽きない。

「速度が速ければ輪も大きくなっちゃうし。小さくするためにはものすごくGをかけないといけない。それはキツいんですよ」と藤縄。「直径が大きすぎたら下の人が見えにくい、寝転がらないと全体が見えない。ロイヤ

五輪展示飛行を実現したブルーインパルスの面々

（提供：藤縄忠）

写真左より、松下治英１尉（１番機・青）、船橋契夫１尉（４番機・緑）、西村克重２尉（３番機・黒）、藤縄忠２尉（５番機・赤）、淡野徹２尉（２番機・黄）、鈴木昭雄１尉（予備機）、城丸忠義２尉（予備機）。予備機のうち、城丸は万が一の時の代役として白色スモークを搭載して近くでスタンバイしており、鈴木はT-33に乗って上空１万5000フィート（約4600メートル）から全体を見渡していた。その後、船橋氏はブルーのリーダーとなったが、松島基地に転属後の1977（昭和52）年に死去。予備機の城丸氏も1965（昭和40）年11月24日、浜松北基地で墜落して殉職した。この写真は五輪展示飛行の前に、航空自衛隊浜松基地で撮影されたとのこと。

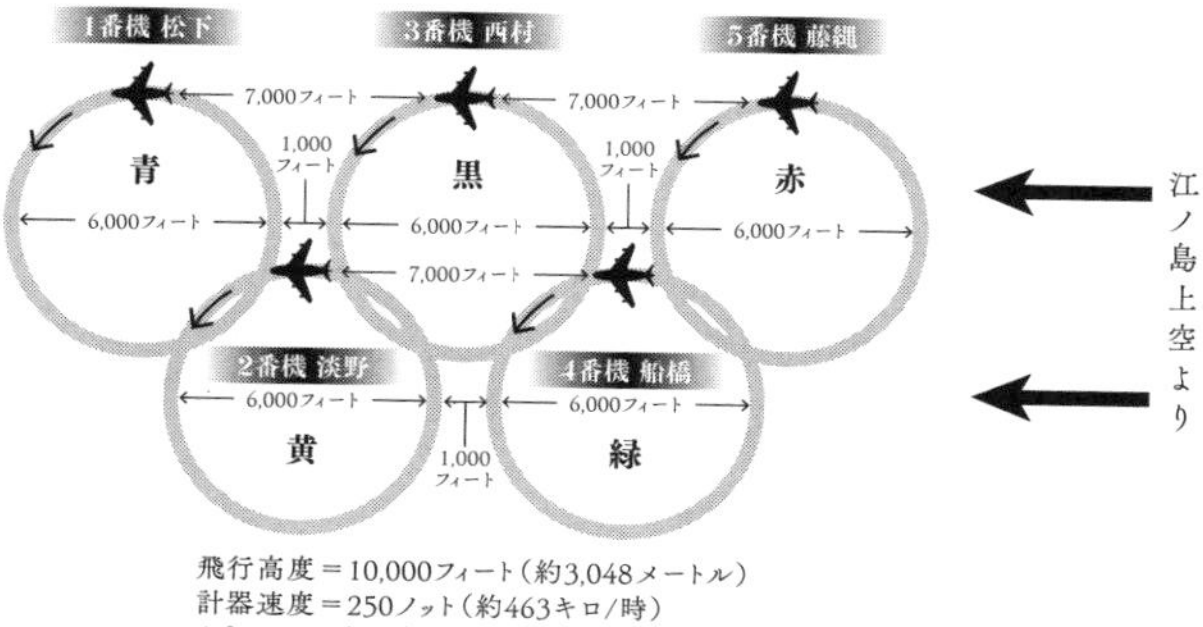

飛行高度＝10,000フィート（約3,048メートル）
計器速度＝250ノット（約463キロ/時）
60°バンクで2G右旋回

五輪の作成プラン図

（作成協力：藤縄忠）

国立競技場のロイヤルボックスから最も見やすいポジションに五輪を描くべく、輪の大きさ、高度、スピードなどを検討した末にこのカタチが決定された。驚くべきはレーダーなしで五輪を描いたことで、藤縄忠２尉は「F-86の射撃用レーダーは使えないんですよ。1000フィート前後のところで照準して撃つためのものですから、（五輪飛行でお互いに）7000フィート離れると使えない」と語っている。なお、待機中の湘南海岸から国立競技場上空までは約５分で到着する。

ルボックスから天皇陛下がちょっと視線を上げたところに入るようにと、我々は考えたわけです」

その結果、一万フィートの高度で二五〇ノットにスピードを落として旋回すれば輪ができる……と、ブルーインパルスの面々はプランを煮詰めていった訳だ。だが、実際にはどうかといえば……。

「やり始める前には水平だったら出来るとみんな思ってたんですが、実際やってみるといろいろと難しい点がありましたね（笑）」と藤縄は苦笑する。その難しさは、また他の展示飛行とは異なる面があった。

「何ていうか、単純な仕事でしょ？　アクロバット飛行みたいにごまかせないですよね（笑）」と藤縄。「小学生でも五輪の輪が正確にできてるかどうかってのは分かる訳ですからね。だからそういう面からいうと、苦しいところはありましたよ」

そして、練習を重ねた末のこの日の初披露である。前述のように藤縄としては納得のいかない出来だったようだが、まだ本番までには二か月以上ある。藤縄も他のブルーの面々も、五輪パフォーマンスを当日に成功させることに何の疑いも持ってはいなかった。

そのブルーインパルスが空に五輪を初披露した七月三一日、インドのカルカッタ（現・コルカタ）でのこと。毎日新聞社とダイハツ工業による聖火コース走破隊（P80参照）が、国外最終目的地である同地に見事ゴールインした。六月一二日にオリンピアを出発してから、ちょうど五〇日目のことである。

「カルカッタに到着したのは夕方で、カメラマンの南川（昭雄）さんが『日が落ちたら写真が撮れへん、早よせい』とバタバタしてたんですよ」と、『オールドタイマー』No.175・二〇二〇年一二月号のインタビューで、当時の走破隊メンバー岩本勝次は語っている。

こうしてカルカッタに到着した走破隊は、現地で二手に分かれて帰国。だが、走破隊の旅は終わらない。彼らにはまだ、国内コース走破のミッションが待っていたからである。

聖火コース走破隊がカルカッタ到着

（『〈ベルリーナ〉〈ハイライン〉によるオリンピア→東京聖火コース 18,000 キロ走破ニュース』昭和 39 年 8 月 10 日発行〈ダイハツ工業株式会社宣伝課〉より／提供：ダイハツ工業株式会社）

1964（昭和 39）年 7 月 31 日午後 6 時 15 分（現地時間）、聖火コース走破隊は国外コースの最終目的地であるインドのカルカッタ（現・コルカタ）に到着した。写真はヴィクトリア・メモリアル・ホールを前にした走破隊一行。

新聞　昭和39年(1964年)　8月2日　(日曜日)　13版　(14)

聖火コース隊、陸路を走破

炎暑の1万6千キロ

50日目、カルカッタへ

アラシや洪水乗り越え

陸路リレー不可能ではない

走破隊カルカッタ到着を報じる記事

（1964〈昭和 39〉年 8 月 2 日付『毎日新聞』より／提供：国立国会図書館）

毎日新聞記者の徳岡孝夫隊長による「国外聖火リレーは陸路で行えるはず」という主張が綴られた、聖火コース走破隊のカルカッタ（現・コルカタ）到着の記事。通過した国はギリシャ、トルコ、シリア、レバノン、ヨルダン、イラク、クウェート、イラン、アフガニスタン、パキスタン、インドの 11 か国。走行距離は約 1 万 6000 キロに及んだ。走破隊のうち由本一郎副隊長と岩本勝次のふたりは、8 月 8 日に帰国。徳岡隊長ら 4 人は、インドや東南アジア取材の末に 9 月 3 日に帰国することになる。

3．聖火ランナーって何だろう？

戦火広がる中を

一九六四（昭和三九）年八月二日午後三時八分、北ベトナム沖のトンキン湾で哨戒航行中の米海軍駆逐艦マドックスが国籍不明の魚雷艇から攻撃を受け、翌八月四日にも米艦船が攻撃を受けた（後年に八月二日の件はアメリカ側の領海侵犯、四日の件は捏造と発覚）。この事件はアメリカがベトナム戦争に本格的に介入する発端となる。ともかく、開始まで二〇日を切った国外聖火リレーに、イヤな予感を抱かせる事件ではあった。

それから四日後の八月六日、大阪市東住吉区に新設されたばかりの長居陸上競技場で、第二回全国高等学校総合体育大会（インターハイ）の陸上競技部門である第一七回全国高等学校陸上競技対抗選手権大会が開かれた。その観客席に陣取った若者たちの中に、東京から来た桐朋女子中学校三年生、鈴木久美江の姿もあった。

「桐朋学園陸上部の先輩のお姉さまが、旦那さんの仕事の都合で芦屋市に住んでいたんです」と鈴木は当時を振り返って語る。「そこに泊めていただいて。長居競技場でインターハイがあるし、関西に行ったことが無かったので先輩といっしょに行ったんです」

鈴木は中学に入ってから陸上を始め、走り高跳びで中学二年、三年と全日本中学校放送陸上競技大会（現・全日本中学校通信陸上競技大会）で優勝していた。来年からは高校生になるのでインターハイの下見とバカンスを兼ねて、先輩と関西に遊びに来ていたのだった。「（私が通っていた）学校自体がそんなに陸上競技が盛んではな

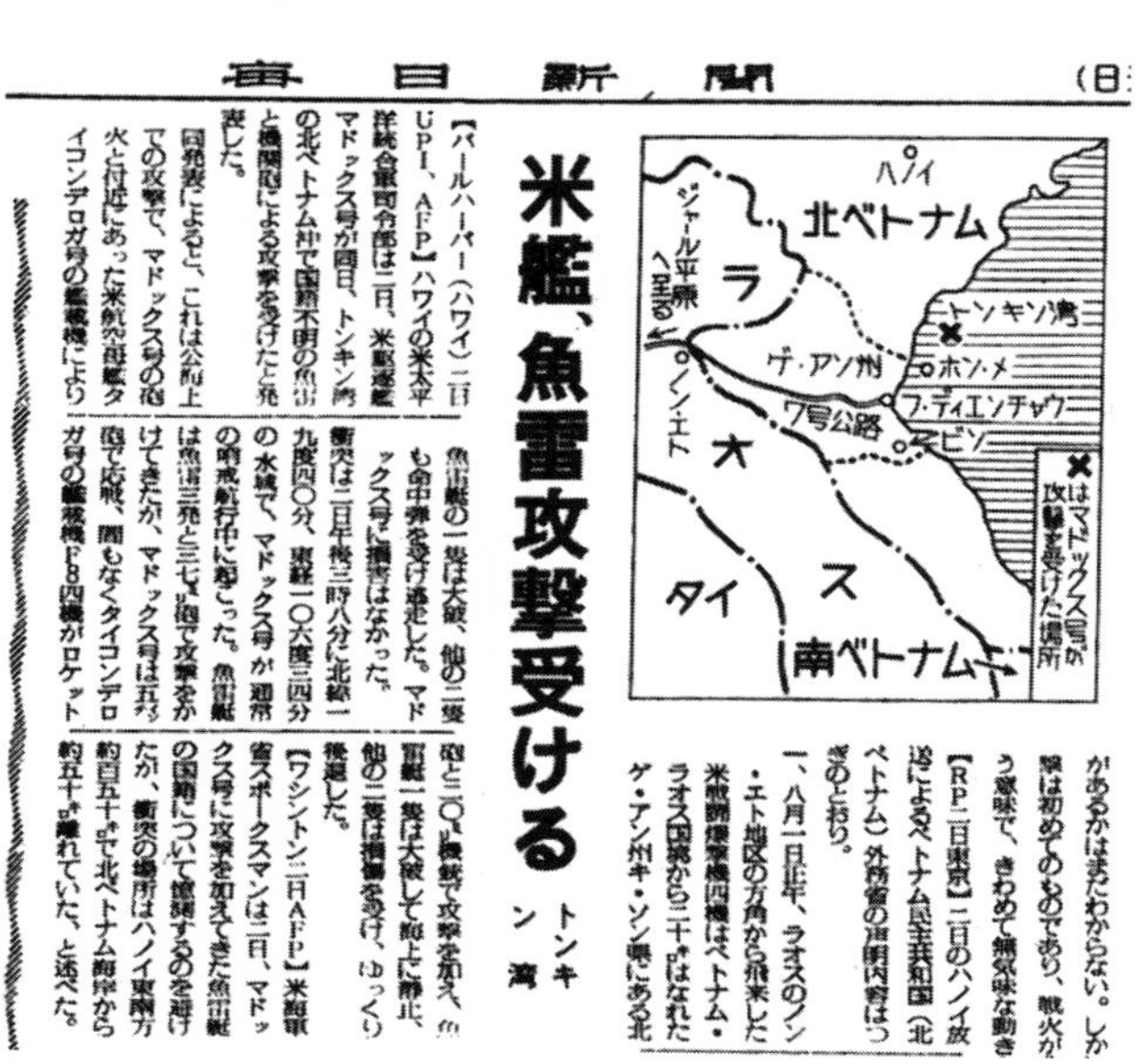
毎日新聞

米艦、魚雷攻撃受ける

トンキン湾

【パールハーバー（ハワイ）二日UPI、AFP】ハワイの米太平洋統合軍司令部は二日、米駆逐艦マドックス号が同日、トンキン湾の北ベトナム沖で国籍不明の魚雷艇と機関砲による攻撃を受けたと発表した。

同発表によると、これは公海上での攻撃で、マドックス号の砲火と付近にあった米航空母艦タイコンデロガ号の艦載機により魚雷艇の一隻は大破、他の二隻も命中弾を受け退走した。マドックス号に損害はなかった。

衝突は二日午後三時八分に北緯一九度四〇分、東経一〇六度三四分の水域で、マドックス号が通常の哨戒航行中に起こった。魚雷艇は魚雷三発と三七ミリ砲で攻撃をかけてきたが、マドックス号は五インチ砲で応戦、間もなくタイコンデロガ号の艦載機F8四機がロケット砲と二〇ミリ機銃で攻撃を加え、魚雷艇一隻は大破して海上に静止、他の二隻は損害を受け、ゆっくり後退した。

【ワシントン二日AFP】米国防省スポークスマンは二日、マドックス号に攻撃を加えてきた魚雷艇の国籍について言明するのを避けたが、衝突の場所はハノイ東南方約百五十キロで北ベトナム海岸から約五十キロ離れていた、と述べた。

があるかはまだわからない。しか
撃は初めてのものであり、戦火が
う意味で、きわめて無気味な動き

【RP二日東京】二日のハノイ放送によるとベトナム民主共和国（北ベトナム）外務省の声明内容はつぎのとおり。

一、八月一日正午、ラオスのノン・エト地区の方角から飛来した米戦闘爆撃機四機はベトナム・ラオス国境から二十キロはなれたゲ・アン州キ・ソン県にある北

トンキン湾事件勃発を報道する記事

（1964〈昭和39〉年8月3日付『毎日新聞』より／提供：国立国会図書館）

米太平洋統合軍司令部発表によるトンキン湾事件第一報を報じる記事。攻撃を仕掛けてきた北ベトナムの魚雷艇は、まだこの段階では「国籍不明」と発表されている。さらに8月4日にも攻撃を受けたとのことだったが、1971（昭和46）年に新聞各紙にリークされてアメリカ側の捏造であったことが発覚。この件については、スティーブン・スピルバーグ監督が『ペンタゴン・ペーパーズ／最高機密文書』（2017）として映画化している。

放送陸上で表彰される鈴木久美江

（提供：井街久美江）

第9回全日本中学校放送陸上競技大会（現・全日本中学校通信陸上競技大会）・表彰式での鈴木久美江。鈴木は「放送陸上」で、中学2年、3年と走り高跳びで2回優勝を果たしている。この時は鈴木は中学2年で、記録は1メートル54。1963（昭和38）年7月21日の撮影で、場所は国立競技場と思われる。

く、私が放送陸上で優勝したのは突然変異みたいなもの。先生方も慌てていました」

そんな関西での夏休みを満喫していた八月八日、三日目となったインターハイを見に行って、泊めてもらっていた芦屋の家に戻って来た鈴木に、東京から一本の電話がかかってくる。

「家から電話があり、『聖火ランナーに決まって取材があるから帰ってこい』と言われて。確か父からだったと思います」と鈴木は語る。だが、彼女もまたこの話に当惑するばかりだった。「聖火ランナーって何だろう?って(笑)。何で私が?……と」

そんな鈴木と前後して、長居競技場でインターハイに出場していた男子高校生にもいきなりの「抜擢」が告げられる。千葉県立匝瑳高等学校二年の飯島浩である。

「大阪の長居競技場でのインターハイで、五〇〇〇メートル競技が終わった後に顧問の先生から『決まったよ』と。記憶が定かじゃないんだけど」と当時を回想する飯島。この五〇〇〇メートル競技で六位に入った直後だったせいなのか、最終日聖火ランナー決定の報を聞いて、飯島もこれといった思いは浮かばなかった。

「別に何ともね(笑)。『何で選ばれたんですか?』と聞いたら、顧問の先生は笑うだけで答えは出てこなかった」と飯島は語る。「先生が青木(半治・日本陸連理事長、P94参照)さんと親しかったらしいけど」

一方、舞台はインターハイが行われていた関西から、炎天下の沖縄に移る。八月九日のこと、那覇空港にあの宮城勇がランニングウェア姿で立っていた。沖縄県公文書館に所蔵されている資料によれば、時間は午後三時前。彼は三〇分以上前にここに到着して、じっと自分の「出番」を待っていたのだ。

「一五一区間のすべての地域で、本番さながらの聖火リレーを実施したんです」と宮城は語る。「聖火到着に合わせて全島の各区間で試走を実施し、本番に備えました」

宮城はまた「正確な記憶ではない」と断りながら、第三回アジア競技大会(P24参照)の際に沖縄でも行われ

芦屋に滞在中の鈴木久美江

（提供：前野悦子）

第2回全国高等学校総合体育大会（インターハイ）の一環として1964（昭和39）年8月6日～9日に開催されていた第17回全国高校陸上選手権大会を見るため、鈴木久美江が関西に滞在していた時期に撮影。右が鈴木、左は鈴木の桐朋学園陸上部の先輩で当時は高校1年生だった本間正子。場所は兵庫県芦屋市にあった東洋棉花の社宅で、写真は前野悦子（本間正子の姉）が所蔵していたものである。

新　聞　第31610号　【月ぎめ購読料(朝夕刊共)450円】1部売り朝刊15円・夕刊7円　☆

栄光のランナー飯島君

きょう聖火リレー

その前夜、自信たっぷり

きょう十日の開会式を前に、聖火は皇居前から国立競技場へ運ばれるが、名誉ある最終日ランナーの一人に選ばれた飯島浩君（匝瑳高二年）は、第五区の東京・赤坂公会堂―外苑正面間の千四百五十米を走ることになっている。その前夜の九日夜、飯島君は大きな期待に胸をふくらませながら、母もとさん(五二)が心をこめて料理した祝いゼンを父平四郎さん(五九)と三人で囲んだ。しかし、飯島君は食事のあいまにも、父母にかわって店先のお客さんに応対するなど、落ちつきはらっていた。

最終日のランナーに決定して約二か月、黙々と練習にはげんできた自信がそうさせるのだろう。むしろ、両親の方が、この日を迎えるまでに、浩君以上に気をもんだという。食べものに好ききらいのない浩君だが、からだのコンディションを整えるための苦労は大きかった。また、先月二十二日、台

全力で走

飯

「体調は上々です。郷土のみなさん、全国民の期待にそえるよう、自分に与えられた

最終日聖火ランナーの飯島浩を紹介する記事

（1964〈昭和39〉年10月10日付『千葉読売』より／提供：飯島浩）

東京大会当日の朝刊に載った、最終日聖火ランナーのひとり飯島浩の記事。千葉読売が、地元出身の最終日聖火ランナーとして紹介した。記事に掲載された写真は、自宅お茶の間での飯島（右端）と両親である。本人は至って淡々としていたようだが、地元メディアなどは徐々に華々しく取り上げるようになっていた。

た聖火リレーのトーチを再利用したかもしれないと証言している。文字通り「本番さながら」。第一走者の宮城も緊張せざるを得ない。だが、その緊張は「本番さながら」のせいだけではなかった。

宮城が新聞記者から「聖火第一走者」の内定を聞いた翌日、沖縄各紙の六月一二日朝刊は彼の名前を華々しく報道。宮城はたちまち熱い注目を浴びる。それは、当時の沖縄が置かれた状況によるものでもあった。

「沖縄はまだ復帰前でしたが、県内の新聞はすべて『〃国内〃聖火リレー第一走者』という表現です」と宮城は語る。「親戚や友人、中学の恩師まで訪ねてきて祝意を述べてくれた。それはそれは大変でした」

宮城が「第一走者」に正式決定したのは七月九日だが、すでに内定が報道された段階で周囲の興奮はいきなりピークに達した。それまでは「東京」から遠いせいか、さほど盛り上がりはなかったという。

「開会式まで四か月ありますから、本土では分かりませんが沖縄ではまだ大騒ぎする雰囲気ではなかった。テレビもそんなに普及していませんから」と宮城。「内定者リストが発表されて、（準備や練習は）それから始まったんです、にわかに」

さまざまな取材の話が舞い込んできた宮城だが、まずは練習に駆り出されることになる。宮城は高校〜大学と陸上をやってはいたが、大学二年からは剣道部に移っていた。そこで「走り」の練習という訳である。

「（聖火ランナー）内定が出て、すぐに大学（琉球大学教育学部体育学科）で聖火リレー担当教員が指名されました。その指導教官の下、決められた時間（九分）に決まったコース（一・七キロ）を正確に走る練習を繰り返しました。大学のグラウンド、学外の沿道など全体練習も本番まで毎週二回ほど実施したと思います」

前述八月九日には、全島で三班に分けて行われた全コース・リハーサルも無事終了。その他イベントなどの準備も進み、沖縄が聖火を迎える準備は着々と整えられつつあった訳だが……。

その頃、同じ八月九日ではあるが、時差は日本より七時間遅れのギリシャ。アテネのヘレニコン空港（現在は新空港開港に伴い廃港）に到着したのは、東京大会記録映画キャメラマンの松井公一である。「市川崑さんが『（国外聖火リレー撮影で）ギリシャに行く気はないか?』と言って。『代表で出てきてるんだからいいですよ』とギリシャに行ったの」と松井。「監督とは仲良くした。気に入られたらしい」

組織委員会が発行した『オリンピック東京大会資料集8・報道部』によれば、国外聖火リレーを撮る映画スタッフは、組織委員会の聖火派遣団より先回りして出発。松井らキャメラマン二名は八月八日に羽田から出発した。こうしてアテネ入りした松井だったが、彼らはここで、早くも不測の事態に直面することになる。

「機材は別便で梱包して載せたんだけど、貨物が着いていないんですよ」と松井。「調べたらまだ東京の倉庫にあると。すぐ送ってもらいましたが」

おまけにギリシャ到着と前後して、彼らの目と鼻の先で大事件が勃発していた。キプロス紛争である。当時、人口約六〇万人の八割がギリシャ系、残り二割がトルコ系という東地中海の島国キプロスでは、トルコ系住民が少数派であることから両民族が反目しがちだった。これが彼らの母国であるトルコとギリシャ両国を刺激して、八月七日にトルコ空軍がキプロスのトルコ系住民「保護」のため同国北部を空爆。トルコとギリシャがメンバーであるNATO（北大西洋条約機構）の崩壊まで危ぶまれる事態へと発展した。

「ギリシャにいた時、取材しろと東京から言ってきたけどとんでもない話で、それは撮れないと言ったんです」と松井は語る。「市川崑監督はキプロスに行ってこいと言うけど、本隊に合流できなくなるからダメだと。僕らはデカいツラをしてるから、『監督、我々は聖火を撮りに来てるんですよ』と（笑）」

ただ、緊迫したのは貨物未着とキプロスの件だけで、松井たちは至って呑気にしていたようである。

「ギリシャは乾燥してるから暑かった。暑くてアテネのホテルで坊主頭にしちゃった」と松井。「オリンピアに行くまでは適当に遊んでいましたね（笑）」

過熱するスクープ合戦

一九六四（昭和三九）年八月一〇日の朝、その日の朝日新聞朝刊を見た他社のスポーツ記者たちは、一面に載ったひとつの記事に目がクギづけになっただろう。

「聖火リレー最終走者　十九歳の坂井君」

ここまで「最終」聖火ランナーとして数々の名前が浮かんで来たが、「坂井義則」の名前はほとんどメディアには出て来てはいなかった。そもそも、坂井は正確には「戦後生まれ」でもない。それがいきなりの断定である。しかも、「原爆の日、広島県生まれの早大生」と選考理由となったらしきバックグラウンドまで出しているので、やけにリアリティがある。どう見てもガセではなさそうだ。「最終」ランナーの特ダネを掴もうと必死だった新聞各社には、この記事はまさに衝撃である。だが、特ダネには続きがあった。

ＪＯＣ公式サイトの記事『東京オリンピックから四〇年／東京オリンピック聖火最終ランナー・坂井義則氏』には「最初にコンタクトしてきた新聞社は僕の身柄を確保するのに躍起でしたね。有無を言わさず東京行きの列車に乗せられたと思ったら、今度は大阪で降ろされセスナ機で羽田空港まで飛んだんです」という坂井自身のコメントが載っている。何と例のスクープ記事が出た八月一〇日朝、坂井は新聞記者に自宅から連れ出されて、東京へと向っていたのだった。他社の人々は慌てて坂井を探したものの、どこに行ったか分からない。

この件については、中条一雄の『スポーツ人間ちょっといい話』が詳しい。著者の中条自身が、坂井連れ出しに少なからず関わっていた側の人間だからである。同書によれば、連れ出した記者は坂井の自宅に日参し、前々から連れ出すチャンスを狙っていたという。その記者が坂井と同じ早大出身で、家の人が信用してくれたというアドバンテージもあったようだ。東京にやって来た坂井は翌八月一一日の朝に国立競技場に連れられて、聖火台に手をかけた写真まで撮られることになる。この写真が同日付の夕刊を飾った。

だが、これがまずかった。まだ坂井が「最終」ランナーに決定したとは、組織委員会側は一切発表していない。スクープだけならいざ知らず、聖火台横での「いかにも」な写真撮影まで行ったのが災いした。これによって、メディアのみならず関係者までが一気に態度を硬化させたのはいうまでもない。

前述の中条一雄自ら「こんな荒っぽい、無茶苦茶なやり方は二度とやれまい」と書いているほどで、とてもじゃないが「ちょっといい話」どころではない。だが、一連の「最終」ランナー取材においては、各社とも常軌を逸した取材攻勢をかけていたようだ。『週刊サンケイ』一九六四年八月三一日号の『〝保護〟された最終ランナー候補』という記事には、「もし、どこかの社が特定選手名をあげて新聞にのせたら、うちの先輩の有力な政治家を使って、つぶしてやる」と他社を牽制したある記者の発言が書かれている。また、二〇二〇（令和二）年六月二三日付日刊ゲンダイに岡邦行が書いた記事によると、「陸連本部の金庫が破られ、幹部の自宅に盗聴器を仕掛ける事件も起きた」と物騒な話もあったようである。「コンプライアンス」や「取材規制」など関わりのなかった、無理が罷り通った時代の話なのだ。

また、坂井の「八月六日、広島県生まれ」というバックグラウンドも、微妙な部分があった。一九六四年八月一一日付スポーツニッポンには、坂井が選考されたことに対する賛否両論が寄せられている。作家の松本清張や有吉佐和子がこの人選を大絶賛する一方、ＵＰＩ通信東京支局長のロバート・ブライドンは「アメリカ人の私としては原爆っ子であるから選んだとは思いたくないし、またそうあるべきではない」と回答。また、紙面では名前は判読できないが、中国広播公司駐日代表という人物も「政治とは全然切りはなしたところで行われるべきものなのだから、政治的に少しのことでも誤解されたり、利用されたりするようなことはつとめて避けるべきだと思うのだ」と語っている。立ち位置によって評価も変わる、デリケートな問題をはらんだ人選だった訳だ。

ともかくこの出来事が、まだ「最終」ランナーと決定していない坂井の立場を危うくしたのは間違いない。それが証拠に、一時的ながら「最終」ランナー候補として急浮上した別の人物もいたようなのである。

「インターハイから帰ってきて翌々日くらいでしょうか。いきなりＮＨＫの人が来て『最終ランナーに決まったようです』と取材がありました」と当時を振り返って語るのは、神奈川県立横須賀高等学校三年だった後藤和夫である。「寝耳に水です。テレビ中継車が来ました。昼間ですね」

後藤和夫も大阪市の長居陸上競技場で開かれた、第二回全国高等学校総合体育大会（インターハイ）の陸上競技部門である第一七回全国高等学校陸上競技対抗選手権大会（P116参照）に出ていた。その余韻がさめやらぬタイミングで飛び込んできた取材に、彼もまた、まったく鈍い反応しか示せなかったようである。

「公立高校の地域の人間だけでインターハイの総合優勝を狙うんだという意気込みで。先生が我々の代でそれを実現しようと。そのことで頭がいっぱいだった」と後藤和夫は苦笑する。「勉強そっちのけで（インターハイに）賭けていましたからね。やったぁと、総合優勝でインターハイが終わって一息ついていた。だから、何のことやらと。（最終聖火ランナーの人選なんて）全然知りませんし、眼中に無いですもん」

後藤のいう「インターハイから帰ってきて翌々日」は八月一一日に該当するが、前後の出来事から考えると八月一二日だったのではないかと考えられる。おそらく坂井義則の聖火台記念撮影事件が災いして、「最終」ランナーの「当確」が一時的にぐらついたからではないだろうか。

だが、この取材は結果的にオンエアされなかった。翌八月一三日午前九時から、組織委員会・競技委員会の会合が赤坂プリンスホテルで開かれ、「最終日」聖火ランナー一〇人が決定したからである。これが「最終」ではなく「最終日」ランナーであったところがミソである。この一〇人には「最終」ランナーや補欠の候補も含まれるが、それは後日決定することになっていたのだ。そこに、組織委員会側の怒りが如実に表れていた。

発表された「最終日」ランナーは、これまでに登場した坂井義則、池田元美、青木政子、鈴木久美江、飯島浩、

（1）　12版★　昭和39年(1964年)　8月10日

聖火リレー
最終走者

十九歳の坂井君

原爆の日、広島県生れの早大生

陸連首脳内定

東京オリンピックの開会式を飾る聖火リレーの最終走者は組織委から委任された青木陸連理事長と陸連首脳部の間で具体的な選考が進められていたが、九日に終った全国高校陸上競技大会で人選の区切りをつけた。その結果、高校生の中には適格者は見当らず、十九歳の早大教育学部一年生坂井義則君を推すことに内定した。＝関係記事14面に

坂井義則君

同君は早大競走部の四百㍍走者で、昭和二十年八月六日、広島を一瞬の間に灰と化した原爆投下の日に同じ広島県下の三次市で生れた、いわば"原爆っ子"である。

陸連首脳としては、原爆は日本人の"平和祈願"への出発の日であり、こうした点から坂井君を選ぶことは世界でただ一つの原爆被災国の日本で開かれるオリンピックに象徴的であり、ふさわしいと考えるに至ったもの。

最終走者は、組織委員会で選ぶことになっており、順序としてまず開会式当日のいわゆる最終日走者グループを決め、このなかから走法がよく、運的なスタイルの持主を最終走者として選ぶことになっていた。

この線で組織委の競技小委員会は竹田、久富、青木の三委員が中心となり各方面からの推薦者を集めて選考し、十三日の競技小委員会で決定することになっている。

このため陸連理事長を兼ねる青木委員は六日から大阪で行われた高校陸上も視察し、また高体連幹部や陸連首脳など各関係者と協議した。これらの話合いで、高校生からの人選におちいり結局、陸連首脳者がかねてから意中の走者としていた坂井選手の名が浮び、検討の結果、最終走者には同君のほかに適任者は見当らないとして内定したものである。

手続きとしては十三日の競技小委員会の承認を得ることになるが、陸連はすでに五月中旬、最終走者は陸上高校選手との要望書を組織委に提出し各方面から了承されていた。また坂井義則選手については、関係者のほとんどが賛同している。

信じられない程…

坂井義則君の話　信じられないくらいうれしい。本当なら、大任を立派に果してみせます。でも、こんな大役をボクが……。最近、ある先輩からこれに関係した手紙はもらっていましたが……。まだ信じられない気持です。

坂井　義則（さかい・よしのり）昭和二十年八月六日広島県三次（みよし）市で生れる。十九歳。坂井守夫氏（四七）＝中国電力勤務、三次市体協理事＝の長男。

三十六年三次高校に入学、三十七年の岡山国体の高校陸上四百㍍で、49秒0の大会新記録、また三十八年、山口国体の同種目で優勝。同年の広島県陸上大会では高校の部四百㍍、二百㍍の短距離に優勝した。三十九年四月早大教育学部社会科に進学、同大学競走部員として、去る七月の日本選手権（兼オリンピック候補会）四百㍍予選に出たが、四着となり落選した。身長一・七五㍍、体重六三・五㌔。

東京の住所は、北多摩郡保谷町、上保谷、早大競走部合宿所。

坂井義則「最終」聖火ランナー内定の記事

（1964〈昭和 39〉年 8 月 10 日付『朝日新聞』より／提供：国立国会図書館）

坂井義則が「最終」聖火ランナーに選ばれたことを報じた、最初の記事である。関係者内ではかなり早くから名前が挙っていたとも言われている坂井だが、選考基準の中の「戦後生まれ」という条件には合わないため、有力候補としてマークされなかったのかもしれない。また、「広島県生まれ」という点も「東京ならびにその近郊」という選考基準からははずれる印象となり、報道陣に対する煙幕の役割を果たした可能性がある。結果的にこの報道はスクープとなって、他社の記者たちに大きな衝撃を与えることになった。

インターハイでの後藤和夫

（提供：後藤和夫）

第 2 回全国高等学校総合体育大会（インターハイ）・第 17 回全国高等学校陸上競技対抗選手権大会の最終日に出場した後藤和夫の写真である。地区でインターハイの総合優勝を狙っていた後藤和夫は、聖火ランナーなど「眼中にない」状態だった。同大会最終日の 1964（昭和 39）年 8 月 9 日、大阪・長居陸上競技場で撮影。

後藤和夫のほか、練馬区立旭丘中学校三年の福地徳行、埼玉県立春日部高等学校三年の後藤秀夫、東京都立日比谷高等学校二年の岡島貴敏、そして東京都立目黒高等学校二年の落合三泰……といった一〇人。その最後に名前を挙げた落合三泰は、自身の「最終日」ランナー決定をテレビで初めて知ったと語っている。

「ＮＨＫのお昼のニュースで自分がそこに出ているのを見て、初めて知りました。インターハイが終わって夏休みに田舎の千葉県八街市に帰っていたんです。お昼のニュースに出ているよと父親から言われて、『えっ？』という感じでテレビを見て初めて知ったんです」

いざ知らされてみると、落合にも何となく思い当たるフシがあった。例のインターハイでの出来事である。

「私は最終日の前の日に競技が終わっていましたが、他のメンバーは最終日にまだ競技があったので私はグラウンドにいたんです」と落合は語る。「そこで、たぶん新聞社だと思いますが『写真を撮らせてください』と。何で僕の写真なんて撮るのかなって思いながら。事前の噂や気配みたいなものは、それしか無いですね」

テレビのニュースで自分の「最終日」ランナー決定を知るなどにわかに信じ難い話ではあるが、ある意味で「最終」ランナー決定を巡るドタバタぶりが垣間見えるようなエピソードかもしれない。

そんな落合が見ていた「ＮＨＫのお昼のニュース」を、郷里の三次に戻った坂井義則も見ていた。事前にウワサされていた「最終」ランナー決定ではなく「最終日」ランナー一〇人決定の発表となった理由を、ニュースでは坂井を名指しして痛烈に批判していたのである。いわく「坂井君には不穏当な行動があり」……云々。この件は前述のＪＯＣ公式サイトの記事や『週刊現代』一九六四年九月三日号の記事『聖火ランナー坂井君が選ばれるまで』などあちこちで書かれているが、ニュースを見た坂井は心底疲れきってしまったようだ。どんな事情があったかは分からないが、周囲にいわれるままに動いたらこの結果である。

だが、それはこの後も坂井にのしかかってくる巨大な重圧の、ほんの前触れに過ぎなかった。

坂井君ら十人決る

聖火リレー最終日走者

女子二人 中学生の鈴木さんも

東京オリンピック組織委の競技小委員会は十三日午前九時から東京・赤坂プリンスホテルで開かれ、聖火リレー最終日走者候補十人を決めた。委員会は竹田恒徳、久富達夫、青木半治の三人委が最終走者のふくみで答申した早大一年生の坂井義則君(一九)と他の九人について検討し、これを了承した。最終走者と最終日走者の決定については与謝野組織委事務総長に一任、事務総長は競技専門家の意見を聞いた上で近く決める。

最終日走者候補はつぎの通り。

坂井 義則(さかい・よしのり)19歳、早大教育学部一年、同大学競走部中距離ランナー、四百㍍48秒4、広島三次高出身。身長1㍍73、体重63・5㌔。

池田 元美(いけだ・もとよし)18歳、東京・都立西高三年生。南関東高校陸上千五百㍍障害一位、身長1㍍69、体重53㌔。

鈴木 久美江(すずき・くみえ)15歳、東京・楠朋学園中三年生、三十九年度全国放送陸上走高とび一位、1㍍56の中学新の保持者、身長1㍍63、体重53㌔。

福地 徳行(ふくち・のりゆき)15歳、東京・練馬区立旭丘中三年生。三十九年度放送陸上三種競技一位、身長1㍍[illegible]、体重[illegible]㌔

後藤 秀夫(ごとう・ひでお)18歳、埼玉・春日部高三年生。三十九年度全国高校陸上千五百㍍障害一位、兄の均氏はかつて日本記録を出した砲丸投げ選手、身長1㍍76、体重74㌔。

後藤 和夫(ごとう・かずお)18歳、神奈川・横須賀高三年生。三十九年度全国高校陸上八百㍍三位、身長1㍍84、体重71㌔。

飯島 浩(いいじま・ひろし)17歳、千葉・匝瑳(そうさ)高二年生。本年の国体と全国高校陸上五千㍍六位入賞。身長1㍍72、体重61㌔。

落合 三泰(おちあい・みつやす)17歳、東京・私立目黒高二年生。三十九年度全国高校陸上五種競技二位、身長1㍍84、体重78㌔。

岡島 貴敏(おかじま・たかとし)16歳、東京・日比谷高二年生。中距離選手、八百㍍2分6秒5、身長1㍍74、体重63㌔。

青木 政子(あおき・まさこ)18歳、埼玉・飯能高三年生。三十九年度日本選手権走高とび一位最高1㍍62、走幅とび5㍍89の高校新保持者、身長1㍍65、体重50㌔。

最終日 走者候補

後藤和夫君　坂井義則君　飯島 浩君　池田元美君　落合三泰君　福地徳行君　岡島貴敏君　後藤秀夫君　青木政子さん

面接した上で決定

【解説】最終走者は三人委が推薦した十人の中から組織委与謝野事務総長が最終決定することになった。競技小委としては十三日に最終ランナー、最終日走者を決め、十九日の組織委総会で報告する予定であったが、一部委員から面接する必要があるとの意見が出され決定が持越された。

十人の中では最終ランナーとして坂井義則君(早大)が最有力にかわりないが、大多数の委員に坂井君が走った姿を見たこともなければ、どんな人物か面識もないのに最終決定したのでは……との意見で、このような形式がとられた

「最終日」聖火ランナー決定の記事

(1964〈昭和 39〉年 8 月 13 日付『朝日新聞』夕刊より／提供：池田元美)

1964(昭和 39)年 8 月 13 日午前 9 時から、東京の赤坂プリンスホテルで開かれた組織委員会・競技委員会の会合において、「最終日」聖火ランナー 10 人が決定したことを報じる新聞記事である。元々はこの日に「最終」ランナーが決定するのではないかと思われていたが、それが棚上げとなったのは 8 月 11 日の坂井義則の聖火台記念撮影が組織委員会の逆鱗に触れたからだと思われる。なお、この段階では「最終」ランナーを除いた「最終日」ランナーは合計 6 人で、補欠は 3 人出る予定であった。

インターハイでの落合三泰

(提供：落合三泰)

第 2 回全国高等学校総合体育大会(インターハイ)・第 17 回全国高等学校陸上競技対抗選手権大会における落合三泰(中央)。1964(昭和 39)8 月 7 日、五種競技最初の種目 100m のスタートの際の写真で、奥(右側)の選手は 6 位になった小野秀次(現・鈴木)。小野は高松で聖火ランナーになっており、早稲田で落合と同期生になった。大阪・長居陸上競技場で撮影。

旅立ちの日

一九六四（昭和三九）年八月一三日、組織委員会が「最終」聖火ランナーではなく「最終日」聖火ランナー一〇人を決定・発表したのは前述の通り。その前日の八月一二日の各紙朝刊には、全日空が国内聖火空輸をYS-11だけで行うことが発表されていた。七月二二日の鹿児島空港着陸（P101参照）によって性能が証明されたことで、フォッカーF-27フレンドシップの併用なしにYS-11一本で空輸を行うことが決定されたのである。

それから何日か後のこと、同じ八月一二日付朝刊で寝耳に水の報道を読んで驚いた人物がいる。全日空スチュワーデスの板倉洋子である。彼女は神戸の西宮から来た従姉から、何日か前の日本経済新聞を渡された。従姉がいうには、聖火空輸のスチュワーデスとして板倉の名前が出ているというのだ。そんな話は初耳だった彼女は、慌ててその紙面を見つめた。すると、YS-11のニュースと共に自分の名前が載っているではないか。

「私は、内示を受ける前に新聞記事で知ったんですよ」と板倉洋子は語る。「会社からは全然聞いていなかったのでびっくりしましたよ」

板倉が国内聖火空輸に抜擢されたと知った頃、国外聖火空輸もいよいよ動き出していた。一九六四（昭和三九）年八月一四日、朝の羽田空港でのことである。国外聖火空輸派遣団を乗せた日本航空のDC-6B「シティ・オブ・トウキョウ」号が、聖火を受け取るためにギリシャへ出発するからである。

派遣団の団長は、聖火リレー特別委員会で委員長を勤めて来た高島文雄（P38, P76参照）、副団長は競技部式典課長の松戸節三（P50参照）。そして肝心要の聖火係は、第三回アジア競技大会でも聖火係を務め、ローマ大会の視察にも駆り出された中島茂（P26, P32, P52参照）、几帳面に議事録ノートを残した競技部員の森谷和雄（P50参照）らが担当した。ギリシャのオリンピアで受け取った火を間違いなく日本まで運ぶという大役には、まさにうってつけの人選である。

全日空スチュワーデスの板倉洋子

（提供：白木洋子）

全日空の運航によるYS-11国内聖火フライトに搭乗したスチュワーデスが、板倉洋子である。彼女は国内空輸の本番当日の1964（昭和39）年9月9日、先輩スチュワーデスの丸邦子とともにYS-11「聖火」号に乗務した。だが、彼女がその決定を最初に知ったのは会社の内示ではなく、同年8月12日付『日本経済新聞』紙上の記事を見てのことであった。なお、板倉もこのフライトで何点かの写真を撮影して、貴重な記録を残している。この写真は同年9月9日、YS-11機内での撮影。

ON（日刊） 第31553号 © 読売新聞社 1964年

聖火空輸団オリンピアへ

21日に採火式典

東京五輪、いよいよ本番

東京オリンピックの本番第一歩を開く聖火空輸派遣団（高島文雄団長ら五十人）は、十四日午前八時十分、羽田発の日航特別機「シティー・オブ・トーキョー号」で、アテネに向け出発した。十八日夜、アテネに着き、二十一日オリンピアで採火のあと、中東、アジアの十二か国、十二都市をリレーし、九月六日沖縄の那覇空港に戻る。この間、各地で聖火歓迎の式典にも参加"平和の祭典"の開幕をPRする重要な任務も果たす。

この聖火空輸は、総計一万六千二百四十三キロに及び、この間八百七十六人の各国スポーツマンによって、地上リレーも行なわれることになっており、距離、通過国

写真㊤聖火空輸機の前で高島団長（中央右）にトーチをわたす与謝野事務総長（同左）
㊦五輪旗と日の丸をつけて出発するシティー・オブ・トーキョー号

韓国

政府は十四日の閣議で、韓国経済に役立たせるため、約二千万ドルを目標に原材料輸出を行なうとの方針を決めた。韓国に対する援助

正午には黙

あすの

全国戦没者追悼式はあす十五日、天皇、皇后両陛下が臨席され

国外聖火空輸派遣団の出発を報じる記事

（1964〈昭和39〉年8月14日付『読売新聞』夕刊より／提供：国立国会図書館）

1964（昭和29）年8月14日朝に、国外聖火空輸派遣団の出発イベントが羽田空港で行われた。高島文雄団長以下の派遣団や22名の報道関係者をギリシャへと運ぶのは、日本航空の聖火特別輸送機DC-6B「シティ・オブ・トウキョウ」号。そこに乗務するのは、同社の航整副本部長兼運航部長の森田勝人を団長とする日本航空聖火空輸特別派遣団である。記事に掲載された写真は聖火灯授与式の様子で、組織委員会事務総長の与謝野秀（左）から派遣団団長の高島文雄（右）に聖火灯が手渡された。

「高島さんは団長でありながら本当に何もしない人。リップサービスも何もない人でしたね（笑）。中島さんはいちばん仕事をしていました。だけどたえずニコニコ、社交的な方。文部省の役人とは思えない印象でした。森谷さんはみなさんに気を使う方で、国際的なイベントには慣れていない感じはしましたが、信頼には十分応えられる人でしたね。あの人を悪く言う人はいなかった」

団長の高島、そして聖火係の中島、森谷について二〇一七年にこう語ってくれたのは、PRジャパン社から組織委員会に派遣され、大もめに揉めたジャカルタでの第四回アジア競技大会（P42参照）にも海外広報担当として参加していた菅野伸也である。菅野は派遣団に同行する二二名の報道関係者をケアするために、報道係としてこの飛行機に乗り込んでいた。

さらに異色のメンバーとしては、「団長秘書」として高島をサポートすべく参加した熊田周之助がいた。元々は日本航空の社員だが、今回はあくまで組織委員会の人間として委嘱されての参加である。熊田の夫人である熊田美喜によれば、文字通り高島の秘書のような役回りだったとのこと。熊田本人が夫人に語ったところでは、目的地に着くとタラップを真っ先に降りて、現地の関係者と高島のその日の行動について打合せするような仕事だったという。熊田はこの旅で趣味のカメラを持参し、旅の記録を多数残している。

この日、羽田では午前七時から空港ターミナル二階の特別室で壮行会が開かれ、七時半から「シティ・オブ・トウキョウ」号の前で聖火灯授与式が行なわれた。組織委員会事務総長の与謝野秀から聖火灯を受け取ったのは、派遣団団長の高島文雄。合計三基の聖火灯を携えた派遣団一行を乗せて、DC-6B「シティ・オブ・トウキョウ」号は午前八時一〇分に羽田を出発した。

その翌日の八月一五日午前一〇時、東京都渋谷区の岸記念体育会館に「最終日」聖火ランナーたち一〇人が集結。この日が彼らの「初顔合わせ」である。出迎えたのは、事務総長の与謝野秀や日本陸連競技部長で今回の

派遣団団長の高島文雄と団長秘書の熊田周之助

（提供：熊田美喜／協力：阿部美織、阿部芳伸、阿部哲也）

日本航空から委嘱されて組織委員会入りした熊田周之助は、国外聖火リレーの間はずっと高島文雄の面倒を見ていた。写真は「シティ・オブ・トウキョウ」号客室にて、高島文雄の誕生日を祝っている様子。高島の誕生日は8月19日だが、その日は派遣団がギリシャに着いて2日目でオリンピアに移動直後でとても誕生日を祝う余裕はなかったはずである。さらに、写真に写ったビールのラベルがギリシャ語であることから、8月23日にアテネを離陸後に撮影されたものではないかと考えられる。手前のケーキを前にした人物が高島、後方のメガネの人物が熊田である。

香港啓徳空港での国外聖火空輸派遣団

（提供：熊田美喜／協力：阿部美織、阿部芳伸、阿部哲也）

アテネに向う往路で、香港啓徳空港に降り立った時の様子。左から2人目が日本航空の森田勝人（ワイシャツの人物）、3人目が熊田周之助（森田の後ろから顔を出している）、ひとりおいて中島茂（2人のサングラスをかけた人物のうち右側）、さらに2人おいて聖火空輸派遣団の高島文雄団長、ひとりおいて副団長の松戸節三（メガネの人物）。写真の中央あたりの機体に描かれた文字「OLYMPIC」と「FLAME」の間隔真下あたりに菅野伸也、さらに「SPECIAL」の「A」の真下あたりに森谷和雄の顔が見える。1964（昭和39）年8月14日に撮影。

コーチに当たる中村清ら。一九六四年八月一六日付スポーツニッポンによると、「最終日」ランナーたちはそれぞれ父兄や先生に付き添われてやって来た。坂井義則も、当日早朝の急行で父親と一緒に上京したとのこと。だが、この日について当人たちの記憶は極めて薄い。

「全然記憶に無いんですよね。新聞によると、一〇人のなかで私がいちばん早く行ったらしいんです。どういうふうにして行ったのかは覚えていない」と語るのは、目黒高二年の落合三泰である。「一〇人が集まって岸記念体育会館の屋上に行って、写真を撮ったような記憶がありますね」

「最終日のランナーということしか言われていませんでしたから、『この一〇人で走るのかな』としか思っていませんでしたね」と、横須賀高三年の後藤和夫は語る。「後藤秀夫くん、青木さん、そのクラスの人が来ているんだなぁと。高校生の人たちは分かっていましたね。中学生は知らなかった」

「みんなニコヤカだったということだけ頭にあります」と語るのは、飯能高三年の青木政子。「誰が最終ランナーか分からなかったですね。誰がどこを走るのかも分からなかったし」

そんな中、西高三年の池田元美は少々異なる印象を受けていたようだ。「一〇人が並列かなと漠然とした感覚を持っていたけど、聞いてみると坂井さんだけは特別扱いでしたね。坂井さんの補欠になった高校二年生の落合くんとそれ以外の八人が、同じような扱いで」

当日はメディアも呼ばれ、彼らの「お披露目」が行われた。その時のことが、池田の記憶に残っていた。

「何で覚えているかというと、椅子に適当に座ってたら『どいて』と言われたの。そこに坂井さんが来たから覚えてる」と池田。「彼は特別なんだなと。私の印象では、みんなで集まった最初の時には決まっていた」

ともあれ、午後一時より神宮絵画館前で中村コーチの指導で初練習。これはほとんどマスコミ向けの写真撮影用だったようだが、翌日八月一六日から一七日までの二日間も練習に充てられた。

初顔合わせでの「最終日」聖火ランナーたち

（提供：朝日新聞社）

1964（昭和 39）年 8 月 14 日にメディアに「初お披露目」された「最終日」聖火ランナーたち。左から、コーチの中村清、コーチ助手の浜部憲一、青木政子、鈴木久美江、後藤和夫、後藤秀夫、飯島浩、事務総長の与謝野秀、岡島貴敏、池田元美、落合三泰、福地徳行、坂井義則。後方に見えるのは丹下健三らの設計による国立屋内総合競技場で、この時点ではまだ完成には至っていなかった。東京都渋谷区の岸記念体育会館屋上にて撮影。

晴れ姿へ走る

聖火最終ランナー初練習

呼吸も乱さぬ坂井君

東京オリンピック聖火リレーの最終ランナー候補に決まった坂井義則君（早大教育学部一年）ら十人は十五日午前、東京・代々木の岸記念体育会館で与謝野組織委事務総長を囲み顔合わせをした後、午後一時から神宮絵画館前で中村コーチ（陸連常務理事）の指導で初練習を行なった。こんごは本番直前まで約四回の合同練習を行なう予定。

与謝野事務総長との顔合わせでは緊張して自己紹介の声もこわばりがちだった候補たちは戸外で強い日ざしを浴びると、さすが陸上ランナーらしく生きかえったような表情になった。国立競技場で思い思いのトレーニング・スタイルになり、まずスタンドをひとめぐり。聖火台の下で「きょうは報道陣へのサービスデーです」という中村コーチの声にワッとカメラマンが群がった。

人気の焦点はやはり最終ランナ

感激の点火は近い

トーチをかかげ、聖火台への階段をかけ登るアンカー候補の坂井君（左）とそれを見守る最終日走者たち

「最終日」聖火ランナー初練習

（1964〈昭和 39〉年 8 月 16 日付『報知新聞』より／提供：池田元美）

1964（昭和 39）年 8 月 14 日午前の「最終日」聖火ランナー 10 人の初顔合わせの後で、午後 2 時から神宮絵画館前や国立競技場などで中村清コーチの下で初練習が行われる。ただし、これはメディア向けの写真撮影用パフォーマンスだったと考えた方が良さそうである。この記事に掲載された写真と見出しを見ると、坂井義則が「特別枠」であったことは否定し難い。練習は翌 16 日～17 日にも行われた。

聖火台への階段

市川崑監督の映画『東京オリンピック』（1965）のハイライトは、間違いなく聖火台への点火場面。トーチを持った坂井義則が、一気に階段を駆け上がって行き、最後に聖火台横へと辿り着く。だが、階段を上っても上っても、なかなか最上部には辿り着かない。NHKテレビ実況の録画を見てみると、聖火台直下の踊り場までの直線部分までで約30秒、聖火台の土台部分に上がるまでで約45秒かかっている。なるほど、織田幹雄や大島鎌吉が「若者じゃないと無理」という訳である。

前述のNHKテレビではアナウンサーの北出清五郎が、聖火台までの高さ32メートル、階段は163段で勾配は28度……と語っている。ところが階段の段数については、「170段」（1964年4月4日付『東京新聞』）、「122段」（1964年10月10日付『毎日新聞』夕刊）、「163や182など複数の説がある。坂井自身は167段と聞かされていた」（小沢剛「心の聖地 スポーツ、あの日から」／2010年5月11日付『四国新聞』）……とまちまち。正確な記録が現存せず、旧・国立競技場が取り壊された今は、もはや分かる術はないのである。

（夕刊）

世紀の舞台装置は万全

「あす」を待つ国立競技場

こだます電子音楽

最後のテスト、興奮呼んで

雨のなか、聖火台への階段のお化粧仕上げを念入りに

聖火台への階段の手入れ

（1964〈昭和39〉年10月9日『毎日新聞』夕刊）

聖火台直下の踊り場までは直線コースの階段が取り付けられていた。

第4章

1964年8月〜9月 感染爆発の危機

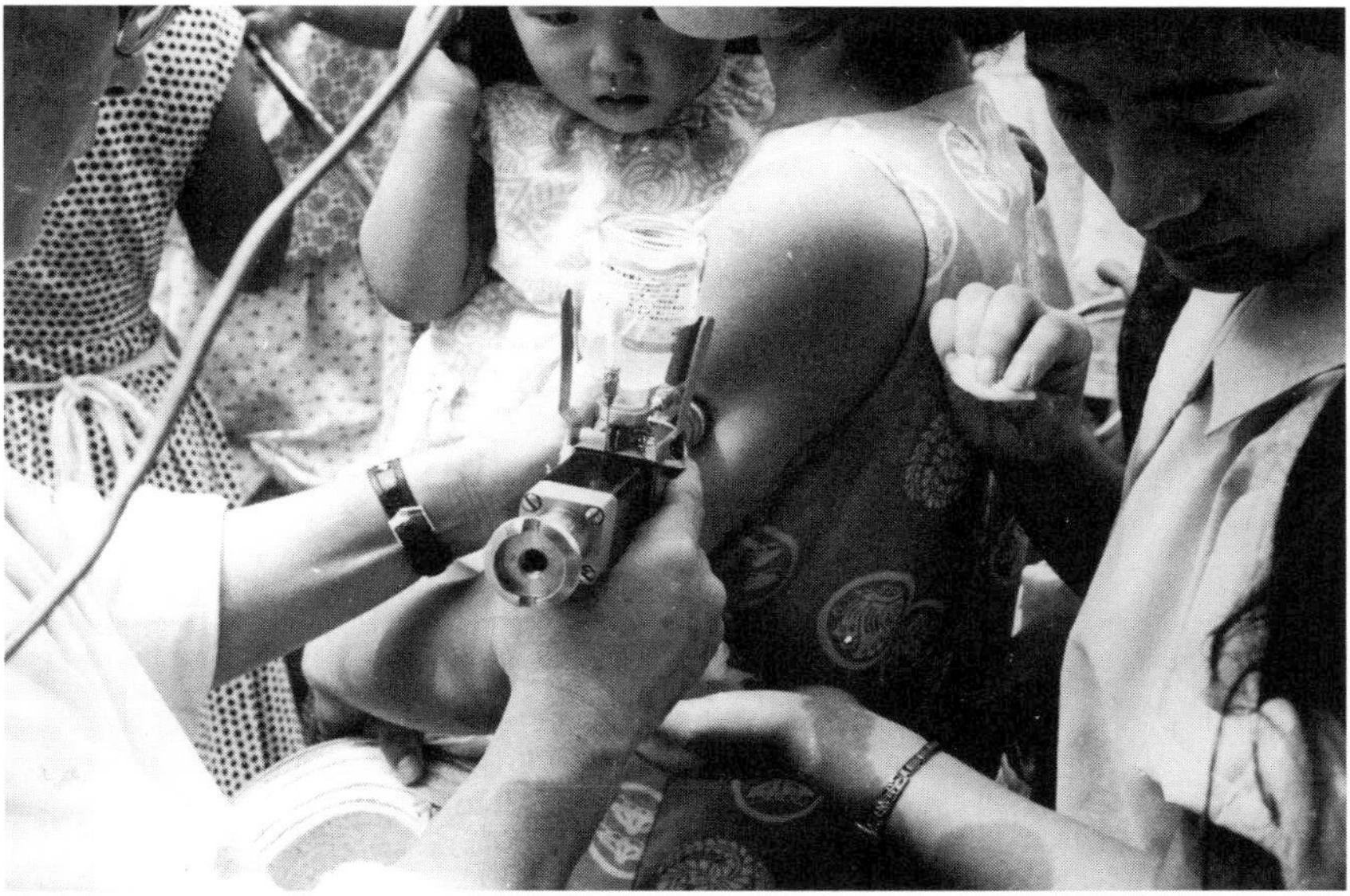

コレラのワクチン接種を実施
（提供：習志野市教育委員会）
1964（昭和39）年8月25日、千葉県習志野市でコレラの発生と死亡者1名が確認され、WHOより習志野市大久保地区がコレラ汚染地区として指定される。同日午後7時からは習志野市民へのコレラ・ワクチン接種を開始。これを皮切りに、9月2日まで予防接種が各地で続いた。

1. 聖火リレーが始まる

「最終」ランナー決定の裏で

一九六四（昭和三九）年八月一七日午前三時、東京都渋谷区の岸記念体育会館五階にある東京大会組織委員会競技第二課の部屋では、東京大会ナショナル・エントリー（国別参加申込）に申し込んで来た国々の発表が始まった。この時点で、申し込んで来た国や地域は九二とすでに史上最多。さぞや組織委員会のメンバーは鼻高々であろうと思いきや、実は内心冷や汗ものだったようである。それもそのはず。オリンピックに欠かすことのできないはずの国、ギリシャのエントリーがまだなかったからだ。

早い時点でこの「異変」に気づいた組織委員会は、一〇日前にギリシャ側に電報も打った。だが、一向に来る気配がない。ついに一七日を迎えて、やむなくギリシャなしで参加国名を発表する事態になってしまった。

だが、ウソのような本当の話だが、ギリシャのエントリーは発表の最中に飛び込んで来た。

一九六四年八月一八日付読売新聞によれば、ギリシャのエントリーが書留でアテネのオモニア郵便局に出されたのは、八月一〇日のこと。それが八月一四日午後一一時一〇分、タイ航空機によって羽田に到着。八月一五日午前〇時五分には羽田の郵便局に着いていた。同郵便局で消印を押したのは午前九時四〇分で、午後四時五〇分には東京中央郵便局行きの郵便車に乗せられた。ここで半日留った後、一六日午前三時三三分に渋谷郵便局に到着。ところが一六日は日曜日。結局、エントリーは一七日正午頃に組織委員会に到着して、さらに管理室で他の郵便物と小分けされてから各部に送付となった。そのため、発表途中での到着となった訳である。

何とも人騒がせな話だが、これには組織委員会では出鼻をくじかれた思いではなかったか。

その翌日の一九六四年八月一八日午後五時半、岸記念体育会館において「最終」聖火ランナーが決定され、報道陣に発表された。そのランナーは、かねてから名前が挙っていた坂井義則その人である。

予想通り……否、予定通りというべきか。結局、正式発表前にリークされた上に聖火台前での記念撮影というダメ押しがあったために、組織委員会が「意地」で決定を遅らせたというのが真相だろう。一九六四年八月一九日付日本経済新聞によれば、事務総長の与謝野秀が「聖火リレーの最終走者というとプロ野球の花形や映画のスターのように世の中から見られやすい。しかし最終走者の大役は決してそういうものであってはならないということをよくかみしめ、りっぱに大役をはたして下さい」とめでたい気分もたちまち凍り付きそうなコメントを発したようである。記者会見には坂井本人も出席していたが、晴れの日にこんなお説教のような言葉を聞かされ、果たしてどのような心境だったのだろうか。

また、この決定に伴い、もうひとつの重大な決定も行われていた。「最終」ランナーの控えのランナーである。名前が挙ったのは、目黒高二年の落合三泰。だが、落合自身は補欠決定を知ったタイミングをこの時ではないと記憶している。「練習の前か後かは定かじゃない。そこで初めて坂井さんが最終ランナーだと中村（清）コーチが口にしたと思う。『落合くんは坂井くんの控えをやってもらうよ』と言われたんです」

落合自身の記憶によれば、知らされたのは九月の一〇日ぐらいになってからとのこと。だが、実際にはこの八月一八日の時点でメディアに公表されている。だとすると、落合は八月一六日〜一七日の練習時に、先に控えになったことを教えられていたのだろうか。

「あの時は中村さん、浜部（憲一）さんともうひとり大賀さんという人の三名がコーチとしていたんです」と落合は回想する。「中村さんに（控えと）いわれて、その後にその大賀さんから『いろいろあったみたいだけど、私は君を推薦していたんだけどね』と聞かされた」

実は落合には、前の段階から「最終」ランナーの控えという話がメディアで出ていた。だが、落合はそれらの報道を知らなかったようである。そして、控えに回ったという話も淡々と受け止めたと語っている。

「あぁそうですかと私は軽く受けたんですけどね」と落合は語っている。「がっかりしなかったと言えば嘘になりますね。やっぱりダメかと」

だが、当の「最終」ランナー坂井義則の立場では、また別の思いがあったかもしれない。実は、坂井は大いに落合を意識していたのかもしれないのだ。

天狼院書店のウェブサイト『ＲＥＡＤＩＮＧ ＬＩＦＥ』中の『２０２０に伝えたい１９６４』という連載コンテンツに、山田将治による『聖火最終ランナーの孤独』という記事がある。これは一九八〇（昭和五五）年に早稲田大学大隈講堂で行われた討論会の基調講演で、坂井義則が語った内容を基にしたものとされている。ただし、坂井自身が古い曖昧な記憶を頼りにして語っていたせいか、まことに残念ながら事実関係などにかなりのズレや矛盾が多いことは否めない。それでも、非常に生々しい感情が露になっている点が特徴的だ。

そのコンテンツによれば、ランナー候補の中に坂井よりひとつ歳下で長身の見栄えが良い高校生がいたという。実際の「最終日」ランナー一〇人の中では落合が最も背が高かったので、ここの中で語られている「一つ歳下で長身の見栄えが良い高校生」とは、明らかに落合のことだろう。坂井はこの「長身で見栄えの良い高校生」に対して、自身については「特に体が大きかった訳ではないし、見栄えも良くなかったし」と語っている。坂井が「最終」ランナーに決まった後は、「年下の長身ランナーが可愛そうだ」とも思っていたようである。どうやら坂井は坂井で、落合にかなり引け目を感じていたようなのだ。

【新聞定価一ヵ月470円・一部（朝刊）15円（夕刊）5円】　【第三種郵便物認可】

「りっぱにやります」

聖火リレー最終走者　坂井君本決まり

ほお染めて抱負語る

「若い日本を代表したつもりでがんばります」と語る坂井君
（右は中村コーチ、左は与謝野事務総長）

「最終」ランナー決定を報じる記事

（1964〈昭和39〉年8月19日付『日本経済新聞』より／提供：国立国会図書館）

長らく揉めていた「最終」聖火ランナーの人選だったが、1964（昭和29）年8月18日午後5時に決定。前々から予想されていた通り、坂井義則の名前が組織委員会事務総長の与謝野秀から正式発表された。記事の写真は記者会見の模様で、左から事務総長の与謝野秀、「最終」ランナーに決まった坂井義則、コーチを務める中村清。同時に、落合三泰が「最終」ランナーの補欠に決まったことも発表された。

喜びにわく実家

【広島】広島県三次市三次町旭町の坂井義則君の自宅は「聖火最終走者の正式発表がある」という知らせで、午後四時半すぎから近所の人や後援会員ら約三十人が詰めかけた。しかし正式決定が延びに延びていただけに母親ゆき子さん（38）と弟の孝之君（17）＝三次高二年＝たちは「こんどはだいじょうぶだろうか」と、不安

留特派員】東京オリンピックの聖火を運ぶ聖火空輸派遣団（高島文雄団長）は十八日午後五時（日本時間十九日午前零時）聖火特別機の日航「シティ・オブ・トウキョウ号」でアテネ・ヘレニコン空港に着いた。空港にはギリシャ・オリンピック委員会のラパス事務総

「おめでとう」お祝い客が続々とつめかける広島の坂井君の実家

坂井の実家でのお祝いを報じる記事

（1964〈昭和39〉年8月19日付『日本経済新聞』より／提供：国立国会図書館）

1964（昭和29）年8月18日に「最終」ランナー正式発表があると報じられたため、広島県三次市にある坂井義則の実家には、午後4時半過ぎから近所の人や後援会員ら約30人が詰めかけた。前回の8月13日には正式決定に至らず「最終日」ランナー10人の発表にとどまったが、今回は午後5時40分頃に坂井に正式決定との知らせが入ったため「おめでとう」の大歓声に包まれた。

なお、この段階ではまだ補欠は三人とされていたようだが、落合以外は決まっていなかった。「最終」ランナー以外については、まだ未定の部分が多かったのである。

こうして「最終」ランナー問題がようやく決着をみた八月一八日、ギリシャ時間で午後四時五〇分（日本時間では午後一一時五〇分）、アテネのヘレニコン空港（現在は廃港）に日本航空の聖火空輸特別機「シティ・オブ・トウキョウ」号が降り立った。

ギリシャ・オリンピック委員会のラパス総務主事の出迎えを受け、高島文雄団長率いる聖火空輸派遣団は宿舎となっているヒルトンホテルで打合せに入る。だが、ギリシャのオリンピック委員会側の対応は、何とも要領を得ない。肝心の採火式について、進行や詳細がまったく不明瞭なままなのだ。八月一九日付朝日新聞夕刊によれば、聖火係として張り切っていた中島茂も「採火式がとどこおりなくすむかどうか自信がなくなった」と困惑するばかり。エントリーに続いて、またしても「ギリシャ流」に泣かされる羽目になったようだ。

さらに再び千葉県館山市に舞台は変わって、翌八月一九日に日付が変わった午前一時頃のことである。二〇歳の工員がたまたま船員とすれ違い、道を聞かれたのがまずかった。お互い酒に酔っていたので口論となり、工員が船員を殴りつけて傷害現行犯で逮捕。実はこの工員、千葉県の聖火リレー第一副走者に選ばれていた。八月一九日付朝日新聞夕刊で報じられたこの事件は、東京大会関係者「不祥事第一号」だったのだろうか。

一方、組織委員会はこの日の会合で、東京大会開・閉会式の式次第を決定している。これに伴い、開会式当日に行われるセレモニーについても、練習が徐々に本格化していく。

さらに米国時間の同日午前七時一五分（日本時間では午後九時一五分）、フロリダ州のケープケネディ基地より静止通信衛星シンコム三号が打ち上げられた。同衛星は八月二一日午前二時一九分で静止。これによって、東京大会のテレビ映像を衛生中継で米国に送信することが完全に可能となったのである。

アテネでの
「シティ・オブ・トウキョウ」号

（提供：日本航空）

1964（昭和 29）年 8 月 18 日、国外聖火空輸派遣団を乗せた日本航空の聖火特別輸送機 DC—6B「シティ・オブ・トウキョウ」号がアテネのヘレニコン空港に到着した。この写真は日本航空のプロモーション用に撮影されたものと思われる。写真中央の和服の女性は、日本航空スチュワーデスで「シティ・オブ・トウキョウ」号に乗務していた加治木（現・柴田）洋子。その右は、ギリシャのオリンピック航空スチュワーデスである。

静止衛星シンコム 3 号

（©NASA）

世界最初の「本当の意味」での静止衛星「シンコム 3 号（Syncom3）」は、1964（昭和 29）年 8 月 18 日にフロリダ州ケープケネディ空軍基地（当時の名称。現在はケープカナベラル空軍基地）から打ち上げられた。衛星中継の実験はすでに前年 1963（昭和 38）年 7 月 22 日に打ち上げられたシンコム 2 号で行われていたが、同衛星は不完全な軌道に乗せることしか出来なかったため、満を持しての打ち上げである。衛星自体の直径は 71cm、全長 39.4cm、燃料を含む全重量は 65.8kg で、1969（昭和 44）年 4 月まで運用されていた。

白地の旗を掲げた朝

一九六四（昭和三九）年八月二〇日、千葉県習志野市。位置的には市の中央部にほど近い大久保地区に、ある小さな旅館があった。木造二階建ての家屋に宿泊用の部屋が七部屋。当時、そこには一二人ほどの客が宿泊していた。その夕食時のことである。

その日の夕食の献立は、モンゴウイカの刺身と吸物であった。

刺身になったモンゴウイカ（P90参照）はインド洋で捕獲され、ほぼひと月余の期間、マイナス二〇度で保存されて日本に運ばれて来たものと思われる。その後、築地魚市場を経て船橋魚市場に搬入されたが、漁船名や陸揚げの日時については今となっては不明である。

この旅館に宿泊していた客のひとりに、横浜市在住の二三歳の配管工がいた。彼は八月一九日から千葉市内の高圧ガス会社に配管工事のために出張で来ていて、この日もその高圧ガス会社で作業を終えた後、午後七時頃に旅館に戻って来ていた。もちろん、用意されていた夕食をたいらげたことはいうまでもない。

モンゴウイカの刺身はこの配管工の舌を楽しませ、のどを通って胃袋へと落ちていったのだが……。

一方、組織委員会では着々と東京大会の準備を進めていた。開閉会式のプランを決定し、「最終日」聖火ランナーの人選も終了した。日本航空の「シティ・オブ・トウキョウ」号がギリシャに派遣され、国外聖火リレーも開始寸前。さらに、国内聖火空輸に起用されるＹＳ-11についても段取りがついた。聖火空輸に使われるのは、ＹＳ-11の試作二号機である。

「技術飛行が終わってから聖火輸送をやるのに飛行機を改造しなきゃいけない。聖火台を作る、全日空塗装にする、デカール（注：シールの一種）を貼る……そういう工事期間が必要だったので、工事計画を立てたんです」と語るのは、名古屋で飛行試験の主任を務めていた山之内憲夫（P98参照）である。「ただし、僕は工事計

聖火輸送仕様に変更されたYS-11試作2号機

（提供：和久光男／協力：和久淑子）

1964（昭和39）年9月9日の国内聖火空輸に使用されるため、外観を「聖火輸送」仕様に変えたYS-11試作2号機。基本的な機体塗装は変更せず、本来あった「YS-11 PROP JET」の文言を削除し、全日空の社名ロゴやマーク、そして東京大会エンブレムのデカールなどを追加したもの。そのため、機体は全日空のコーポレートカラーであるブルーではなく、元々の日航製塗装のカラーが残った。撮影は名古屋にある三菱重工業の小牧工場内、8月8日～29日と思われる。

画そのものは立案者じゃなくて、飛行試験との関係とか実際のフライトをどうするかとか、そっちのほう。たぶん七月くらいには工事計画を立てていたと思います」

当時の試作二号機の飛行日誌を見ると、一九六四年八月八日から二九日の間、聖火輸送のための工事が行われていた。我々が今日よく目にする聖火空輪仕様のＹＳ-11の外観がこの時に整えられたのだ。「色はそのままで、『ＹＳ-11プロップジェット』と書いてあったところを塗り替えたのかな」

だが、手を加えられたのは外観だけではない。試験飛行用の殺風景な客室を乗客を乗せるための仕様に変えるなど、数多くの変更が行われている。特に興味深いのは、「非常降下脱出口を廃止する」という項目だ。

「脱出口は八〇×八〇センチの四角い筒のようなものだったと思う」と山之内は語る。「床に穴を開けて付けてあって、手や足をかけるところもあった。機体中央部、主翼より前の部分に開けてあったと思います」

脱出口はもちろん飛行中の非常事態に備えたもので、そこから落下傘で脱出するために開いていた。飛行試験でＹＳ-11に乗る人は、みな落下傘持参で乗っていたのだ。

「落下傘を持って乗ったけど全然使い道はなかった」と山之内。「床を開けるとドアがすとんと落ちて穴が下に開くんですが、そこから飛び降ることができる訳がない。けっこう深いから飛び降りても頭を打つに決まってる。一回、試験飛行中に気持ち悪くなった時には飛び降りたいと思いましたけどね（笑）」

この時の改装工事では、他にもスチュワーデスが非常時に使用するための酸素ボンベの取付けや、客席の変更、窓へのカーテンの取付け、日の丸と五輪旗を付けるための旗ザオの取付け……など、聖火空輪の際に乗客を乗せて飛ばすためのさまざまな変更が行われた。その中でも非常降下脱出口を塞ぐ作業は、試作二号機が直前まで飛行試験に使われていたことを生々しく物語る工事だったといえよう。

そんな試作二号機に手が加えられつつあった八月二一日の朝、山之内は大事な任務を携えて東京へ向かうこと

聖火輸送のための工事に関するYS-11飛行日誌

（提供：YS-11木曜会）

YS-11試作2号機を聖火輸送仕様に変える工事について記録した、日航製のYS-11飛行日誌。上が5枚綴りの書類1枚目の一部分であり、下が添付書類である。上に書かれた「E.O.工事」の「E.O.」とは「Engineer Order」の意味。また、下の詳細の2番目に、問題の「非常降下脱出口を廃止する」という項目がある。

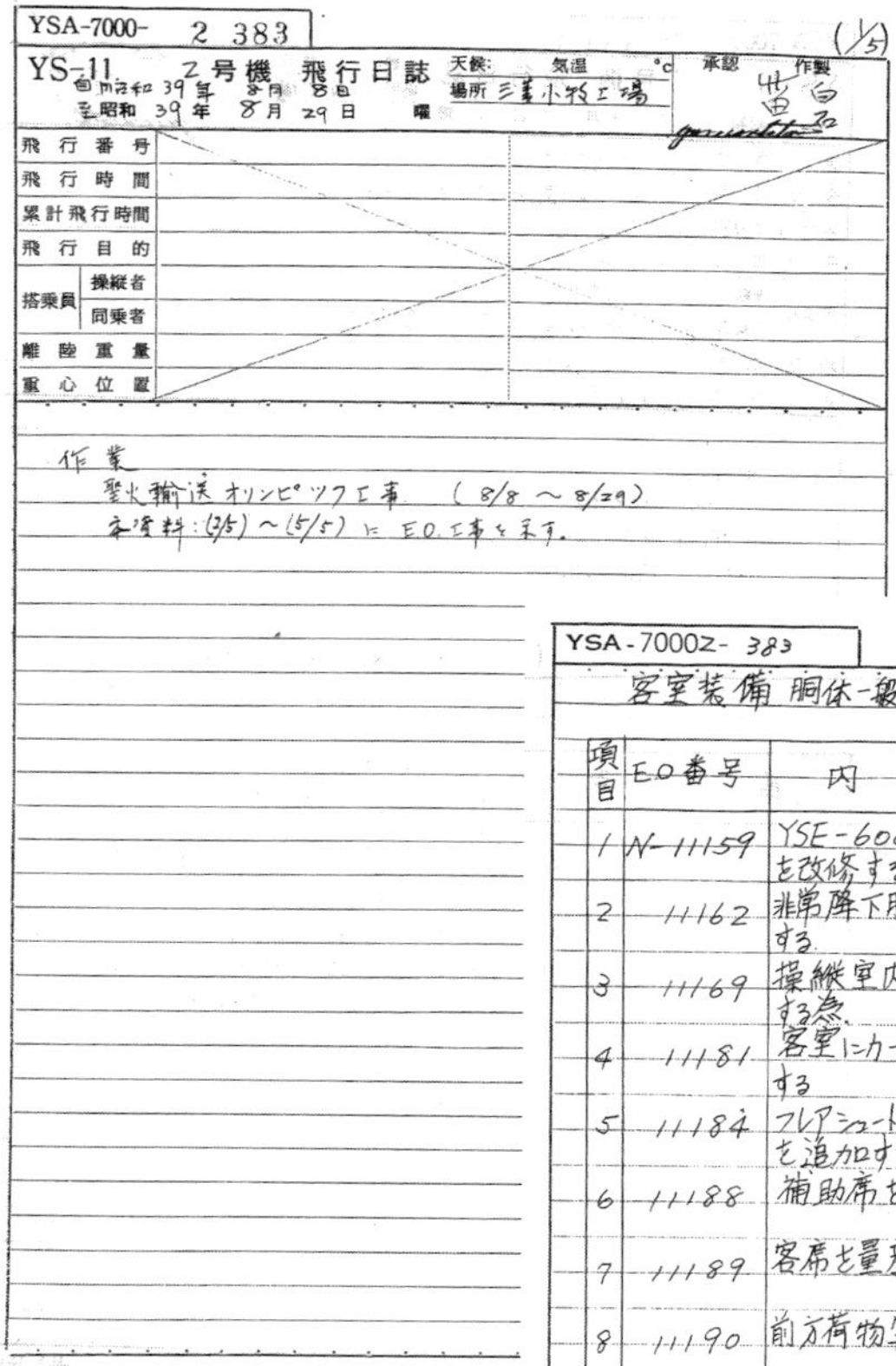

YSA-7000- 2 383　(1/5)

YS-11 2号機 飛行日誌
自昭和39年8月8日
至昭和39年8月29日 曜
天候：　気温 ℃
場所 三菱小牧工場
承認　作製

飛行番号	
飛行時間	
累計飛行時間	
飛行目的	
搭乗員 操縦者	
搭乗員 同乗者	
離陸重量	
重心位置	

作業
聖火輸送オリンピック工事（8/8～8/29）
本資料：(2/5)～(5/5)にE.O.工事を示す。

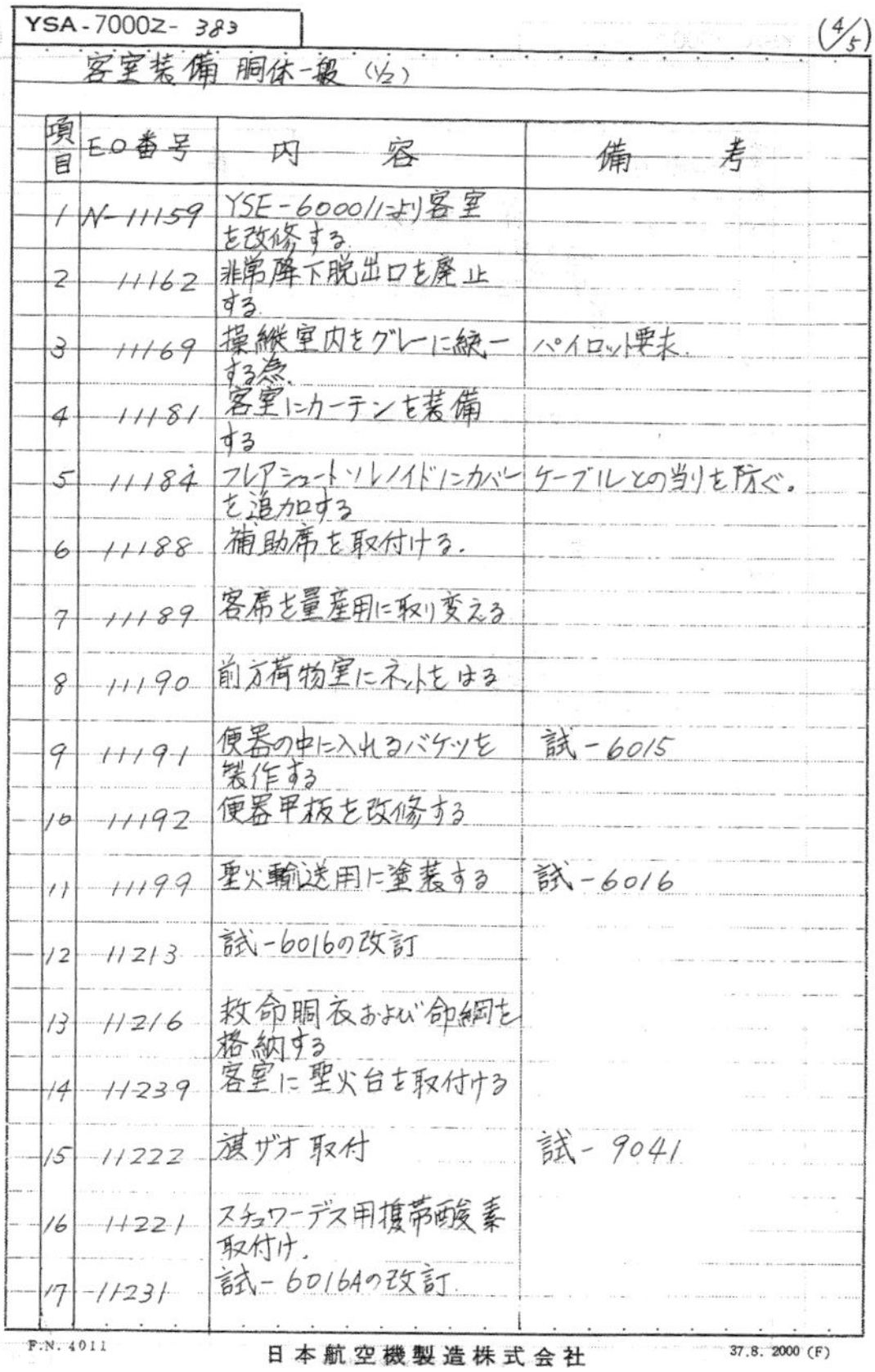

YSA-7000Z- 383　(4/5)

客室装備 胴体一般（1/2）

項目	EO番号	内容	備考
1	N-11159	YSE-6000↑により客室を改修する。	
2	11162	非常降下脱出口を廃止する	
3	11169	操縦室内をグレーに統一する為	パイロット要求。
4	11181	客室にカーテンを装備する	
5	11184	フレアシュートソレノイドにカバーを追加する	ケーブルとの当りを防ぐ。
6	11188	補助席を取付ける。	
7	11189	客席を量産用に取り変える	
8	11190	前方荷物室にネットをはる	
9	11191	便器の中に入れるバケツを製作する	試-6015
10	11192	便器甲板を改修する	
11	11199	聖火輸送用に塗装する	試-6016
12	11213	試-6016の改訂	
13	11216	救命胴衣および命綱を搭納する	
14	11239	客室に聖火台を取付ける	
15	11222	旗ザオ取付	試-9041
16	11221	スチュワーデス用携帯酸素取付け。	
17	11231	試-6016Aの改訂	

F.N. 4011　日本航空機製造株式会社　37.8. 2000 (F)

になった。いよいよYS-11の型式証明（P100参照）を取得するため、書類を届ける必要があったのである。

「二一日の午後に（運輸省航空局で型式証明の）最終審査があって、その前の日まで飛行試験をやっていたんですよ。（試験の）データがちゃんとオーガナイズされていなくて、徹夜で整理しなおしてね」と、山之内は当時を思い出して語る。「あの頃は簡単にコピーができなかったから、出席者全部のコピーを持ってたのかもしれないし。たぶん朝一番で、その日の会議に間に合うように持って行ったんだと思います」

こうして名古屋空港に駆けつけた山之内だったが、空港に着いた彼は冷や汗をかくことになる。

「全日空の名古屋～東京便の座席が満席だった。あの頃はまだ新幹線が無いから、乗らないと間に合わないからね。今みたいにメールの添付で送ることもできないし（笑）」と山之内。「そこを全日空さんのご厚意で座席をつくってもらって、何とか東京に運びました」

すでに聖火空輸派遣団はギリシャ入りしていて、ここで型式証明を取らなければYS-11には後がなかった。だが、山之内に心配はなかったという。「間に合わせないとまずいというのはありましたが、六月くらいになったら一号機の飛行試験も全部クリアしていましたし。もう問題無いと技術屋としては思っていましたから」

土壇場でハラハラしながらも、何とか飛行機に飛び乗った山之内が一路東京の運輸省へと向っていた午前九時半、東京都渋谷区の岸記念体育会館の屋上でちょっとしたセレモニーが行われていた。

「五輪旗」の掲揚である。

組織委員会の職員らおよそ二〇〇人が集まり、真新しい五輪旗が屋上のポールに掲げられた。その際に挨拶を行った事務総長の与謝野秀は、「きょうギリシャのオリンピアで聖火の採火式が行われ、聖火リレーがスタートする」と切り出した。八月二一日は採火式の当日だったのである。

その朝に掲げられた白地の五輪旗は、聖火リレー開始を告げるしるしだったのか、それとも……。

落下傘を着けて飛行試験に臨む様子

（提供：和久光男／協力：和久淑子）

飛行試験でYS-11に乗り込む人は、すべて落下傘持参だったという。YS-11試作2号機にも、聖火輸送仕様に改装されるまでは「非常降下脱出口」が存在した。写真は緊急脱出用の落下傘を装着し、試験飛行に臨む和久光男で、試作2号機にて撮影。新三菱重工業から日航製へとやって来た和久は、飛行整備部の整備課で電子機器系統やエアコン関係の仕事に携わっていた。なお、和久光男夫人である和久淑子の証言によれば、テスト飛行搭乗1回につき900円の特別手当がついたとのこと。そんな命がけの任務だったのである。

4版● 第31734号 （明治5年創刊） （明治25年3月8日第3種郵便物認可・昭和24年2月17日国鉄特別扱承認） 毎日新聞 （夕

乗り越えたわけである。北緯二十八度半のケープ・ケネディ実験場から打ち上げて軌道面をかえ、赤道上にもってきて静止軌道に乗せるためには、非常に高度な技術が必要である。NASAが

【オリンピア二十一日小西、浮田特派員】東京オリンピックの聖火は、日本時間の二十一日午後五時

五輪旗ひるがえる

岸記念会館の屋上

オリンピックまであと五十日を迎えた二十一日朝、オリンピック組織委（OOC）と体協の同居する東京代々木の岸記念会館屋上に「五輪旗」がかかげられた。午前九時半、組織委員会の職員らおよそ三百人は、屋上に集まり、与謝野事務総長が「きょうギリシャのオリンピアで聖火の採火式が行なわれ、聖火リレーがスタートする。オリンピック東京大会は、この日を期して事実上はじまるわけで、われわれは大会を成功させるため力を合わせる誓いをあらたにしよう」とあいさつした。同総長と天羽体協専務理事の手で真新しい五輪旗が掲揚台のポールに高々とあげられた。

この五輪旗は大会まで毎朝掲揚され、大会期間中は日中ばかりでなく夜も掲揚をつづける。

岸記念会館屋上にひるがえる五輪旗、右は国立屋内総合競技場。左端は同別館（毎日新聞社ヘリコプター"スワン号"から写す）

城南、制限

水

二十一日早朝まで関東地方に降りつづいた大雨で"東京サバク"の水事情は一挙に好転した。都水道局では同日朝から城南地区の玉川浄水場系十四万戸の五時間給水を十八日ぶりに全面解除した。また砧上、砧下などそのほかの浄水場系の二十三万六千戸では朝夕の十時間給水が続いているが、今後の水量をにらみあわせて制限を緩和する方向で検討する。

一方小河内など三貯水池の水位もぐんぐん上がり（二十一日午前七時小河内貯水池の水位は七・二三㍍、二十日同時刻は三・五八㍍だったので約二倍になったわけ）第四次制限給水（断水率実質五〇㌫十五時間断水）のつづいている

「五輪旗」の掲揚

（1964〈昭和39〉年8月21日付『毎日新聞』夕刊より／提供：国立国会図書館）

1964（昭和39）年8月21日午前9時半、東京都渋谷区の岸記念体育会館の屋上に「五輪旗」が掲揚された。この日、ギリシャのオリンピアで行われる、東京大会のための聖火採火式にちなんでのことである。なお、この旗は大会まで毎朝掲揚され、大会期間中は夜も掲揚されていたとのことである。

ただ一言「グッドラック」と

一九六四（昭和三九）年八月二一日午前一〇時四五分（日本時間午後五時四五分）、ギリシャ・オリンピアのヘラ神殿跡で、多くの人々が見守る中を東京大会のための聖火採火式がおごそかに行われた。

ギリシャの女優で、今回の主巫女を「演じる」アレカ・カッツエリらによって採火された聖火は、国王コンスタンティノス二世に手渡される。コンスタンティノス二世は、この年の三月六日に王位を継承したばかり。そのギリシャ国王がわざわざ採火式に参列する……というのが今回最大の話題である。

さらに聖火は国王から、聖火リレー第一走者のヨルゴス・マルセロスへと手渡された。このオリンピアの地から東京の国立競技場まで続く、ユーラシア大陸を横断する聖火リレーの始まりである。

その場には組織委員会の安川第五郎会長など関係者も東京から駆けつけ、高島文雄率いる聖火空輸派遣団も事前に乗り込んでいた。だが、もっと早く現地入りしていたのが、松井公一ら記録映画クルーである。

「アテネだって四〇度以上あった」と、松井はギリシャの暑さを回想して語った。「アテネからオリンピアへは三五〇キロから四〇〇キロある。車二台で一日がかり。当時のアテネは高速道路が無いから山道を行ってね。車で移動すると、肌が出ている部分は全部焼けた。すごい日焼けしたなぁ」

松井ら映画クルーは現地スタッフも動員して、八月二〇日の採火式リハーサルからキャメラを回し始めた。

そんな採火式の「ヒロイン」……主巫女に扮したアレカ・カッツエリは、一九一七（大正六）年一〇月一九日、アテネ生まれ。本業は国立劇場のステージに立つベテラン女優で、映画にも数多く出演。メリナ・メルクーリ主演、ジュールス・ダッシン監督の世界的ヒット作『日曜はダメよ』（一九六〇）、イレーネ・パパス主演、マイケル・カコヤニス監督の『エレクトラ』（一九六二）などの作品にも顔を出している。

そんな彼女は、採火式でも「ベテラン」だった。その「キャリア」の最初は、聖火リレーの「元祖」である一九三六（昭和一一）年のベルリン大会にさかのぼる。その採火式の際に、一八歳のカッツエリは補佐的な巫女として参加。戦後の一九五六（昭和三一）年のメルボルン大会採火式で主巫女に「昇進」して、一九六〇（昭和三五）年のローマ、そして今回の東京……と主巫女に起用されている。

だが、カッツエリはボヤいていた。「私はいまでも日本へ行きたいのです」……。

一九六四年八月一九日付毎日新聞では、そのあたりの事情を詳しく説明していた。実は、彼女は一九六〇年のローマ大会の際に、イタリア政府から招待を受けていた。だが、その時は彼女の舞台のスケジュールがあって断念。たまたま採火式準備のためにギリシャを訪れた東京大会関係者がこれを知って、「それでは東京大会にはぜひ」などと声をかけたのがまずかった。その人物は無責任に口にしただけで、自分の言葉などすぐに忘れてしまったのだろう。だが、カッツエリはそうは思っていなかった。

「けれどその後、東京からはなんのたよりもありません」

今回の採火式では一六歳のノラ、一二歳のルカのふたりの娘も参加。今回が採火式に参加する最後という話も出ていたようなので、自分の灯した聖火の行く先を見届けたい気持ちもひとしおだったのかもしれない。

一方、聖火第一走者のヨルゴス・マルセロスは、その大役の重みをヒシヒシと感じていたようである。

「アスリートなら誰しもそう思うでしょうが、私はトーチを持つ最初のひとりとなることを大変誇らしく光栄に感じました」と、マルセロス本人が二〇二〇年に当時を思い出して語る。「自分が古代オリンピアの聖地に立った時に、その感情はギリシャ人として二倍にも三倍にもなりましたね」

ヨルゴス・マルセロスは一九三六（昭和一一）年一〇月一二日、アテネ生まれ。奇しくも、聖火リレーが初めて行われたベルリン大会の年の生まれである。一九六四年八月一九日付読売新聞や八月二二日付朝日新聞の記事などによれば、ギリシャの一一〇メートルハードル記録保持者で、八年前に自らが作ったギリシャ記録をこの年の七月にエジプトの陸上大会で破ったという。オリンピックには、一九六〇（昭和三五）年のローマ大会に次いで東京大会にも出場が決まっていた。マルセロスは、第一走者に選ばれた理由を何のてらいもなく語る。「私が選ばれたのは、当時ギリシャで最高の陸上競技選手のひとりだったからだと思いますよ」

コンスタンティノス二世から聖火を受け取る際に、マルセロスはこの国王から何か言葉をかけられていたらしい。一九六四年八月二二日付読売新聞では、その国王の言葉についてマルセロスに尋ねていた。マルセロスいわく、「ただ、グッドラックとおっしゃっただけだ」とのことである。

聖火を受け取ったマルセロスは、古代スタジアムを突っ切って「クーベルタンの森」へ。そこは非公開の場となっており、マルセロスは石碑の前で聖火台に点火。そこから第二走者へと聖火が引き継がれる。

「あの時の感情は圧倒的なものでした、その一歩一歩がね」とマルセロスは語る。「あの日起きたことは、どれも私に強烈な印象を残しました。特にひとつの瞬間を指摘することはできません。他にどんな特別な瞬間や感情があったとしても、それらとは比べられないですよ」

このように当時の深い感銘を重々しく語るマルセロスだが、前述の八月二二日付読売新聞では少々異なる一面も覗かせていた。どうやら当日押しかけた観光客には、マルセロスのブロマイドが大人気だったらしい。彼は同紙で苦笑しながらこう語っている。「おかげでゆうべは手がしびれるほど、サインをさせられた」

こうして壮大な聖火リレーの幕が切って落とされた訳だが、聖火係の中島茂らは早速、ギリシャ国内リレーに帯同するためその場を離れた。ここからがすでに聖火係の仕事だったからである。

高島文雄ら他の派遣団員たちは式典後にコンスタンティノス二世の謁見を許されたが、報道係の菅野伸也はその時のことを思い出してこう語っている。「（高島さんは）王様の別荘でお茶会に呼ばれたときも、ハローぐらいで何もいわない。あれにはまいった」

主巫女アレカ・カッツエリがコンスタンティノス二世に聖火を手渡す

（提供：熊田美喜／協力：阿部美織、阿部芳伸、阿部哲也）

1964（昭和39）年8月21日、オリンピアのヘラ神殿跡における採火式の様子である。主巫女アレカ・カッツエリらによって採火された聖火は、ギリシャ国王コンスタンティノス二世に手渡された。この日、組織委員会会長の安川第五郎らは、ギリシャ・オリンピック委員会手配のオリンピック航空特別機でアテネからアンドラビダ空軍基地に向かい、そこから陸路で採火式に乗り込んだようである。（協力：GreeceJapan.com）

観光客にサインをする ヨルゴス・マルセロス

（Image courtesy of George and Manos Marsellos ／協力：GreeceJapan.com）

ギリシャ国王コンスタンティノス二世からトーチを託された聖火第一走者のヨルゴス・マルセロス（George Marsellos）は、ギリシャを代表する陸上競技選手のひとりで、当時は軍籍にあり陸軍中尉でもあった。1964（昭和39）年8月22日付『読売新聞』によると、オリンピアの土産物店ではマルセロスのサイン入りブロマイドが飛ぶように売れていたようである。

2. 首都圏に迫る悪夢

「異変」は水面下で起きていた

一九六四（昭和三九）年八月二二日午後一一時、ギリシャ国内リレーを経てアテネのヘレニコン空港に届けられた聖火は、ギリシャ・オリンピック委員会のラパス総務主事を経て組織委員会会長の安川第五郎に手渡された。ついに聖火は、日本側の手に委ねられたのだ。日本時間の八月二三日午前六時のことである。

一方、同じく八月二三日午前七時頃、千葉県習志野市大久保地区でのこと。例の旅館に宿泊していた二三歳の配管工は、作業先の高圧ガス会社に行くために同僚ふたりと共に路線バスに飛び乗った。実は、朝から体調がすこぶる悪い。午前五時頃から、激しい吐き気と腹痛で苦しんでいたのだ。

案の定、現場に着いてまもなくの午前九時頃から、激しい腹痛と嘔吐のため作業どころではなくなる。事務室に休みに行った彼は、便所付近で動けなくなってしまった。一一時頃、配管工は便所近くで倒れているところを発見され、ようやく周囲は彼の容態の深刻さに気づく。しかし、日曜日で医師の往診ができないため、タクシーで彼を病院に運ぶことになる。こうして配管工を乗せたタクシーは、国立習志野病院に午後一時一五分到着。彼はそのまま入院の運びとなった。これで、事は収まったかのように見えたのだが……。

それから約七時間後、ギリシャ時間八月二三日午後二時二五分（日本時間で午後九時二五分）。聖火を乗せた「シティ・オブ・トウキョウ」号がアテネ・ヘレニコン空港を出発。国外聖火リレーの始まりである。

飛行機での長旅の間は、聖火を灯した聖火灯を客室中央部の聖火台に安置。だが、聖火灯は縦揺れに弱いということで、聖火係……とりわけ例の中島茂は道中ずっと気が気ではなかった。

聖火リレー本番突入前から、中島は組織委員会の聖火リレー特別委員会だけでなく、その下部組織として出来た「国外小委員会」、「国内小委員会」、さらにトーチや聖火灯などの設計・開発に関わる「技術小委員会」の三つすべてに参加。彼がいかに周囲に頼られていたかという証明でもあるのだが、いくら何でも頼られ過ぎではなかったか。後の一九七二（昭和四七）年一月五日付毎日新聞夕刊のコラム『ひと』でも、中島本人が「どーも、いい加減ができんのです」というコメントを残していたが、それが災いしていたのかもしれない。国外聖火リレーの長旅が始まってすぐに、中島にある「災難」が降りかかってくる。

同日八月二三日の夕方、トルコのイスタンブール・イエシルキョイ空港に「シティ・オブ・トウキョウ」号が到着する。時間は午後五時九分（日本時間午後一一時九分）。だがその到着寸前、中島は左目を失明してしまったようなのだ。一体、中島の身に何が起きたのか。

「ある日、陸上のトラック、フラットなはずなのが、デコボコに見えるんですワ。びっくりして医者に行ったら、中心性網膜炎。スクリーンがぶっこわれて、写真がうつらんちゅうことですワ」

一九六四年四月三〇日付スポーツ中国に掲載された『スポーツサロン』での、中島自身のコメントである。そこで語られた「中心性網膜炎」、あるいは「中心性網膜症」という病気では、網膜の中心部にある黄斑に水が溜まったりむくみが生じる。原因は不詳だが、忙しい人に起きやすいといわれる病気だ。まさに多忙が原因で、かなり前から中島は目を患っていたようなのである。前述一九七二年一月五日付毎日新聞では、「(医者に) もう来れないといったら〝オリンピックか目か〟と、しかられましたがねェ。しょんないですワ」と中島が語るコメントも掲載されている。確かに一九六三（昭和三八）年頃から、中島はサングラスを常用していた。

聖火 日本側の手に

アテネで引き渡し式

派遣団に守られて 今夜から空のリレー

6日沖縄、10月9日東京へ

【アテネ中本特派員二十二日発】

ラパス氏から安川会長へ

聖火の日本側引き渡しを報じる記事

（1964〈昭和39〉年8月23日付『読売新聞』夕刊より／提供：国立国会図書館）

オリンピアからギリシャ国内をリレーされて来た聖火は、1964（昭和29）年8月22日午後9時半にアテネのパナシナイコ・スタジアムに到着。元々が紀元前6世紀の竣工といわれ、1896（明治29）年の近代オリンピック第1回大会の会場にもなったこのスタジアムで、聖火歓迎式典が盛大に行われた。その後、ヘレニコン空港へと運ばれた聖火は、ギリシャ・オリンピック委員会のラパス総務主事から組織委員会会長の安川第五郎へと渡された。

聖火空輸派遣団がアテネから出発

（提供：日本航空）

1964（昭和39）年8月21日、聖火空輸派遣団を乗せた「シティ・オブ・トウキョウ」号がアテネのヘレニコン空港を出発。いよいよ国外聖火リレーがスタートした。写真は左から、日本航空聖火空輸特別派遣団の団長である森田勝人（敬礼をしている人物）、聖火空輸派遣団・団長の高島文雄、同副団長の松戸節三、そして聖火係の中島茂である。

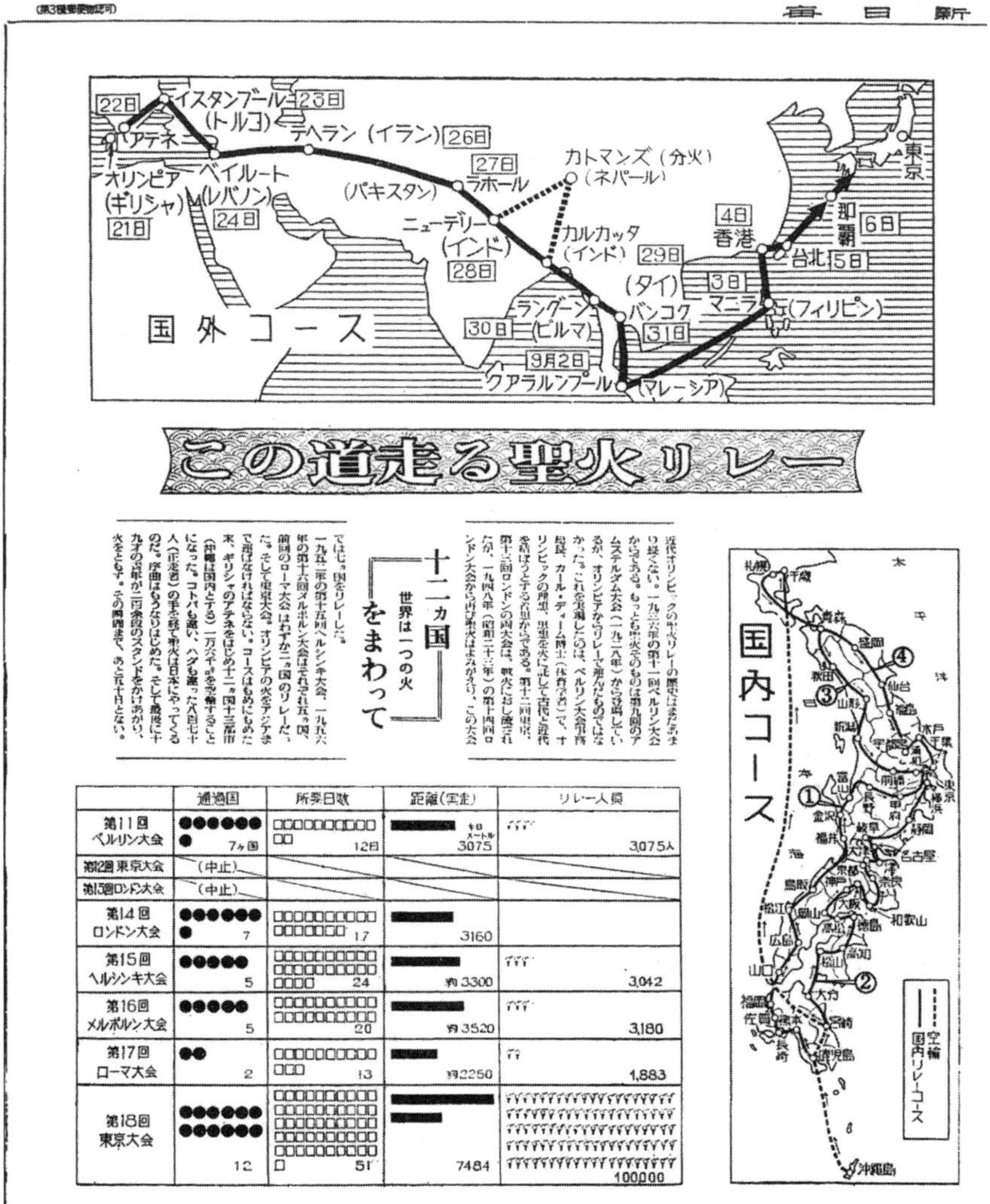

近代オリンピックの聖火リレーの歴史はまだあまり長くない。一九三六年の第十一回ベルリン大会からである。もっとも聖火そのものは第九回のアムステルダム大会（一九二八年）から登場しているが、オリンピアからリレーで運んだものではなかった。これを実現したのは、ベルリン大会事務総長、カール・ディーム博士（体育学者）で、オリンピックの理想、思想を火に託して古代と近代を結ぼうとする着想からである。第十二回東京、第十三回ロンドンの両大会は、戦火におし流されたが、一九四八年（昭和二十三年）の第十四回ロンドン大会から再び聖火はよみがえり、この大会では七ヵ国をリレーした。

一九五二年の第十五回ヘルシンキ大会、一九五六年の第十六回メルボルン大会はそれぞれ五ヵ国、前回のローマ大会はわずか二ヵ国のリレーだった。そして東京大会。オリンピアの火をアジアまで運ばなければならない。コースはもめにもめた末、ギリシャのアテネをはじめ十二ヵ国十三都市（沖縄は国内とする）一万六千キロを空輸することになった。コトバも違い、ハダも違った六百七十人（正走者）の手を経て聖火は日本にやってくるのだ。序曲はもうなりはじめた。そして最後に十九才の若者が二百余段のスタンドをかけあがり、火をともす。その瞬間まで、あと五十日とない。

	通過国	所要日数	距離（実走）	リレー人員
第11回ベルリン大会	7ヵ国	12日	キロメートル 3075	3,075人
第12回東京大会	（中止）			
第13回ロンドン大会	（中止）			
第14回ロンドン大会	7	17	3160	
第15回ヘルシンキ大会	5	24	約3300	3,042
第16回メルボルン大会	5	20	約3520	3,180
第17回ローマ大会	2	13	約2250	1,883
第18回東京大会	12	51	7484	100000

東京大会聖火リレーの全行程

（1964〈昭和 39〉年 8 月 22 日付『毎日新聞』より／提供：国立国会図書館）

ギリシャのオリンピアから始まった聖火リレーはアテネ出発から壮大な国外リレーにつながり、沖縄からの国内聖火空輸を経て、4 つのコースに分かれた国内リレーがスタートする。なお、この記事にある国外リレーの地図に書かれている日程はあくまで予定で、実際には香港以降の日にちがズレることになる。

「目のことは何も知らなかった」と、報道係を務めた菅野伸也は語る。「そういえば聖火をカイロに入れて、そのカイロを中東から彼はお腹に巻いていた。でも旅行中は、そのことも誰も知らなかったんです」

一九六四年九月八日付朝日新聞によれば、中島は他の人々がレセプションに出ている間も、ひとりタクシーに乗って翌日のリレーコースを予習するほど気を使っていた。スポーツ中国の記事では「献身的な美談」として終わらせていたが、実際はどうなのか。同じスポーツ中国の記事で、中島が自らを「いまではまったくのオリンピック屋ですよ」と自嘲しているあたりも、読みようによってはかなり意味深ではなかっただろうか。

ここで再び、舞台変わって千葉県習志野市。八月二四日午前九時頃、国立習志野病院では入院中のあの二三歳配管工から医師が検体を採取していた。配管工の容態の悪さから、この医師は当初は「砒素中毒」を疑っていたようである。検体を採取した医師は、船橋保健所に検査を依頼。だが、どうも様子がおかしい。船橋保健所では千葉県衛生研究所に電話連絡を行い、こちらも検査を依頼。検体を千葉県衛生研究所まで持参することになる。

だが、例の配管工の容態はさらに悪化。午前一〇時一〇分、配管工はついに死亡してしまう。

一方、千葉県衛生研究所では検体が到着すると同時に検査を開始。同日午後五時五〇分頃、千葉県衛生研究所長の加地信から県予防課長に一本の電話が入った。いわく「どうもおかしい菌を発見した」

そんなことが水面下で起きているとは誰も知らない同日八月二四日午後九時四五分、羽田に到着したスイス航空機で、組織委員会の出口林次郎がオリンピアでの採火式から帰国した。出口は空港で記者会見を行ったが、一九六四年八月二六日付スポーツニッポンによれば、ついつい余計なことを語ってしまったようだ。

「ぜひ皇居の二重橋から国立競技場へリレーする第一走者に聖火を渡す役を皇太子殿下（現・明仁上皇）にしていただいたらという意見が出た」

やっと「最終日」ランナーの件が落ち着いた段階でこの発言。関係者も困惑したのではないか。

サングラスをかけた中島茂

（提供：熊田美喜／協力：阿部美織、阿部芳伸、阿部哲也）

過労から目を患っていた中島茂は、かなり前からサングラスを常用するようになっていた。1960（昭和 35）年のローマ大会採火式の際の写真では、サングラスがなかったことにご注目いただきたい（P33 参照）。1964（昭和 39）年 9 月 3 日午後 4 時半過ぎ、フィリピンのマニラ空港での撮影。聖火空輸派遣団の熊田周之助が所蔵していた写真である。

イスタンブール空港でのセレモニー

（提供：熊田美喜／協力：阿部美織、阿部芳伸、阿部哲也）

1964（昭和 39）年 8 月 23 日の夕方、「シティ・オブ・トウキョウ」号はトルコのイスタンブール・イエシルキョイ空港に到着。だが、その時にはすでに中島茂の左目は見えなくなっていた可能性が高い。写真は「シティ・オブ・トウキョウ」号から見たイエシルキョイ空港。到着時にはすでに夕方であったことを考えると、この写真は翌 8 月 24 日の出発時に撮影されたものと考えられる。聖火空輸派遣団の熊田周之助が所蔵していた写真である。

「これはコレラじゃないのか?」

一九六四(昭和三九)年八月二五日、名古屋にある三菱重工業小牧工場に朗報がもたらされた。ついにＹＳ-11の型式証明が取得されたのである。

すでに国外リレーは前日の八月二四日にレバノンのベイルートに到着していて、この日は聖火空輸派遣団もベイルートで休日を楽しんでいた頃。ＹＳ-11開発関係者は成功を疑っていなかったものの、文字通りギリギリのタイミングで国内空輸に間に合った訳だ。

だが、そこからおよそ二九〇キロ東の千葉県では、人々がようやく深刻な事態が発生したことに気づき始めていた。千葉県衛生研究所に前日持ち込まれた検体について、所長の加地信がある疑いを抱き始めたのだ。

「これはコレラじゃないのか……?」

その日の朝早く、加地は県予防課長に電話連絡し、さらに検体を国立予防衛生研究所へ持参した。加地からコレラの疑いを告げられた県予防課長は、厚生省公衆衛生局防疫課に電話連絡する。国立予防衛生研究所では検体を検査の結果、「エルトール・コレラ小川型」と決定。この報告と千葉県衛生研究所の加地所長らがそれぞれ厚生省公衆衛生局防疫課に到着したのは、ほぼ同時の正午少し前だった。こうして昼過ぎには、厚生省公衆衛生局・局長室で若松英一局長をはじめとする面々が集まって対策会議が開かれ、諸種防疫活動に対する指示と共に感染源追求が始まったのである。

……と、ここまでの経緯は千葉県衛生民生部が発行した冊子『昭和39年8月　習志野に発生したエルトール・コレラとその防疫』や新聞各紙の記事などを参考に綴って来た。その記述を見ていく限りでは、「対策会議」のくだりなどはハリウッドのパニック映画のようにキビキビとした対応がとられたかのように感じられる。だが、実際にそれほど格好よく進んでいたのだろうか。

YS-11の型式証明取得
（提供：和久光男／協力：和久淑子）
1964（昭和39）年8月25日、ようやくYS-11は型式証明を取得した。元・日航製パイロットの沼口正彦によれば、型式証明の交付は正式には午前11時30分である。写真は、愛知県西春日井郡豊山村の三菱重工業小牧工場第5格納庫にて同日に撮影。YS-11試作2号機にはすでに全日空マーキングが施され、東京五輪エンブレムも付けられて「聖火」号仕様となっている。また、山之内憲夫によれば五輪エンブレムはペイントされたものではなく、巨大ステッカー（デカール）を機体に貼ったもの。

ベイルートでの
聖火歓迎セレモニー
（提供：熊田美喜／協力：阿部美織、阿部芳伸、阿部哲也）
1964（昭和39）年8月24日、レバノンのベイルートにおいて、体育施設が並ぶ「スポーツ・シティ」の水泳場で行われた歓迎セレモニーの様子である。飛び込み台に設けられた聖火台にランナーが点火した後、水泳大会が開催された。

午後四時、千葉県および習志野市はコレラ防疫対策実施要項にもとづいてコレラ防疫対策本部を設置。午後四時三五分、前日に習志野市で死亡した男性の死因を、厚生省がコレラと発表。これを受けて、ＷＨＯが習志野市大久保地区をコレラ汚染地区として指定する。ここで早くもＷＨＯのお墨付きである。

午後四時五〇分から五時半と資料によって開始の時間はまちまちだが、ともかく習志野市は問題の大久保地区で消毒を開始。そして、おそらく午後五時半のＮＨＫニュースではないかと思われるが、「コレラ発生」の第一報がテレビに流れる。そのインパクトは絶大だった。

実は近隣の茨城県、埼玉県、神奈川県は厚生省から午後二時から四時の間に電話で通報を受けていたのだが、信じ難いことに東京都だけはここから漏れていた。都の担当者が情報を知ったのは、ＮＨＫニュースでの報道が最初だったのである。慌てて厚生省と千葉県に照会して情報を確認したものの、「寝耳に水」の都民からは非難囂々となってしまったからお気の毒である。また、羽田空港の東京空港検疫所では、最近コレラ流行地から千葉県に向った旅客機利用者の調査を開始した。

それにしても、東京大会ひと月ちょっと前に目と鼻の先の千葉県でのコレラ発生である。これには組織委員会も困惑したのではないか。すでに組織委員会は用意周到なことに、八月一七日に関係者一万二〇〇〇人にコレラの予防接種を行っていた。だが、「真性コレラ発生」という新たな局面に立って、より広範囲な関係者にも予防接種を受けさせることになった。

さらに事態を重く見た首相の池田勇人も、厚生省公衆衛生局の若松英一局長を呼びつけて異例の報告を求めた。オリンピック主催国の首相として、気が気でなかったのだろう。

話を習志野市に戻すと、午後七時より高圧ガス会社の従業員三一人に検便を実施。午後七時から一〇時まで、大久保地区で市民へのコレラ予防接種を開始した。テレビを見て市民が押しかけた上に手持ちのワクチンには限りがあったため、担当者はヒヤヒヤだったようである。前述した冊子『習志野に発生したエルトール・コレラとその防疫』の中の『コレラ防疫を省みて』という一文では、「患者を診断した医師は市に届出すべきであるが、それがないままにコレラの防疫はすでに始まっている」と市職員も段取りの無茶苦茶さを嘆いている。

パニックは習志野にとどまらず、死亡した配管工が利用した京成電鉄の電車・バスにも及んだ。二五日夜から電車・バス合計約一〇〇〇両の一斉消毒が行われ、従業員やその家族にワクチン接種が行われた。

そんな状況から一夜明けた翌日八月二六日午前七時、国立競技場や神宮外苑周辺に大勢の人々が集まり、ものものしい警備関係者が配置される。現場はもう開会式当日がやって来たかのような雰囲気である。

これは、警視庁が行った開会式警備リハーサルの一幕。本番の約半分にあたる二二〇〇人の警察官が動員され、観客も機動隊員などがエキストラとして参加。明治神宮外苑のイチョウ並木から競技場までの聖火リレーも、ちゃんとトーチに火をつけて再現していた。いやが上にもオリンピック気分が盛り上がるような、いわゆる「アガる」イベントだったようである。

また、同日正午には東京都千代田区で「ホテルニューオータニ」の開店披露が行われた。客室数一〇五八と部屋数では当時日本一。地上一七階、地下三階という都内随一の高層ホテルである。最上階のスカイ・ラウンジにはレストランがあり、この円形の部分が一時間に一回転して、周囲の眺望が楽しめるというのが「売り」であった。この他にも、オリンピック観光客目当てに芝公園の「東京プリンスホテル」、羽田空港内の「羽田東急ホテル」などが続々完成。東京大会間近の華やいだ雰囲気が、都内を覆っていたはずだったが……。

同日午前一〇時から、国鉄（現・JR）は鶴見駅と上野駅の便所や通路を中心に消毒を開始した。死亡した配管工が鶴見〜上野間で京浜東北線に乗ったことが判明したからだが、昼からは配管工が乗ったとおぼしき電車も発見。その前後も含めて合計三本の車内消毒を実施して、国鉄では駅職員に接種するワクチンを厚生省に依頼した。豪華ホテルがオープンする一方、コレラの影響がジワジワと首都圏に広がっていく……。

千葉県習志野市では、午前一〇時から午後一〇時半まで問題の大久保地区でコレラの予防注射が実施され、またまた市民が押し寄せる。だが、当事者である習志野市職員にとって、残念な状況は一向に変わらなかったようだ。前述の冊子にも「現地での組織は県と市との一体化は出来ず、その場その場の指示に従い、市では総合的視野の上にたって実行出来ず、片手おちが多かった」との市職員のコメントがある。

習志野市ではさらに徹底的な消毒を実施するため、同市議会が京成谷津遊園のヘリコプター二機の出動を要請。資料によって時間の相違はあるが、午後四時半前後に三〇～四〇分間にわたり大久保地区を中心に消毒粉末剤「リンデン」を散布した。だが、そんな関係者の努力に冷水を浴びせるような出来事が起きる。

まずいことに、新たにコレラ保菌者が発見されたのだ。

それは、死亡した配管工と同じ旅館に泊まっていた東京都板橋区の二三歳会社員。研修のため、八月一二日から習志野市の科学技術研究所に通っていた。問題の旅館には、一九日から仲間八人と同宿。健康体ではあるがコレラ保菌者であるこの会社員が、死亡した配管工に感染させた可能性だって否定できない。しかも、この人物が二二日昼頃に東京都板橋区の自宅に帰宅して一泊しているのも問題である。

東京都衛生局では、二六日夕方に板橋区の会社員自宅を消毒して家族四人を隔離。しかし同家は共同で井戸や便所を使用する長屋だったので、これらも消毒するとともに長屋住民全員に予防接種を行うことになった。会社員自身も、午後六時半に市川市伝染病舎に収容隔離されることになる。

さらに翌日八月二七日には、国鉄の東京鉄道管理局が朝から深夜まで管内の駅、車両の消毒作業を実施。例の会社員が山手線などに乗車したと判明したからだが、都交通局は同日午後から都電、都バス、トロリーバス、都営地下鉄の車両全部の消毒を開始。全部で三六〇〇両余のバス、電車を車庫入りとともに一斉消毒した。

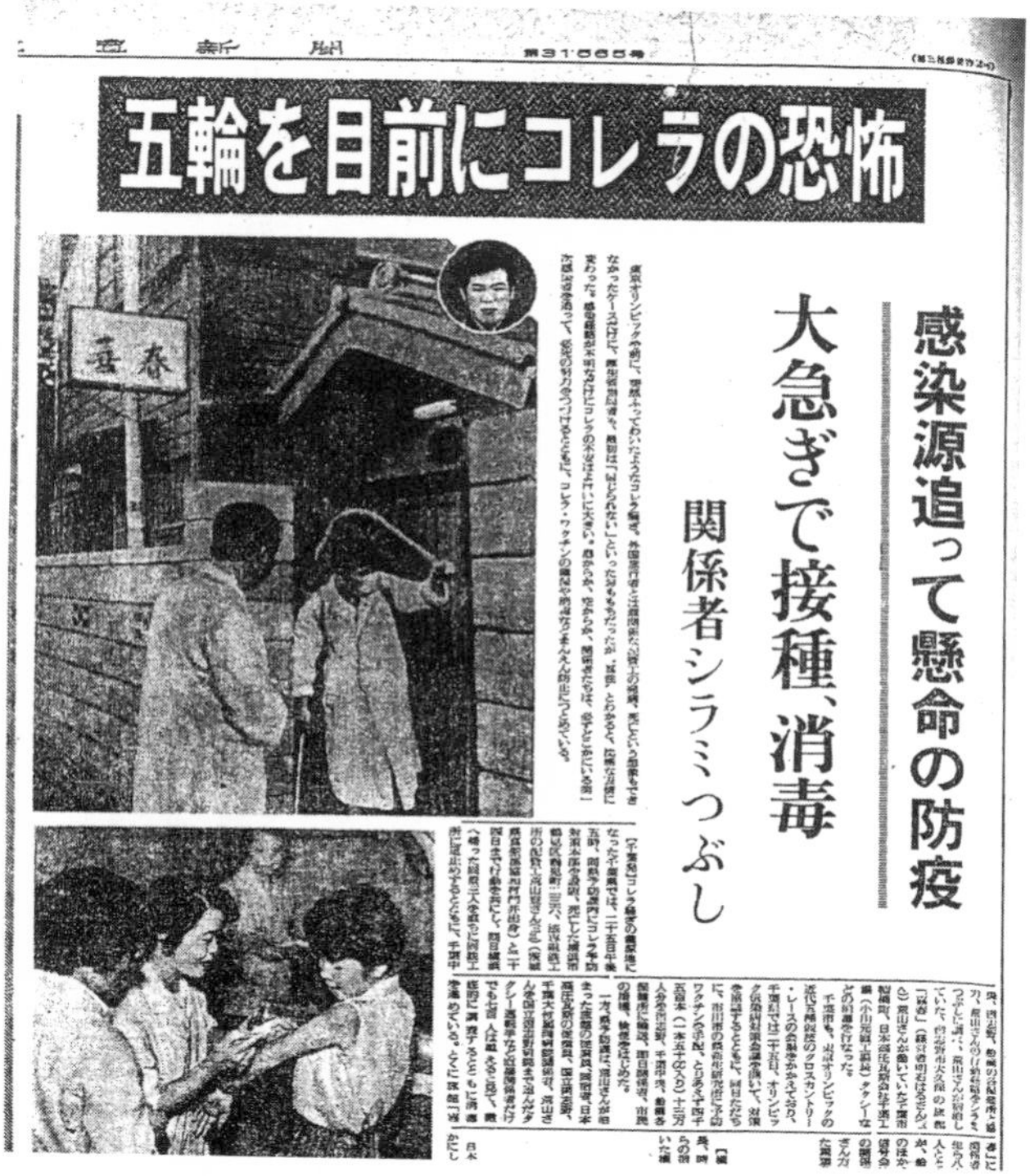

五輪を目前にコレラの恐怖

感染源追って懸命の防疫

大急ぎで接種、消毒

関係者シラミつぶし

「コレラ発生」を報じた新聞記事
（1964〈昭和 39〉年 8 月 26 日付『読売新聞』より／提供：国立国会図書館）
1964（昭和 39）年 8 月 25 日夕方に「コレラ発生」第一報がテレビニュースで流れた後、翌日の各紙朝刊で詳細が報じられた。記事に掲載された写真のうち上は、コレラ患者が泊まっていた問題の旅館。写真の下は 8 月 25 日夜に大久保地区で始まったワクチン接種の様子である。

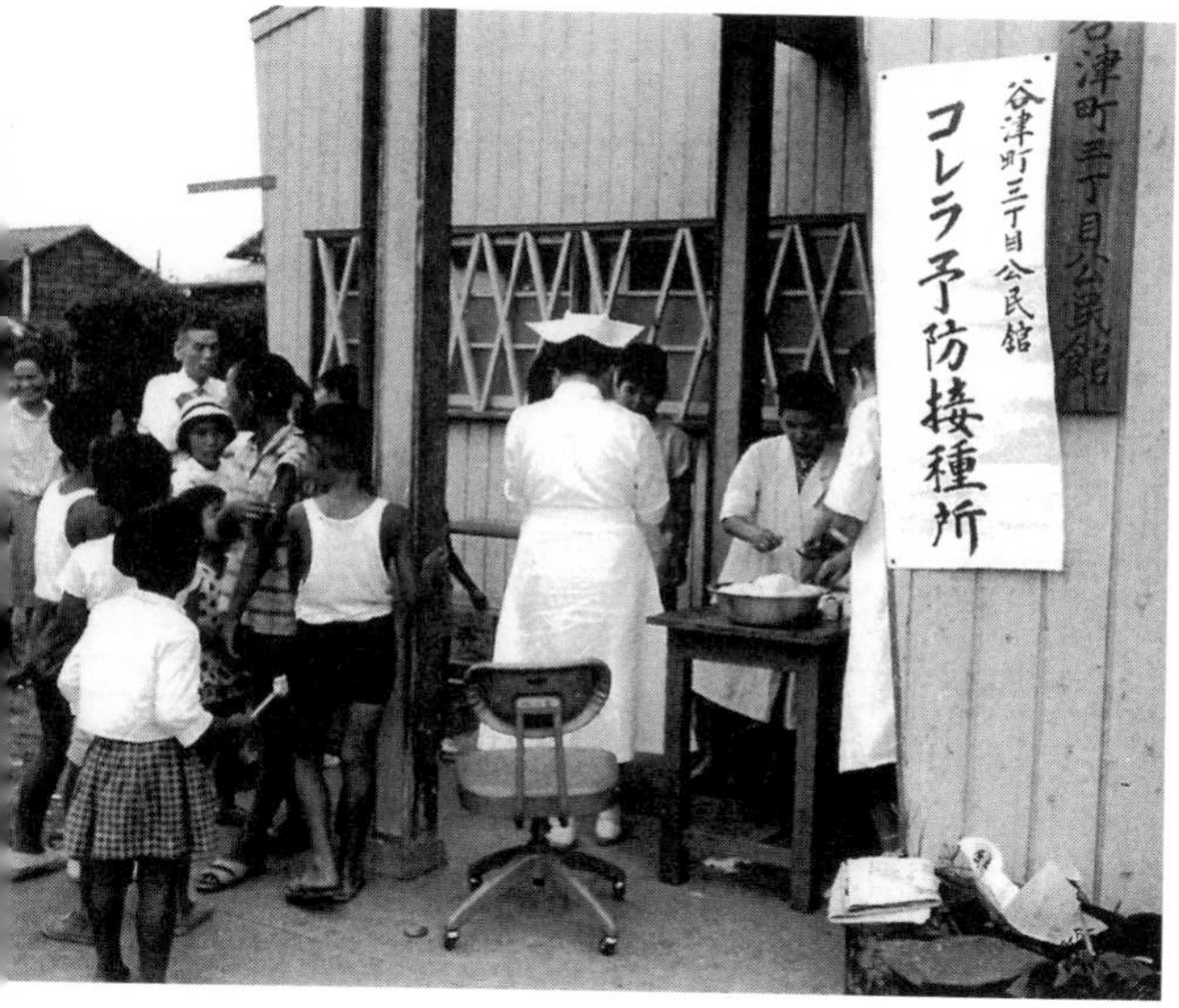

習志野市で行われたワクチン接種の様子
（提供：千葉県文書館）
「コレラ発生」の第一報が流れた 1964（昭和 39）年 8 月 25 日の夜、大久保地区で行われたのを皮切りに、習志野市では 9 月 2 日まで連日ワクチン接種が行われた。なお、ワクチン接種は他にも千葉市など千葉県各地、東京都、茨城県、埼玉県、神奈川県でも行われた。この写真は習志野市の谷津町三丁目公民館で行われた接種の様子で、8 月 28 日と 9 月 1 日のどちらかの日の撮影である。

その一方で、千葉市衛生民生部衛生課や中央保健所はこの日一日中、流言飛語やデマの問い合わせに忙殺される羽目になる。心ない仕打ちをする輩は、ネットなどなくともいつの世も存在するものだ。

そんなコレラ騒ぎで騒然としていた八月二七日に、三人の客人が東京の田園調布に現れた。西ドイツからマイクロバスで旅をしてきた、エーリッヒ・ディーツとヘルムート・ビューラー、さらにインドから彼らに同行したカール・モンタークである。彼らはインスブルックの市長からの紹介状を携えて、この街に住む大学教授の邸宅にやって来たのだ。その道のりについては、いささか説明が必要である。

七月に客船「ベトナム」に乗ってコロンボを出発した彼らが日本で最初に辿り着いたのは、神戸の港である。二〇二〇年にビューラー自身が証言した内容から考えると、それは八月二三日〜二四日頃のことであったようだ。ただし三人はそのまま「ベトナム」に乗って、横浜港に到着。そこで彼らは船を降りた訳だ。

「横浜に着いて、私たちはまず東京のＹＭＣＡに行きました」とビューラーは語った。それまでの道中と同様に、彼らはまたまたＹＭＣＡのお世話になった訳である。「私たちは多くの注目を集め、日本のマスコミにとってもちょっとしたセンセーションと思われたようです」

それというのも、彼らはこの大学教授の邸宅で記者の取材を受けているのである。一九六四年八月二八日付産経新聞に掲載された記事がそれである。

「人々は大会を楽しみにしていて、とても興奮していましたね。私たちはどこへ行っても写真を撮られましたし、インタビューも受けましたよ」

なぜインスブルック市長がこの大学教授への紹介状を書いたのか、またなぜここで産経新聞の取材を受けることになったのか、どちらも今となっては不明である。ともかく、この記事は彼らの日本における最初の痕跡となった。貨物船に乗せたマイクロバスは未着だったが、彼らの日本への旅は見事に達成できたのである。

客船「ベトナム」

（『COURRIERS D'EXTREME-ORIENT - LISTE DES DEPARTS 1961/62』〈Messageries Maritimes〉より／提供：曽我誉旨生）

「ベトナム（Viet-nam）」はフランスの船会社メサジェリ・マリティーム社（Messageries Maritimes）の客船で、1953（昭和28）年から1966（昭和41）年まで同社の極東定期航路に投入されていた。同じ路線に投入された「ラオス」「カンボジア」と共に3隻の姉妹船シリーズとして活躍したが、外見はほぼ同型のため見分けがつきにくい。この写真も3隻のうちのどれかではあるが、「ベトナム」かどうかは判別できない。その後、この船は何度かの改名を経て、1974（昭和49）年にシンガポール近くで沈没。一度は引き揚げられたが、最終的に台湾で廃棄された。

昭和39年8月28日●金曜日　14版　<14>　634

五輪めざし　半年がかりで東京入り

西独のエーリッヒ・ディーツさん

24年目に実現した"夢"

助手連れ自動車旅行

途中八か国で　メッセージ集める

徒歩旅行の登山家も

田園調布でのエーリッヒ・ディーツとヘルムート・ビューラー

（1964〈昭和39〉年8月28日付『産経新聞』夕刊より／提供：国立国会図書館）

1964（昭和39）年8月27日、東京都の田園調布にある大学教授の邸宅にやって来たエーリッヒ・ディーツとヘルムート・ビューラー、さらに同行のカール・モンタークに取材した記事。ただし、2020年にビューラー自身が語ったところでは、この邸宅に滞在していたのはわずか30分程度のことだったようである。記事の写真では、左からモンターク、ディーツ、ひとりおいてビューラー。ディーツが開いているのは、彼らが持参したアルバムである。

準備は粛々と進む

一夜明けた一九六四（昭和三九）年八月二八日、首都圏のコレラ・パニックはまだ終わっていなかった。国鉄は昨夜から、山手線と総武線を走る約二〇〇〇両の消毒を実施。この早朝までにすべてを完了させた。

また同じく早朝より、自衛隊習志野駐屯部隊では一般隊員幹部以下二五名、衛生隊幹部以下六名、計三一名の防疫作業隊を急遽編成して現地に派遣。実は前日八月二七日に、同部隊は千葉県知事と習志野市長から防疫支援の要請を受けていた。しかし、当時の同部隊は東京大会支援準備と東京都異常渇水への災害派遣に忙殺されており、人員の捻出は容易ではなかった。それでも、この日の緊急派遣を実現できたのである。

そんな八月二八日の夜、厚生省公衆衛生局長の若松栄一（P158参照）が日本経済新聞の取材に応じ、この日まで新たな患者や保菌者が出て来なかったことから「もう安心です」とコメント。東京大会に水をさす状況を早く打開したかったのかもしれないが、当の千葉県習志野市ではまだコレラ防疫の真っ只中であった。

その八月二九日には、「最終日」聖火ランナー一〇人の練習も行われた。雨の中、午後三時から神宮外苑で行われたこの練習では、絵画館のまわり約一・五キロを五分台の早いペースで二周してから、絵画館横でスピード練習。トーチの使い方指導で約一時間半の練習を終えた。一〇日ぶりの「久しぶり」の練習である。だが、そもそも「最終日」ランナーの「練習」そのものが、それほど行われた訳でもないようである。

「しょっちゅう集まってはいなかった」と語るのは、飯能高三年の青木政子だ。「各自でどんな練習をされていたか分からないですが、一～二回くらいしか練習した覚えが無い。行かなかった時もあったかもしれませんが、二回くらいしか東京に行った記憶がないんですよね」

「絵画館前に周回コースがありますね。昔、瀬古（利彦）選手が練習したところ。そこが最初の練習拠点でした。早朝練習の時は朝が早いから、前日に日本青年館という建物に泊まっていましたね」と、目黒高二年の落合

習志野市での消毒

（提供：千葉県文書館）

1964（昭和 39）年 8 月 25 日に大久保地区などで行われたのを皮切りに、習志野市では連日消毒作業が行われた。写真は 8 月 28 日の撮影で、この日は午前 8 時半から午後 6 時まで、習志野市役所職員 23 名、自衛隊第 1 空挺団の隊員 32 名を含む合計 69 名の人々が消毒作業に従事した。

（土曜日）　日本経済新聞

コレラはもう安心

新しい患者出まい

五輪に万全の予防、検査

厚生省若松衛生局長に聞く

突如として降ってわいたコレラ騒ぎも二十八日までに新しい患者、保菌者が出なかったことで、流行の危険はほとんどなくなったようだ。しかし感染源がついにつかめなかったことなど、オリンピックを間近に控えて一般市民に残した不安は大きい。そこで二十八日夜になって「もう安心です」という厚生省若松栄一公衆衛生局長に、今後の対策などいろいろ聞いてみた。

「もうだいじょうぶ」と若松衛生局長

問　今後、新しい患者の出るお

はさらに万全を期すためのダメ押

迅速かつ的確な処置をとってまんえんを食いとめることだと思う。

問　ワクチンは効果はあるのか。

答　完全とはいえないがかなりのききめはある。もし感染、発病しても軽くてすみ、死ぬほどの重症にはならない。ただほんとうに効果の出るのは接種後一週間―十日以後なので、いま接種してもこんど発生がこのままおさまるとすればあまり意味がない。しかし将来も似たケースが絶対に起きないとはいえないので、接種しておい

対策は。

答　こんどの事件に関係なく、昨年から港湾関係、ホテル、飲食店などオリンピック時に来日する外人客とよく接触する職業の従業員約百数十万人を対象にコレラなどのワクチン接種を行なっている。また外人客に対してはたいじなお客さまということとは関係なく、平常と全く変わりない厳密な検査をする。

問　もしオリンピック期間中にコレラなどの患者、保菌者が発生したときの措置は。

厚生省公衆衛生局長の「安心」宣言

（1964〈昭和 39〉年 8 月 29 日付『日本経済新聞』より／提供：国立国会図書館）

1964（昭和 39）年 8 月 28 日夜に取材に応じた、厚生省公衆衛生局長の若松栄一のインタビュー記事。この時点で新たな患者や保菌者が出て来なかったことから飛び出した「安心」宣言だったようだが、見出しにもあるように目前に迫った東京大会を大いに意識した発言であったことは否定できない。実際には習志野市を中心に消毒作業やワクチン接種がまだ進行中で、WHO による習志野市大久保地区のコレラ汚染地区指定も解除されてはいなかった。

三泰は練習場所についてハッキリ記憶していた。「国立競技場での練習時に中村コーチから言われたように走っていると、半分くらい走ったところで腕が下がってくるんですね。やっぱりけっこう重いんだなと感じました。だんだん腕が下がってきて、炎が熱いんですよ。顔の横にきますから」

「一・三キロだから、そこそこ重い。(長く持っていると)肩が下がってきます」と語るのは、横須賀高三年の後藤和夫である。「飯島くんは(長く走るので)一番キツかったと思う」

「私は距離が長いから重いんですよ」と語るのは、匝瑳高二年の飯島浩である。「火薬いっぱい入ってるやつで、(トーチは)二種類あったらしい。いちばん長い距離を走ったもんですから、私だけ左手に(トーチを)持ち替えることを許されたんです。でも、タイムを測って走るわけじゃないですからね」

「私たちは一応、陸上選手なので、走り方の練習は無かったと考えていただきたいんです」と、桐朋学園女子中三年の鈴木久美江は一同の気持ちを代弁するかのように語る。「だから、例えばトーチを持った時に肘を肩からまっすぐにして、火の粉がかぶらないようにちょっと後ろに傾けるとか。そういう注意を、アドバイスをいただいた。走り方の指導は無かったです」

「練習といっても早く走る必要はないでしょ。聖火を持って走るとはこういうことですよと、それをやってみたという程度です」と語るのは、都立西高三年の池田元美である。「みんながひとつのグループだよと、認識させるための集まりだと思いますよ」

だが、どうやら彼らは「ひとつのグループ」と認識できるようにはならなかったようだ。それも、無理のない話である。彼らはひとりひとり学校も違えば、「陸上」というカテゴリーでもそれぞれ分野が異なる。おまけに年齢も微妙に違う……と、とてもワンチーム気分を醸成できる状況ではなかった。

「高校二年生は私と飯島さん、岡島(貴敏、日比谷高)さん。あとはみんな三年生ですから会ってない。当時は一～二年違うと天と地くらい離れていますから、話をした記憶が無い」と落合は語る。「青年館に泊まった時もみんなで朝食を食べているんだと思うんですが、あまり話をした記憶が無いんですよね」

「鈴木さんとは分け隔てなくというか、すんなり話ができた。同じハイジャンプ（走り高跳）だったしね」と語るのは青木である。だが、彼女も他の「最終日」ランナーとのつながりはなかったようだ。

まして、唯一の大学生だった坂井義則は、話しかけられる存在ではない。しかも、スタッフ側がハッキリ異なる扱いをしていたのもまずかった。坂井自身もまた、これをしんどく思っていたようなのである。前述した天狼院書店ウェブサイトにある山田将治の記事『聖火最終ランナーの孤独』には、坂井が徐々に重圧を感じていった様子が綴られている。「孤独で孤独で逃げ出したかった」

そもそも、坂井は「最終」ランナーに決まった当初乗り気ではなかったらしい。二〇二〇年六月二日付東京新聞夕刊に掲載された連載『聖火移りゆく／五輪とニッポン第三部』の『アトミック・ボーイ（2）』では、坂井と小中高で同級生の山下哲士が、「もういやじゃやけえ」と坂井が愚痴を漏らしていたと証言。また、同記事で弟の坂井孝之も、「原爆投下の日の生まれ」が決定理由のように語られていたことに関して「はっきり言わないが、たまたまその日に生まれただけと抵抗があったのでは」と、坂井の心中を推し量っているのだ。

この日はトーチの使い方指導で練習を終えた……と、一九六四年八月三〇日付報知新聞は報じている。だが、他メンバーの終了後も、坂井だけ残ってひとりで国立競技場の階段を三回かけのぼる練習をさせられた。

「皆が辛い練習をして肩で息をしている中、その後僕だけ階段登りの練習をしているでしょ。練習の辛さより、仲間の視線が刺さって辛かったよ」と、天狼院書店公式ウェブサイトの記事には坂井のコメントが綴られている。

だが、そもそも他のランナーが坂井に話しかけられるはずもなかった。

「坂井さんは大学生で、私は高校二年。（気安く声は）かけられなかったと思う」と飯島は語る。「スポーツをやっていると上下関係がありますし。（他の人とも）そんなに親しく話をした記憶が無い」

「体育会系は上下関係がきちんとしていますから、タメ口で先輩と話すことは無い」と鈴木が語る。「しかも、私と福地（徳行、旭丘中三年）さんはいちばん小さいですから。話しかけたり、じゃれたりは無かったと思います。一歳二歳の違いは大きいですよ」

「当時は淡々とやっていたという感じ」と語るのは後藤和夫である。「年齢が違うと気軽に話せない。召集した側が、こんなことをやってはどうかとか言えばみんな参加したと思いますが、全然無かったし」

そんな状況を解消させる術もないまま、その日は練習終了。同日の夜、宿舎（日本青年館と思われる）で中村清コーチから翌日八月三〇日の練習についての通達があった。三〇日にはいよいよ本番と同じコースを走ることになっていたのだが、その区間分担が全員に告げられたのだ。

この段階で、「最終日」聖火リレーは坂井義則の区間も含めて八区間と決定していた。つまり、「最終」ランナーの「控え」に決まっていた落合三泰の他に、もうひとり「控え」のランナーが出来る訳である。

こうして迎えた翌八月三〇日は、またしても雨模様。午前五時三一分、「最終日」全コース（P254地図参照）の予行演習が始まった。問題の区間分担は、（1）皇居前～桜田門が福地徳行、（2）桜田門～三宅坂が後藤和夫、（3）三宅坂～参議院議長公邸が後藤秀夫、（4）参議院議長公邸～赤坂公会堂が池田元美か岡島貴敏、（5）赤坂公会堂～青山入口三叉路が飯島浩、（6）青山入口三叉路～絵画館横が青木政子、（7）絵画館横～国立競技場・千駄ヶ谷門が鈴木久美江、そして（8）競技場内までが坂井義則……となっていた。これを見ても分かる通り、（4）の池田元美と岡島貴敏のどちらかが「控え」になる予定だった訳である。

「（その日は）走ってないと思う」と語るのは、坂井の「控え」が決まっていた落合三泰だ。「先導していたパトカーに乗っていたかもしれない。雨の日に（公道を）走った記憶がまったく無いですからね」

雨の中の全コース予行演習

（提供：井街久美江）

1964（昭和39）年8月30日早朝に行われた、初めて実際のコースを使っての予行演習の様子である。トーチを持ってスタートしているのが鈴木久美江。後ろに立っているのが青木政子。右端はコーチ助手の浜部憲一である。この時はあくまで予行演習なので、トーチは点火していない。青木から鈴木への中継点なので、場所は絵画館横と思われる。

聖火リレー最終コース

本番そっくり初走り

まず上々のでき

朝霧ついて、若さいっぱい

雨あがりの三十日早朝、東京オリンピック聖火リレーの最終コース参院議長公邸—国立競技場全七区間の初練習が朝霧をついて行なわれた。各走者の走りぶりは"まずまずのでき"で、トーチの持ち方、一、二の走者のペースを注意すればあと二、三回の練習ではほぼ完全になるという中村清コーチの評だった。

㊤トーチを高くかかげ国立競技場千駄ケ谷門をはいる坂井義則君㊦第一走者福地君（左）から後藤君にタッチ

この朝、合宿所の国立競技場内スポーツマンホテルで四時に目をさました坂井義則君（一九）ら十人の最終日ランナーたちは軽いトレーニングのあと、四時半警視庁の車で前後指定されたそれぞれの中継点へ向かった。午前五時半、皇居二重橋前広場をスタートする第一走者は男子走者では最年少の東京練馬区立旭丘中三年、福地徳行君（一五）。朝早い雨あがりの皇居前広場にはすがすがしい空気が流れ、トーチ（火はついていない）を右手に高々とかかげ、中村コーチ、浜部憲一助手の注意を聞く福地君は緊張した面持ち。「五秒前」「スタート」浜部助手の合図で元気よくジャリを踏みつけて走り出した。

右折してお濠を右に第二走者の後藤和夫君（一七）＝神奈川県横須賀商三年＝の待つ桜田門へ。福地君が近づくと後藤君はトーチをななめ上にかかげ、福地君とトーチの先端を合わせて聖火を移すしぐさをする。警視庁前を走り抜けて三宅坂へ。中距離ランナーだけあって三宅坂も落ち着いたペースで走り、

全コース予行演習を報じた新聞記事

（1964〈昭和39〉年8月30日付『毎日新聞』夕刊より／提供：池田元美）

1964（昭和39）年8月30日早朝の実際のコースでの予行演習を報じた記事である。この際の参議院議長公邸～赤坂公会堂の区間では池田元美と岡島貴敏が一緒に走っており、途中で池田から岡島へトーチを渡しているようだ。記事の写真上は、国立競技場千駄ヶ谷門に入っていく坂井義則。ただし、この日は中に入っただけで聖火台まで駆け上がることはなかった。写真下は第一走者の福地徳行から後藤和夫への中継の様子である。

3. 事態は収束に向かう

「秘密」でいられる幸運

一九六四（昭和三九）年八月三一日、千葉県習志野市ではこの日も消毒作業や予防接種に明け暮れていたが、厚生省から出た「安全宣言」のせいか、メディアなども事態が収束に向かっているような扱いであった。

一方、国外聖火リレーは順調に日程を消化し、「シティ・オブ・トウキョウ」号はタイのバンコクに到着しようとしていた。空港に着いたのはタイ時間の八月三一日午後四時五二分、日本時間で午後六時五二分。バンコクではベイルート以来二度目の休日とあって、聖火空輸派遣団の面々もホッとしていたに違いない。

「どこの国でも空港に着くと、組織委員会用の車が待っているんです」と語るのは、インドのカルカッタ（現・コルカタ）から聖火空輸派遣団に加わった通訳の渡辺明子である。「先頭車両は高島団長とその国のオリンピック関係の偉い方。私はいつも中島（茂）さんと予備火を載せた二台目の車に乗っていました。万が一、途中で火が消えたらそれを使うことになっていたんです」

トーチは標準仕様でわずか約六分間しか燃焼しない。だが、そんなことは現地のランナーたちはお構い無しである。おまけにどこの国でも大歓迎が過ぎて、リレーが立ち往生してしまうこともしばしばだ。

「沿道の観衆はランナーを取り囲んでしまう」と渡辺は語る。「それで窓を開けて、〝どいて！火が消えちゃう！〟と英語で怒鳴っても通じない。なぜか日本語の方が効果がありました」

聖火ランナーたちに囲まれた渡辺明子

（提供：久野明子）

渡辺明子は慶應大学在学中に１年半アメリカに留学し、帰国の翌年にあたる 1964（昭和 39）年３月に卒業して組織委員会に入った。彼女が所属したのは渉外部で、そこで IOC の役員が来日すると競技施設を案内するなど忙しい日々を送っていた。聖火空輸派遣団には 1964 年８月 28 日にインドのカルカッタ（現・コルカタ）から参加し、国外聖火リレーの後半部分で通訳を務めた。写真は、８月 31 日にバンコクで撮影されたものと思われる。

「シティ・オブ・トウキョウ」号の機内

（提供：日本航空）

国外聖火リレーを支えた、日本航空の運航による聖火特別輸送機、DC—6B「シティ・オブ・トウキョウ」号の客室内の様子である。客室のほぼ中央部に特製の聖火台が据え付けられており、そのすぐそばで聖火係の中島茂が機内食を食べている。また、もうひとりの聖火係である森谷和雄が、客室右端の座席でノートに何かを書き留めている姿や、その手前で報道係の菅野伸也が新聞を読んでいる姿も見える。

レバノンでの聖火リレー

（提供：熊田美喜／協力：阿部美織、阿部芳伸、阿部哲也）

1964（昭和 39）年 8 月 24 日、レバノンのベイルート市内における聖火リレーの様子である。ランナーに随行する車両から撮影された、極めて貴重な写真である。聖火空輸派遣団の熊田周之助が所蔵していたもの。

پنجشنبه ۵ شهریورماه ۱۳۴۲ — شماره ۶۳۲۴

کیهان

۱۶ صفحه

در کنفرانس وزرای خارجه
ایران، ترکیه و پاکستان
مورد گفتگو قرار میگیرد

ایوبخان : قرارداد استانبول گامی درراه
اتحاد اسلامی ست

کشورهای مزبور به
قرارداد سه‌جانبه ایران
ترکیه وپاکستان است

بازداشت
نفیسی
ادامه خواهد
یافت

مشعل المپیک که با « شعله مقدس » روشن‌شده است برفراز استادیوم فرحبخش.

مشعل المپیک ازتهران بجنوب شرقی آسیا حمل شد

イランの新聞記事

（1964〈昭和 39〉年 8 月 27 日付『ケイハン』〈ケイハン研究所〉より／協力：アリ・ヘジャズィヤン、加藤容子・ヘジャズィヤン、イラン文化センター）

1964（昭和 39）年 8 月 26 日、イランのテヘランにおける聖火イベントの様子を報じた記事である。この記事によれば、ファラ・パハラヴィー競技場で聖火リレー最終ランナーが特設された聖火台に点火。高らかに鳴るファンファーレとともに聖火歓迎セレモニーが始まった。

ビルマにおける聖火リレー

（提供：熊田美喜／協力：阿部美織、阿部芳伸、阿部哲也）

1964（昭和 39）年 8 月 30 日、ビルマ（現・ミャンマー）のラングーン（現・ヤンゴン）での聖火リレーの様子である。ビルマは 1962（昭和 37）年のクーデターで軍による独裁政治が始まり、紆余曲折ありながら今日に至っても軍政は継続。国民の苦しみも続いている。「平和の祭典」1964 年東京大会の聖火リレーも、同国では軍事政権によるバックアップの下で行わざるを得なかった。写真上はミンガラドン空港でのセレモニーの様子で、ビルマ・オリンピック委員会会長の Khin Nyo 大佐にトーチを渡す聖火空輸派遣団の高島文雄団長。左端の第一走者 Zaw Weik は、1936（昭和 11）年のベルリン大会に重量挙げで出場した同国人初のオリンピック選手。1964 年当時はスポーツ教育委員会理事であった。写真下は、ラングーン市街地内でのリレーの様子である。いずれも聖火空輸派遣団の熊田周之助が所蔵していた写真である。

「聖火ランナーは楽しくやってるんだけどね（笑）」と語るのは、記録映画キャメラマンの松井公一である。「ゆっくり走ってるわけじゃないんだろうけど、そう見えちゃうんだね」

松井もオリンピアからは派遣団に合流し、「シティ・オブ・トウキョウ」号に乗り込んでいた。もちろん、狙うのは各国での聖火リレーの映像である。

「（持参したフィルムは）売るくらい（笑）。足りないと大変ということで」と松井は語る。「当時は冷房があまり無い。チャーター便の中は空調が入っているから、フィルムを機内に置きました」

松井たち記録映画クルーは組織委員会直属の扱いで、報道関係者とは一線を画していた。だから、やりにくいことは何ひとつなかったという。

「僕らは勝手に動いてた。飛行機が着いたら降りるのは僕らが先。税関なし。フリーパス。車も別扱い」と、松井は当時を回想する。「みんな整列してたけど僕らは並ばない。役人さんや団長は大変。歓迎の席には必ず出なきゃいけない。僕らは食いたいもん食ったほうがいいやと（笑）」

長旅ではあったがどこでも歓待され、聖火空輸派遣団はすっかり安心していたのだが……。

ここで、舞台はまたまた日本へ移る。同じ八月三一日の夜、東京都千代田区内幸町にあるＮＨＫ東京放送会館でのことである。この建物内にある当時のＮＨＫホールでは、人気テレビ番組『私の秘密』が生放送されることになっていた。そこに「最終日」ランナー一〇人が全員集合していたのである。

「最終」ランナー坂井義則は、すでにメディアに翻弄されていた。当然、他の「最終日」ランナーたちも注目を集めていたように思えるが、人によってそれぞれ事情が異なっていたようだ。

「メジャーな新聞社と、神奈川新聞から（取材が）ありましたね」と後藤和夫は語る。「ファンレターも来ました。『横須賀市　後藤和夫』で届いてました。何通か来ましたよ。激励ですね」

「一回だけ、自宅に誰かが来たことがあった。普通の人がね」と語るのは、池田元美である。

他の面々も新聞などの取材をそれなりに受けていたようだが、坂井を除いて最もメディアに取り上げられたのは、まだ中学生だった鈴木久美江だったかもしれない。「一応義務教育なので、学校を通して、親を通してということだったと思います。自宅に何人かが取材に来た覚えはありますね」

そんな鈴木は、メディアに露出した際の扱いに驚かされることが多かったようだ。

「そんな言葉を使ってないのに、記事になると『責任感じちゃう』とか。少女雑誌とかでも『裸足でがんばれ』って（書かれて）。これ何の意味だろうって（笑）」

彼女にもファンレターが届いたようだが、何とその量たるや段ボール箱で二箱ぶん。それらに書かれていた内容もいろいろだったようである。

「『中学生なのに偉いね、がんばって』とか、同学年くらいの人が走り方（について）どうのこうのという感じのお手紙」と鈴木は語る。「『中学生のくせに生意気だ』という手紙もあったと思います。全部開いて祖父がチェックしていました。悪いのは読ませてくれない」

鈴木の場合は、普段から彼女が陸上で好成績を挙げても学校で特別に扱わなかったこともあり、普通通りの生活ができていたようである。他の面々も、特に周囲から特別扱いされなかったのが救いだったようだ。

「（学校の仲間は）普段通りでしたね」と飯島浩は語る。だが、修学旅行では仲間の気遣いを感じたようだ。「奈良に列車で行ったんですが、通路に寝てたんです。そしたら『お前、床に座ってちゃダメだよ。ここに座れよ』って友達が座席に座らせてくれたのを覚えてる」

そんな「最終日」ランナーたちにとっても、『私の秘密』出演はちょっとした事件だった。

「ピアノが置いてあったのを覚えてる。鈴木さんが待ち時間にピアノを弾いてた」と飯島は語る。「着替えたのは部屋じゃなかったような。どこかの物陰で着替えたような気がする」

『私の秘密』という番組は、イマドキのテレビ番組から見れば至極単純明快な番組である。一般から募った特別な「秘密」を持った人物が登場して、四人の解答者が質問をしながら「秘密」を当てていくという内容だ。この時、坂井義則はすでに顔が売れていたせいか、最初に「秘密」を持つ人物として登場するのは青木政子と鈴木久美江の女子ふたり……という段取りだった。坂井では「秘密」にならないのである。

「私と青木さんがマントを羽織って先に出演しました。すぐに当たりましたけど」と鈴木。

「マントの下は聖火ランナーのユニフォームで。（分かったところで）男性八人がぞろぞろとね」と飯島。

実は彼らが『私の秘密』に出演した日にちについては、誰もハッキリ記憶していない。解答者やゲストなどの出演者についてはある程度分かるものの、肝心の「秘密」を持った人物については記録が残っていない。ただ、幸運にもこの時の写真を青木政子が所蔵していた。残念ながら諸般の事情からその写真を本書に掲載することはできないが、そこから彼らの出演日をある程度類推することは可能である。

その写真では、舞台後方には巨大に引き延ばしたオリンピアでの採火式の写真が飾られていた。それが主巫女アレカ・カッツエリから第一走者のヨルゴス・マルセロスに直接トーチを渡している様子であることから、八月二〇日の採火式リハーサル時に撮影されたものであると分かる。『私の秘密』は毎週月曜日の放送だったので、一九六四年のカレンダーを見ると八月二四日の放送が直近のものとなる。ただし、二四日は釧路からの中継であったことが分かっているので、その日に出演していたはずはない。一方、落合三泰の証言によれば出演は夏休み中だったようであり、写真を見ると解答者である渡辺紳一郎が夏向きの柄の半袖シャツを着ていることからも、八月中であったことはほぼ間違いなさそうだ。それらを総合した結果、ここでは八月三一日の出演だった……と結論づけた訳である。なお、番組には彼らの他に、コーチの中村清も登場したようだ。

「最終日」ランナーたちにとっても、『私の秘密』出演は格別のものだった。だが、出演そのものよりもその後の扱いの方が印象深かったようで、彼らは取材でもその時の素直な驚きを語っている。

「出演記念品は佐賀錦の重いアルバムでした。黒塗りのハイヤーで送り迎えですし」と鈴木は語っている。「当時ですから生（放送）でしょう。二一時過ぎたらダメですから。たぶん終わったら、一番先に私と福地さんを帰してくれたはずです」

「横須賀までハイヤーで帰らせてもらった」と後藤和夫も『私の秘密』出演ではこの件が一番記憶に残っているようだ。「立派なアルバムもいただきましたし、さすがＮＨＫだと」

「全員、自宅までハイヤーで送られたんですよ。ＮＨＫはすごいところだなと思いましたよ」と落合も語る。

「いちばん遠い人は飯島さんで千葉の八日市ですから」

「千葉ですからね。『実家まで帰っていい？』と聞くと、『どこでも使っていいですよ』と言われたんですがちょっと気が退けちゃった」と、飯島は笑いながら語る。「一〇〇キロ以上ありますから。高校生がひとりで深夜に（ハイヤーを）使っちゃっていいのかなぁって。『使っていいですよ』と言われたけど結局、押上まで。当時、兄貴がいましたのでそこまで乗っていった覚えがある」

「私も飯能まで送ってもらったんですけどね」と語る青木も、飯島と同じく「気が退けちゃった」ようである。「自宅までって言われたんですけれど、うちは田舎ですから飯能でいいですって（笑）。飯能の駅で降ろしてもらったんです」

ハイヤーを贅沢と感じるのは、「普通の感覚」である。彼らがまだ「秘密」でいられたということは、ある意味でラッキーだったのかもしれない。持ち上げては落とす気まぐれなメディアの扱いをよそに、あくまで「普通の感覚」でいられた。それは彼ら自身にとっても、大変幸運なことだったかもしれないのである。

間の悪い「平和の使者」

月が変わって、一九六四（昭和三九）年九月一日の午前八時頃、沖縄・那覇市のランドマークである首里城公園より一キロ余り北西に、那覇市立松島中学校がある。そこに、慣れない背広姿でやって来たある若者がいた。沖縄の、そして日本の聖火リレー第一走者に選ばれたあの宮城勇である。この日の彼は、八月九日の沖縄全コース・リハーサル（P118参照）の際とはまた別の緊張を味わっていたはずだ。

「教員を志望していましたから、九月は教育実習があるんです」と宮城は語る。「実習初日は無論、正装で背広とネクタイ姿で臨みました」

宮城は保健体育担当者六人のうちのひとりとして、他教科の教育実習生と共にこの松島中学校での実習を行うことになっていた。初日は全校生徒が校庭に集合し、校長先生が教育実習について説明。実習生ひとりひとりを紹介することはなかったが、保健体育の実習生に対する生徒や教職員の反応が明らかに違う。

「実習先の中学の子供たちが大騒ぎで大変でした」と宮城。「名前が報道されていたので、（本来なら）ただの先生がすごいものみたいになっていて」

体育の指導種目は「体操」で、鉄棒、マット、跳び箱などを指導。そこでも、宮城の一挙手一投足は生徒たちの熱い注目を集めることになる。

「体操は私の得意種目のひとつですからね」と宮城。「模範演技のたびに生徒の歓声があって。実習の期間中、生徒や他の教員、同僚実習生からも常に注視されていたのを覚えています」

いやでもハイテンションにならざるを得ない状況の中、宮城は九月末日まで教育実習を行うことになっていた。つまり、彼は教育実習期間の真っ只中で、例の聖火リレー本番を迎えることになっていた訳だが……。

一方、同日九月一日の午前一〇時過ぎ、コレラ騒ぎの「震源地」千葉県習志野市。この日も市民に対するワクチン接種が、市内全域合計一〇か所で行われた。

接種は午後五時まで行われ（大久保保育所のみ午後一〇時まで）、一日の実施人数は合計二万一二一八人に達する。結局、この日が八月二五日から連日行われていた予防接種のピークとなった。こうした実績を踏まえ、午後七時にはコレラ防疫対策本部長で千葉県知事の友納武人が習志野市大久保地区の無菌宣言を行い、同時に対策本部を解散。まだ習志野市における防疫活動は完全に終わってはいなかったが、ここで一連のコレラ騒ぎにひと区切りをつけることになった。

翌九月二日の午前九時半には、東京都庁にふたりの客人が訪れる。それは西ドイツからはるばるマイクロバスで東京までやって来た、エーリッヒ・ディーツとヘルムート・ビューラーのふたりである。

一九六四年八月二八日付産経新聞の記事（P164-165参照）では、彼らは二八日に都知事の東龍太郎に面会して旅の途中で集めたメッセージを手渡し、東京大会が成功するように励ますと書いてあった。実際には、都庁訪問はこの日まで延びたようである。東都知事がつけていた日記『好日好時』や『知事日程第二期』にも、彼らの訪問が記載されている。なお、一緒に来日したカール・モンタークは、この時は同行していなかったようだ。

また同日には、WHOの習志野市大久保地区のコレラ汚染地区指定がようやく解除される。千葉県コレラ防疫対策本部が汚染地区の解除を申請したのは、前日九月一日のこと。これにてようやく、「平和の祭典」東京大会を堂々と開催できる下地が整った……はずである。

だが、こちらの用意がいくら整っても、周囲の状況は必ずしも落ち着いているとは言い難かった。

その九月二日には、シンガポールでまたしても深刻な事態が持ち上がっていた。一旦は沈静化したと思われていた中国人とマレー人との対立が、またしても火を噴いた。発生以来四八時間以内に八人が死亡し六〇人が負傷する（一九八七年六月四日付『The Straits Times』）という、激しい人種暴動が再び勃発したのである。それは、一九六四年八月二五日付の同紙にオリンピック・エッセイ・コンテストの受賞者フランシス・ヨウを紹介する記事が掲載されてから、わずか一週間後のことであった。

その記事によれば、フランシス・ヨウはオリンピックの他に、富士山や皇居、東京の都会生活を見たいと思っていたようである。彼はまた日本の高校生たちと会って、彼らが受けている教育の設備や方法を見てみたいと切望していたとも書いてある。一見するといかにも若い人らしい無邪気な希望と思えるが、このような一触即発の状況下での発言と考えると果たしてどうなのだろうか。

この再びの暴動発生に、マレーシア政府はただちにシンガポールを「危険な状態」にあると宣言。秩序を回復させるために公安条例が発動された。だが今回については、マレーシア政府は前回のようにシンガポールに関わっている訳にはいかなかった。

同日九月二日の午前二時四〇分、インドネシアの空挺部隊約三〇名がマレーシアのジョホール州ラビスに降下し、電撃的に攻撃を開始していたのである。

この時期、東南アジアの「台風の目」となりつつあったインドネシアは、マレーシアとの対立を徐々にエスカレートさせていた。同国がゲリラ攻撃を仕掛けて来るのもたびたびのこと。一週間ほど前の八月一七日にも攻撃を受けて、またまた今回の空挺部隊の奇襲である。さすがに只事ではない。マレーシアやシンガポールを巡る情勢は、にわかに緊迫の度合いを増していたのである。

そんなことが起きていると知ってか知らずか、同日の午後五時一〇分（日本時間午後六時四〇分）、聖火空輸派遣団を乗せた「シティ・オブ・トウキョウ」号は、事もあろうに緊張感漂うマレーシアの首都クアラルンプールに到着している。何たる間の悪さであろうか。「平和の使者」たる聖火のはずであったが、この地においてはその神通力も一向に効き目がなかったのである。

ワクチン接種のために並ぶ人々

（提供：習志野市教育委員会）

千葉県習志野市でのコレラ発生によって、1964（昭和 39）年 8 月 25 日に発生源である同市大久保地区を皮切りに、連日ワクチンの接種が行われた。9 月 1 日がそのピークである。この写真は 8 月に習志野市で撮影されたものだが、正確な日時や場所は不明である。なお、ワクチン接種は 9 月 2 日まで行われた。

三年九月三日　星期四　工商日報　曆農甲辰年七月二十七日

本報1964年上半年在港平均每日淨銷數 五三、九二六 上數字經英國聯邦報紙刊物銷數審核協會証明

印尼軍空降柔佛與大馬軍警激戰

蘇卡諾突下令取消軍人休假

大馬政府發言人稱 空降柔佛印尼軍係正規傘兵部隊

攜帶大批重裝備與供應品

南越陸軍青年將領要求阮慶強硬 否則可能將阮

インドネシアの空挺部隊がマレーシア攻撃

（1964〈昭和 39〉年 9 月 3 日付『香港工商日報』より／Image courtesy of the Robert H. N. Ho Family. Clips of the Kung Sheung Daily News are archival documents of the Hong Kong Central Library）

1964（昭和 39）年 9 月 2 日未明、マレーシアのジョホール州ラビスにインドネシアの空挺部隊が降下。奇襲攻撃を加えてきたことを報じる香港の新聞記事である。同空挺部隊はマレーシア軍・警察と激しい戦闘を開始。翌 9 月 3 日、マレーシア政府は「国家緊急事態」を発令した。しかし、インドネシア外務省のスポークスパーソンは、自軍のマレーシア攻撃を否定している。

コレラ鎮圧は成功したか

一九六四（昭和三九）年九月三日の午前八時四四分、ＹＳ‐11試作二号機が小牧空港を離陸。「聖火」号と名付けられ、全日空ロゴやマークを機体にまとった試作二号機は、すでに客室中央部に聖火台も据え付けられていた。この日は、同機の公開テスト飛行の日。午前九時四七分に羽田に到着。全日空スチュワーデス二名も含めて聖火フライト本番と同じクルーが乗務し、東京上空を旋回した。

「聖火飛行のお姉さま方には可愛がっていただきましたよ（笑）」とふたりのスチュワーデスについて回想するのは、試作二号機で飛行試験の主任を務めていた山之内憲夫である。「（当時）私は若造で、あちらはお姉さんでしたから。機内で話もしました」

そのスチュワーデスのひとりが例の板倉洋子（P128参照）だったが、このテスト飛行についてまったく覚えていない。それでも彼女がテスト飛行に参加したことは、ほぼ間違いないようである。

一方、国外聖火リレーの「シティ・オブ・トウキョウ」号は、今まさにマレーシアのクアラルンプールを飛び立とうとしていた。出発は現地時間で午前一〇時、日本時間で午前一一時三〇分のことである。前日九月二日未明に同国のラビスがインドネシア空挺部隊に攻撃されるという最悪のタイミングながら、人々は聖火空輸派遣団を大歓迎してくれた。だが、一九六四年九月四日付読売新聞によれば、実際にはかなり緊迫した状況だったらしい。度重なるインドネシア側からの襲撃のせいで、市民は敵側の人間でないことを証明するための身分証明書を携帯することを義務づけられ、夜間の外出に証明書を忘れるとたちまち警察に連行されるという厳しさだったようだ。九月三日朝、「シティ・オブ・トウキョウ」号がクアラルンプールを出発した直後、マレーシア政府は「翌四日から非常事態を宣言する」と決定した。やはり、緊迫した状況下での訪問だったことは間違いない。

そんなマレーシアから舞台変わって大阪空港。同日の午後二時三五分には、毎日新聞社とダイハツ工業による聖火コース走破隊（P80参照）の徳岡孝夫隊長、南川昭雄、西田弘が日航機で帰国した。だが、前述した通り、彼らにはまだ残された仕事があったのである。

さらに、九月五日の午前一〇時のこと。コレラ菌保菌者として八月二六日から市川市伝染病舎に隔離されていた会社員（P162参照）が退院となり、コレラの疑いで隔離されていたものは全員隔離を解かれた。これによって、習志野市のコレラ騒動はすべて一件落着となった。

結果的にこのコレラ禍は短期間に鎮圧され、東京大会にも支障が出なかったことから、防疫としては一応成功したといえるのだろう。だが、千葉県衛生民生部の冊子『昭和39年8月　習志野に発生したエルトール・コレラとその防疫』を見ると、事はそう単純ではなかったらしい。中でも何度か引用した習志野市職員の手記『コレラ防疫を省みて』によれば、「本部」との連携のまずさが目立つ。「もう少し先迄、本部でお世話いただけたらと思いました。（中略）お願いする以外方法のない私共のような市には本部はもっと温かく細部のこと迄面倒みてくださってもよいのではないでしょうか」という恨み節的なコメントが、すべてを物語っている。

同じ冊子の『自衛隊の活動状況』という手記でも、第一空挺団本部の橋本文夫が「市防疫対策本部の指揮組織が確立しておらなかったように感じたことである。即ち防疫対策本部で実際に動いていたのは市役所の或る係長さん一人（以下Aさんとする）だけだったように思う」と苦言を呈していた。つまり、上はほとんど機能していなかったが、名もなき「現場」の人々が頑張って何とかなったというのが実際のところだった。今となっては、大活躍したはずの「Aさん」という「市役所の或る係長」が誰かも分からない。問題の冊子『エルトール・コレラとその防疫』の巻頭は、厚生省公衆衛生局長の若松栄一（P158, P166参照）など立派な肩書きを持ったお歴々の挨拶文が並ぶが、その実態を考えると何とも寒々しい気分にさせられるのである。

なお、同冊子によれば、結局、コレラの発生源を特定することはできなかったらしい。ただ、死亡した配管工の泊まった旅館で出た食事……中でもモンゴウイカの刺身が疑わしいという結論のようである。本書もまた、この「モンゴウイカ真犯人説」を採用させていただいたことはいうまでもない。

九月五日午前一〇時半には、東京・代々木の国立屋内総合競技場が完成し、その落成式が主競技場のプールサイドで行われた。午前一一時には、オリンピック選手村の食堂で火入れ式が行われ、男子村の富士食堂で料理長、食堂長、コックら約二〇〇人が集まる。神主のお祓いの後、火がついた木製のトーチで調理ストーブのガス・レンジに次々と点火。早くも「もうひとつの聖火」の点火である。そして「聖火」といえば……。

午後一時五五分、明治神宮プール前から、胸に東京大会エンブレムをあしらった白いシャツ、白いパンツをまとった若者が走り出す。彼はオレンジ色に燃えるトーチを右手に掲げ、国立競技場千駄ヶ谷門から競技場内へと一気に駆け込んで来た。「最終」聖火ランナーの坂井義則である。

この日、国立競技場ではオリンピック選手選抜陸上競技大会が催されていた。その機会を利用して、まずは坂井の「最終」聖火リレーの最初のリハーサルをやってしまおうという訳である。坂井は長い階段を一気に駆け上り、聖火台の横まで辿り着く。それを見ていた人々から、本番さながらに拍手がわき上がる。ただし、こちらは選手村の食堂とは違って、「点火」までは行われなかった。

この日の競技大会では、他にも電光掲示板や場内放送など、すべて東京大会本番を意識したスタイルで行われた。また、記録映画のキャメラマンたちも本番に向けてテストを行っていた。開会式まで後ひと月余り。誰にとっても、リハーサルの機会は限られていた。

そんな日の夜、午後九時半のことである。日本航空本社に、香港から一本の電話が飛び込んで来た。国外聖火リレーに同行している、日本航空聖火空輸特別派遣団の森田勝人団長からの緊急連絡である。

「シティ・オブ・トウキョウ」号が香港啓徳空港で補助翼を破損、飛行不能に陥ったというのだ。

テスト飛行上々
YS—11機 〝聖火〟機内で赤々と

八日の東京オリンピック聖火受け取りの出発を前に三日朝から聖火特別輸送機「YS—11」二号機のリハーサル飛行が小牧—羽田間で行なわれた。

この朝八時十分、晴れ上がった愛知県西春日井郡豊山村の三菱重工小牧工場でいっさいの準備なった「YS—11」二号機が格納庫から出された。予定の八時三十分より十五分遅れ、長谷川栄三操縦士(四三)飯塚増次郎機長(四三)藤村楠彦機長(四三)をはじめ、整備員ら七人を乗せてエンジンの音もかろやかに日の丸と五輪のマークを朝日に輝かせながら三千—五千㍍の高度をとり、羽田へ向かった。

同九時四十七分、白とブルーのツートン・カラーのYS—11は五輪関係者の待つ東京国際空港に無事着陸した。途中聖火台の火は赤々と燃え続け沖縄—鹿児島—

五輪マークもあざやかなYS—11と聖火用安全ランプ

過失致死で書類送検
発砲事件の警官

去る八月三日、東京・台東区で起きた警官発砲事件につき警視庁は、発砲した下谷北署佐久間忠巡査(二三)は「正当防衛だが、まきぞえで高橋正次郎さんを射殺したことについては、業務上過失致死の疑いがある」と、三日同容疑で同巡査を書類送検した。

高橋さんに対する補償額は三百三十八万九十二円ときまった。

一方これと別に警視庁内での見舞い金募集が行なわれ、三日までに庁内、署下九十署で計約百十一万円に達した。

YS-11の聖火フライト公開テスト

（1964〈昭和39〉年9月3日付け『読売新聞』夕刊より／提供：国立国会図書館）

1964（昭和39）年9月3日朝に小牧空港を離陸したYS-11試作2号機こと「聖火」号は、機内中央に据え付けられた台に聖火灯を乗せて飛行テストを開始。羽田に着いた後、組織委員会事務次長の佐藤朝生、競技部長の藤岡端や全日空クルーを乗せて離陸。東京上空を旋回した。なお、元・日航製パイロットの沼口正彦の記録によれば、9月4日にも全日空クルーのための訓練飛行が5時間25分行われたという。

あと35日
オリンピック前奏にぎやかに
白煙さっそうと
聖火リレー坂井君が試走

聖火リレー試走で国立競技場にはいる坂井君

選手村食堂の調理用ストーブに火入れ

さあ好

坂井義則の「最終」ランナー初リハーサル

（1964〈昭和39〉年9月5日付け『毎日新聞』夕刊より／提供：国立国会図書館）

1964（昭和39）年9月5日午後、国立競技場で開かれていたオリンピック選手選抜陸上競技大会の機会を利用して、坂井義則の「最終」聖火リレーのリハーサルも行われる。ただし、この時は聖火台への「点火」は行われなかった。記事の写真上は、坂井義則が国立競技場千駄ヶ谷門（マラソンゲート）から入場してくる場面。写真下は、オリンピック選手村の食堂火入れ式の様子である。

COLUMN　「TOKYO 1964」の風景（4）

五輪成功祈願のマラソン一家

東京大会の成功を祈って、霧島神宮の御神火を携えて6年間も全国を駆け巡り、明治神宮にゴールインしたマラソン一家がいた。

この一家は、東京都北区の清野恵吉と長男・耕一、次男・弘、三男・円の4人。彼らが最初に親子マラソンを始めたのは、1955（昭和30）年。祖先の墓参のため、東京〜山形を走るものだった。東京大会成功祈願マラソンのスタートは、東京開催が決まった1959（昭和34）年のこと。最初の年は鹿児島県の霧島神宮から下関市まで。以来6年、夏休みに九州〜四国〜近畿〜北陸〜東北……とマラソンで走ってきた。

2年目の1960（昭和35）年の8月には姫路市で4人とも日射病で倒れ、ご子息たちからも「何のために苦しむのか」という声が上がり始めたというが、それも無理はない。

それでも何とか続行し、オリンピック・イヤーの1964（昭和39）年には8月18日に山形市からスタート。21日に東京入りして、その日の午後3時に明治神宮にゴールインした。その距離、何と2,243キロ。

それは実際にオリンピアで採火式が行われる、わずか3時間足らず前の出来事であった。

日新聞　昭和39年(1964年)　8月22日（土曜

霧島神宮──明治神宮

御神火かかげて全国一周

六年ぶりにゴールイン

マラソン一家の四人

オリンピックの成功祈って

"御神火"をかかげて明治神宮に到着した清野さん一家

の未熟児センター

赤十字産院の増改築が完成

90と近代設備を誇る

明治神宮ゴールインを報じた記事

（1964〈昭和39〉年8月22日付け『毎日新聞』より／提供：国立国会図書館）

マラソン中の清野父子

（提供：清野昌子）

第5章

1964年9月
聖火リレーとカオス

トーチを持って走る「第一走者」宮城勇

（提供：沖縄県公文書館）

1964（昭和39）年9月7日、予定より1日遅れで沖縄に到着した聖火は、聖火空輸派遣団聖火係の中島茂、聖火沖縄リレー実行委員会の当間重剛委員長手を経て、沖縄の「第一走者」である宮城勇の手に委ねられた。

1. ハイテンションな日々

危機また危機の香港〜沖縄

「シティ・オブ・トウキョウ」号が壊れて飛べない……。その時、現地では一体何が起きていたのか。

そもそも聖火空輸派遣団が香港入りしたのは、一九六四（昭和三九）年九月四日のこと。この時、香港には台風一七号（ルビー台風）が東から接近中で、香港啓徳空港にも強い雨が降っていた。

「水上ボートで聖火を運ぶ時、ランナーの着ている服は雨でびしょびしょ」と通訳の渡辺明子は語る。「台風が近づいていたので風も強く、いつトーチの火が消えるかはらはらしました」

聖火リレーそのものはシティ・ホール（香港大會堂）に到着して無事当日の予定を終了したが、台風が猛威を奮い始めたために啓徳空港が五日朝から六日午前零時まで閉鎖と決定。「トウキョウ」号の出発は、二四時間延期されることになった。

これに驚いたのが、聖火を待ちわびていた沖縄の関係者たちである。沖縄はこの日のために、入念に準備を重ねて来た。アメリカ軍占領下で日頃、日本の国旗を自由に振ることもできない沖縄では、聖火リレーにかける熱意がよそとは違っていたのだ。

しかし、一日遅れたからといって、日本本土での予定を延ばそうという都道府県はどこにもない。慌てて九月五日に沖縄入りした組織委事務総長の与謝野秀、東京都副知事の鈴木俊一らと、沖縄聖火リレー実行委員長の当間重剛らが那覇市東急ホテルで善後策を協議。最終的に、当間委員長が「沖縄に一日遅れで着く聖火は、予定通り九日朝に鹿児島に出発。沖縄滞在が一日短縮されることで島内を回りきれない分は、分火によって予定のコースを走る」と発表。「分火」することで、事態の収拾を図った訳だ。そんな矢先の、「トウキョウ」号飛行不能の知らせである。関係者が真っ青になったことは、想像に難くない。

　実は、香港では「トウキョウ」号は格納庫に入れてもらえず「野ざらし」状態。強風で異物が翼を直撃し、補助翼（エルロン）の一部が破損してしまったのだ。台風被害の凄まじさが伺える話である。

「（泊まっている）ヒルトンで、ガラス戸が強風で割れて記者が怪我をしたんです」と語るのは、報道係の菅野伸也である。「これは事故だから治療費を払ってやってくれと交渉したら、ヒルトンははじめはうんと言わなかった。そこで、日本を代表するメディアが二〇人以上来てるんだぞ、ヒルトンにとっていい結果にならないよと（笑）。最終的に払ってもらいましたよ。（派遣団の）僕らのトラブルとしてはそれくらいかな」

　その翌日の九月六日の朝、東京では再び「最終日」ランナーたちに召集がかかった。八月三〇日に次いで、実際のコースを使った練習が行われたのである。おそらくまた午前五時半頃の開始であろう。

ただ、この日は八月三〇日と異なる点がひとつだけあった。参議院議長公邸～赤坂公会堂を走る第四走者に、池田元美が決定したのだ。それは、一緒に走っていた岡島貴敏が「控え」となることをも意味していた。

　その際の岡島の心境は、果たしていかなるものだったのか。それを今日推し量ることはできないが、一九九五（平成七）年六月一七日付朝日新聞に掲載された連載『10人の聖火ランナー』第三回では、岡島本人が次のように謙遜したコメントを残している。「全国大会に出場できる成績ではなかった。選ばれたのは光栄でしたが、つけたしみたいで恥ずかしくもありました」

　午前六時半には、羽田空港に到着したパンアメリカン機に乗って、東京大会に出場するメキシコ馬術チームが来日。外国チームはすでに韓国馬術チームが来日済み（P74参照）だが、あちらは六月とあまりに来日が早く、またナショナルエントリー受付前の来日でもあった。そのため、メディアはこのメキシコ馬術チームの方を来日第一陣と見なしたようである。

さらに午前九時には、高知県での聖火リレー・リハーサルが始まる。ところが、室戸市内の各区間で随走者の無届け不参加が続出。結局、室戸市内合計一八区間の随走者三六〇人のうち約五〇人は参加せず、関係者を唖然とさせたのだった。聖火リレーも、地域によって熱意にかなりの温度差があったのである。

一方、同日九月六日の香港はうって変わって天気が回復。午後〇時一五分には啓徳空港に香港最終ランナーの蘇錦棠がやって来た。すでに、日本航空からジェット機の代替機コンベアCV880M「アヤメ」号も到着。派遣団はこの「アヤメ」号に乗り込んで出発を待った。さすがに聖火台は移設できないため、聖火係の中島茂が自ら聖火灯を手で抱えての搭乗である。

ところが、滑走路入口近くまで来た「アヤメ」号が、主翼の二番エンジン（飛行機側から見て左から二番目）の不調で立ち往生するではないか。万事窮すかと思いきや、ちょうど啓徳空港には香港〜東京定期便（JL七〇二便）の機材「カエデ」号がいた。「アヤメ」号と同じコンベアCV880M型のジェット機である。かくして派遣団は「カエデ」号に乗り換え、午後五時三分（日本時間同じ）に啓徳空港から離陸に成功した。その後、「シティ・オブ・トウキョウ」号は修理を終えて、「カエデ」号を追って台湾の台北に向う。かくしてルビー台風による聖火リレーの危機は、すべて終わりを告げたのである。

いや、実は想定外の事態がもうひとつあった。沖縄「第一走者」の宮城勇は、「本番」終えた翌日の九月七日に教育実習で授業を行う予定だった。そこが、何とリレー「本番」当日になってしまったのだ。

港九水陸交通十一時後停頓

（上圖）颱風昨比今晨襲港波濤洶湧打出路面，高士打道已成澤國，一片死靜。（下圖）灣仔洛克道水浸街的情形，停在路旁的車輛全部唔郁得。

豪雨下
塘又告急
冒雨開水道疏導山洪

欲知颱風消息勿問天文台
可問諮詢

港島：二二〇〇三一及二
九龍：八五〇〇五一

林黛劇照展覽
明日免券入場

ルビー台風（1964 年台風 17 号）被害を報じる新聞記事

（1964〈昭和39〉年9月5日付『工商晩報』より/Image courtesy of the Robert H. N. Ho Family. Clips of the Kung Sheung Evening News are archival documents of the Hong Kong Central Library）

ルビー台風が襲来した 1964（昭和 39）年 9 月 5 日の香港では、香港島と九龍地区との水上交通が中断。記事に掲載された写真上は、香港島の海岸通り「高士打道」を高波が直撃して、人通りもなく静まり返っている様子。写真下は、香港島の「灣仔」にある「洛克道」という道路が浸水して、駐車中のクルマが水浸しになっている様子である。

代替機「アヤメ」号の到着

（提供：日本航空）

「シティ・オブ・トウキョウ」号ピンチの報を受けて、日本航空ではただちにジェット機のコンベア CV880M「アヤメ」号を代替機として手配。同機は 1964（昭和 39）年 9 月 6 日の午前 6 時 12 分に「トウキョウ」号の部品を積んで羽田を出発し、同日午前 9 時 57 分に香港啓徳空港に到着した。これはその時の両機をツーショットで捉えた、非常に貴重な写真である。手前側に垂直・水平尾翼やテールなど機体の後部部分が見えるのが DC-6B「シティ・オブ・トウキョウ」号、奥に見えるのがコンベア CV880M「アヤメ」号。ただし、「アヤメ」号は出発時にエンジン・トラブルを起こしてしまう。

すべては熱気の中で

「教育実習の先生から『六日にあなたの大役が終わるから、七日に生徒の前で授業をしてみなさい』と言われたんで、『やってみます』と引き受けたんです」と、沖縄の「第一走者」宮城勇は語る。「そしたら、六日に聖火が来る予定が七日に（笑）。結局は、授業後にタクシーを飛ばして空港に向かうことになりました」

何と宮城は、聖火リレー当日の午前中、月曜日の一時間目に「新米先生」として教育実習の初授業を行っていた。あれだけ大騒ぎにもなった「大役」、日にちをずらしてもらう訳にはいかなかったのか……。しかし、宮城としてはむしろ騒がれているからこそ授業をそっちのけにしたくなかったに違いない。

「体育の授業が終わってから、学校で（ユニフォームに）着替えて空港へ行きました。ランニングシャツとパンツですから、上着を羽織ればそんなに目立たない」と宮城は語る。「松島中学から空港まであまり遠くないので、（私は）じゅうぶん時間をもって到着していました」

沖縄の九月はまだまだ炎天下。その日も晴天であった。「シティ・オブ・トウキョウ」号の到着は正午。それよりも三〇分から一時間ほど早く、宮城は那覇空港に到着していたという。彼が空港に到着した時には、まだそれほど人出はなかったようだ。だが、宮城が待機している間に、群衆はどんどん膨れ上がる。

「空港の屋上も送迎デッキも満杯。あらゆるところに人が」と宮城は語る。「登れるところには警官の制止も聞かずに登って、みんなが日の丸を持ってね」

宮城はその様子を、空港のエプロンに設けられた一般の人々が入れない式典会場で見ていた。そんな正午の那覇空港に、聖火を乗せた「シティ・オブ・トウキョウ」号が着陸する。すると、予想もしない事態が起きた。人々が入ってはいけないエプロンに飛び出し、「トウキョウ」号に殺到したのである。

「警官の制止を聞かずに。聖火をひと目でも早く見ようという気持ちでしょうか」と宮城。「沖縄はアメリカの

那覇空港で待機する宮城勇

（提供：沖縄県公文書館）

1964（昭和 39）年 9 月 7 日、「シティ・オブ・トウキョウ」号の到着を待つ那覇空港で、待機中の宮城勇の姿である。教育実習先の学校から直行した宮城が待機している中、那覇空港は集まって来る人々で溢れかえった。

沖縄に到着した「シティ・オブ・トウキョウ」号

（提供：沖縄県公文書館）

1964（昭和 39）年 9 月 7 日正午に那覇空港に到着した、DC-6B「シティ・オブ・トウキョウ」号の様子。降りて来る聖火空輸派遣団の先頭で聖火灯を持っているのは、団長の高島文雄と思われる。「トウキョウ」号の周囲には関係者や報道陣だけでなく一般の人々も押し寄せて、一時は大混乱となった。

占領下にあって、生活に窮屈な思いをさせられたことがいくつもありましたからね」

そこからは、すべてが熱気の中で起きた。

「トーチが（聖火空輸派遣団）団長（の高島文雄）から（沖縄聖火リレー）実行委員長（の当間重剛）に、そして私に手渡される」と、宮城が当時を振り返って語る。「その瞬間、息を呑んで静まり返っていた空港に割れんばかりの拍手が起こった。やがて万歳三唱。何回も連呼。否が応にも頭が真っ白になって、そこからの記憶があまり無いんですよね」

空港からリレーが始まったが、人々が取り巻いてなかなか思うように走れない。しかも、宮城はトーチを受け取った瞬間から、極度にハイな状態になっていた。

「私の場合は、一・七キロを九分で走る。一〇〇メートルを三〇秒で走っても、うまくいけば八分三〇秒で走れる。それを何回も練習して、じゅうぶんクリアできたはずなのに」と、宮城は走っていた時の状況を語る。「ところが実際には、後から聞くと『一分一〇秒くらい遅れていたね』と言われたんです。走ってる時は夢中で気が付きませんでしたが」

当時の写真を見ても分かるが、報道陣だけでなく群衆の数が圧倒的。しかも、人々がひしめき合っているので、その密度も近さも半端ではない。宮城のテンションも振り切れたままである。

「人垣をかき分けながら走ったところもありましたからね」と宮城は語る。「一定の距離を保ってという決まりがあったはずなんですが、みんな交互に来るんですよ。目の前に迫ってくる。（私の）精神状態も普通じゃなかったように思います」

自らの区間を走り切った宮城は、第二走者の上原武夫に聖火を委ねた。その間、わずか一〇分前後。宮城勇の特別な夏は、そこで終わったのである。

聖火を受け取った宮城勇

（提供：宮城勇）

聖火灯に灯っていた聖火は、聖火係の中島茂から聖火空輸派遣団の高島文雄団長、沖縄聖火リレー実行委員長の当間重剛を経て宮城勇に手渡される。1964（昭和 39）年 9 月 7 日午後 0 時 40 分、この瞬間から国内聖火リレーの火ぶたが切って落とされた。写真左端の方には聖火空輸派遣団の通訳である渡辺明子（白い帽子の女性）、報道係の菅野伸也の姿も見える。

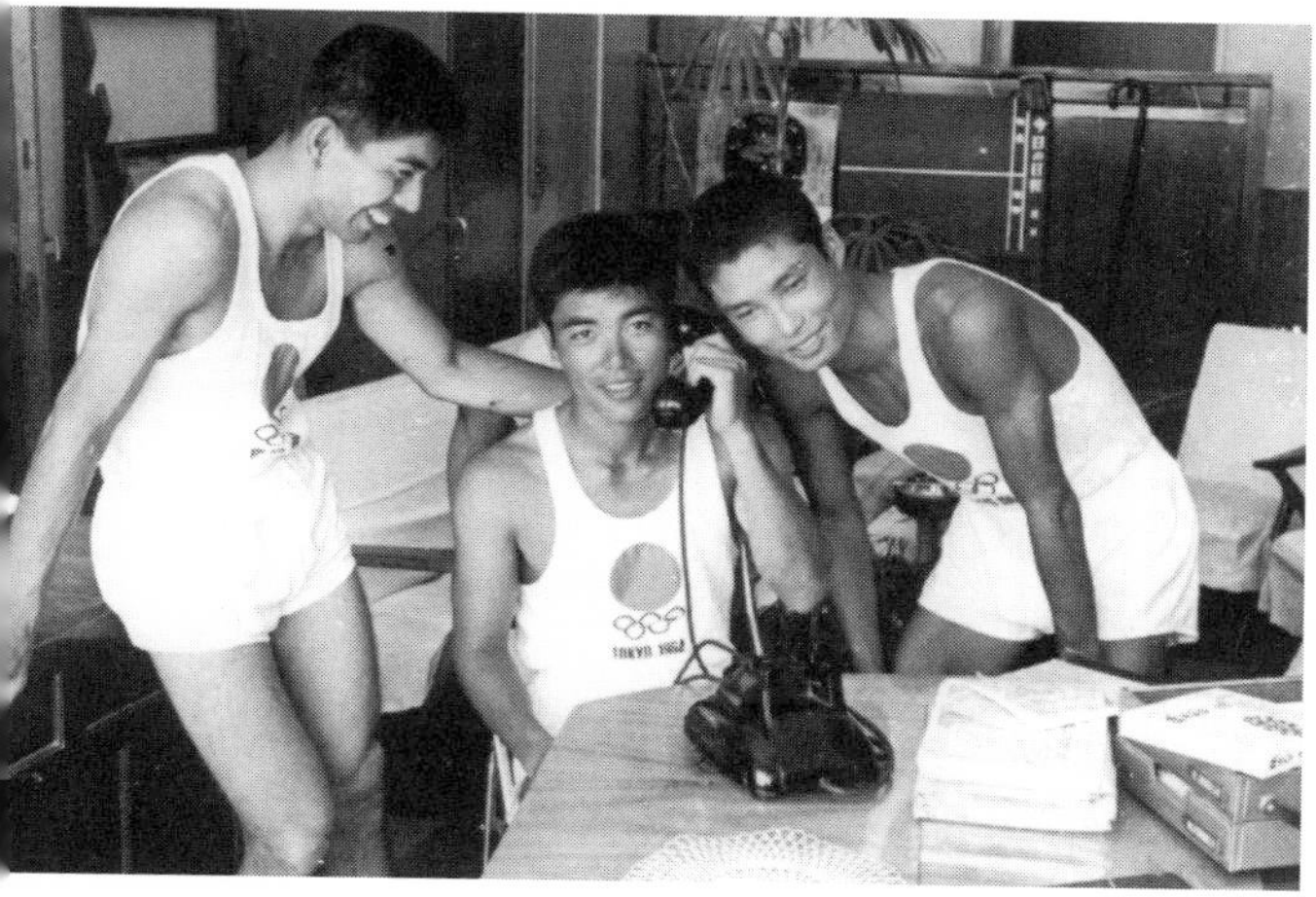

坂井義則に電話する沖縄の聖火ランナーたち

（提供：宮城勇）

1964（昭和 39）年 9 月 7 日、歓迎セレモニー会場の奥武山競技場に聖火が届けられた後で、沖縄聖火リレーの第 1 区～第 3 区のランナーが「最終」聖火ランナーの坂井義則に電話をしている場面。場所は某新聞社の一室で、その新聞社による演出の一環である。左から、上原武夫（2 区走者）、宮城勇（1 区走者）、宮城康次（3 区走者）。

黒子に徹した男たち

沖縄が熱い熱気に包まれた一九六四（昭和三九）年九月七日午後、国立競技場では開会式リハーサルが行われていた。ただし、こちらは不思議なほど熱気とは無縁。それもそのはず、自衛隊、警視庁、消防庁などから駆り出された五〇〇人による練習だったからだ。「任務」として整然と行われたリハーサルなのである。

一方、熱気に溢れていたはずの沖縄では、そんな気分に冷水を浴びせる出来事が起きていた。午後五時頃、コザ市センター区の街頭でのこと。市当局が掲げた日の丸六本を三人の米兵が引き降ろし、サオを折ったり旗を破り捨てたりと乱暴狼藉。聖火イベントには米軍も協力して盛り上げたのに台無しである。

翌九月八日午前七時には、奥武山競技場から沖縄聖火リレー二日目がスタート。そして午前一〇時には、そこから一五〇〇キロ以上北東に位置する東京の羽田空港でも賑やかにイベントが催されていた。ＹＳ-11「聖火」号の出発を祝した壮行会である。岡崎嘉平太全日空社長、栗本義彦国内聖火空輸団団長らが挨拶。国内空輸団と全日空側乗務員ら総勢二一人の一行は胸にそろいの五輪マークをつけ、その上に全日空スチュワーデスたちから安全祈願の黄色い菊の花を付けてもらって機上の人となった。そこにあの板倉洋子（P128参照）も参加していたのはご承知の通り。東京消防庁のブラスバンド演奏と羽田小学校の学童ら、送迎デッキの数多くの群衆に見送られて、「聖火」号は午前一〇時二〇分に羽田空港を出発した。

ところがそれから間もなくの午前一〇時五五分頃、厚木基地を離陸直後の米軍戦闘機F-8Cクルセイダーが、神奈川県大和市に墜落。鉄工所はじめ建物一〇棟を損壊して、死亡者五名、負傷者四名という大惨事を引き起こしてしまう。コザ市の不良米兵どころではない、あまりに惨く、取り返しのつかない失態だった。

一日明けて、九月九日の早朝。六時四〇分にアメリカ空軍軍楽隊演奏のマーチのなか、那覇空港にあの中島茂の手で聖火が運ばれて来た。昨日午後四時半に到着していたＹＳ-11にその聖火を積み込んで、午前六時五八分

羽田出発前の聖火フライト関係者たち

（提供：白木洋子）

1964（昭和39）年9月8日、羽田空港にて撮影。左から、日航製パイロット長谷川栄三、全日空・運航部長の松前未曽雄、日航製社長の荘田泰蔵、全日空パイロットの飯塚増治郎、ひとり置いて全日空パイロットの藤村楠彦、スチュワーデスの丸邦子、同・板倉洋子。実際にはもうひとりのパイロット、日航製の沼口正彦もこのフライトに参加していたはずだが、なぜか写っていない。

YS-11機内での「第4のパイロット」沼口正彦

（提供：沼口正彦）

聖火フライト「幻の第4のパイロット」である沼口正彦は、1964（昭和39）年9月9日当日は「聖火」号機内でいざという時のためにスタンバイしていた。座席上の収納棚に花束が置いてあることから、フライト当日の撮影であることが確認できる。
なお、『社報　全日空』1964年9月号No.64には沼口の乗務に関する言及があり、「但し、沼田（注・沼口の誤記）操縦士は国内空輸にのみ従事」と記述されている。

についに国内聖火空輪がスタートする。だが、沖縄の熱気はすべて島内リレーに行ってしまったのか、九月九日付読売新聞夕刊によれば「二日前の熱狂的歓迎にひきかえ、さびしい歓送風景だった」ようだ。

そんなＹＳ－11の国内聖火空輪が静かに始まった朝、こちらは高知県高知市。高知城そばの県庁前に建てられた聖火歓迎塔が、前夜のうちにひどく破壊されていた。九月九日付高知新聞夕刊によれば、約一メートル四方の根元の三面が押し破られ、剥ぎ取られたベニヤ板の破片も散らばっているという念の入れようである。聖火を歓迎する者も反対する者も、徐々に熱気の度合いを増して来たようだ。

良くも悪くもそんな熱気のおかげなのか、午前八時三九分にＹＳ－11が「本土」最初の聖火到着地、鹿児島空港に到着すると、聖火歓迎セレモニーが盛大に行われた。リレーの第一コースとなるここ鹿児島で、やっと聖火フライトに「お祭り気分」が出てきた。そんな賑やかな人だかりの中に……西ドイツからクルマでやって来た、エーリッヒ・ディーツとヘルムート・ビューラーのふたりが紛れ込んでいると誰が知っていただろう。

「私たちは日本の南端、鹿児島にも行きました。インスブルック後では、聖火の日本到着が私たちの旅における次のマイルストーンでしたね」とビューラーは当時を振り返る。彼らは東京に着いた後、オリンピックが始まるまで日本各地を点々としたようである。「東京はそこらじゅうオリンピックのリングと旗が飾られていました。みんな大会開催に非常に興奮していましたよ。特に若い人たちはね」

それからまもなく鹿児島を出発したＹＳ－11の客室では、報道陣を相手に板倉洋子たちスチュワーデスが奮闘中。そんな客室内に、パイロットの制服に身を包んだ男が座っていた。ＹＳ－11を作った日本航空機製造のパイロット、沼口正彦である。「私たちは客室にいました。聖火台が真ん中へんで、前の方の椅子にオリンピック関係や全日空の人とかが乗っていたと思うんですけどね。私たちは後ろの方の席に乗ってたんですよ」

例えば一九六四年九月六日付毎日新聞などでは、「この三人のサムライ」と題してＹＳ－11聖火フライト担当のパイロット三人を紹介している。それは全日空の飯塚増治郎と藤村楠彦、日航製の長谷川栄三の三人だ。他の新聞や資料を見ても、出て来るのは大概この三人である。だが、実はパイロットはもうひとりいた。

「コックピットはほとんど入りませんでした。全日空さんのパイロットがメインでやられていますからね」と沼口は語る。「何かあったらお手伝いしますって、後ろの方でスタンバイって感じでいたのでね」

それにしても、沼口は羽田での出発セレモニーにすら顔を出していない。メディアにも出ていない。もうひとりの日航製パイロット長谷川は顔も名前も出しているのに……である。

「あんまりそのへんの記憶が定かではないんです（笑）」と沼口は笑う。「なるべく私たちはオモテに出ないようにですね、全日空さんの担当ってことになってるから。控えめにしとかないとですね」

やがて午前九時五五分、「聖火」号は第二コース起点の宮崎空港に到着。こちらも盛大な歓迎である。

だが、そんな賑やかさの一方で、YS-11機内で静かに聖火に寄り添う男たちもいた。先ほどの日航製パイロット沼口だけではない。国外聖火リレー担当の中島茂と森谷和雄のふたりも、責任感でついてきたのだ。ただ、中島たちも完全に後方に下がっていた。彼らも沼口同様、あくまで国内では黒子に徹していたのである。

やがて「聖火」号は、給油などのために名古屋に立ち寄る。そして、最終目的地の札幌・千歳空港へ。ところが、千歳をめざす日本海側の航路に前線があったのがいけなかった。札幌到着時刻の関係で悪気流でもそこを行かねばならなかったが、YS-11は揺れに揺れまくることになる。

「結構揺れたですよ。前線を突っ切る時には揺れました」と沼口は語る。「私は気分が悪くなったということはないんですけれど、用のない人はみんな椅子で寝たような格好でいましたよ。我慢していたかどうか知らないですけどね。弱い人はみんなもう、さすがに椅子の中にしゃがみ込んで」

その時には、飛行機には慣れているスチュワーデスの板倉洋子さえダウンするほどだった。

「前日からの緊張と寝不足で私も気分が悪くなりました」と板倉。「何とか一通りの客室業務をこなしましたが、我慢できなくなり後部席で毛布をかぶって三〇分ほどダウンしてしまいましたね」

「私たちは後ろに控えてましたが、乗ってたデスさん（注：スチュワーデスのこと）たちが気分悪くなって」と沼口は笑いながら語る。「まぁデスさん用の席よりも普通の座席の方が座りいいっていうか大きいですからね。だからそっちの方に座って、もう苦しいの我慢してるっていう状況だったですね」

そんな悪天候も、津軽海峡上空に差し掛かる頃には回復。室蘭上空付近では、航空自衛隊のF-86Dが翼を振りながらエスコートしてくれた。板倉は当時を振り返ってこう語る。「私はさっきまで気分が悪かったことも忘れて、夢中でエスコート機の写真を撮っていました」

こうして午後三時五五分、「聖火」号は第三・四コースの起点・札幌千歳空港に到着した。YS-11による聖火空輸は、こうして無事に終わったのである。聖火フライト「第四のパイロット」の沼口も、終始客室にスタンバイしたままで終わったという。「特別分からんことができたとかいうこともなかったし。だから、（全日空のパイロットさんのことを）あぁベテランだなぁと思いながら乗ってました」

そんな興奮のほとぼりも冷めた午後七時過ぎ、池田勇人首相が夫人に付き添われて、東京・築地の国立がんセンターに入院する。前年秋の総選挙で傷めたノドが悪化したということで、病名はあくまで「慢性喉頭炎」。ただ、一応がんの診察もするということでの入院だったのだが……。

そして午後七時四〇分、宮崎空港に降ろした第二コースの聖火が、宮崎県平和台に到着。第二コース起点式典が開かれた。ところが、一九六四年九月一〇日付読売新聞によれば、約五〇〇〇平方メートルの平和台の広場に約五万人（県警本部推定）が詰めかけ、観衆八人が人波に押しつぶされて軽傷を負う大混乱となってしまう。だが、これは全国各地で巻き起こる聖火パニックの、ほんの前兆に過ぎなかったのである。

鹿児島空港での聖火歓迎セレモニー

（提供：和久光男／協力：和久淑子）

1964（昭和 39）年 9 月 9 日、鹿児島空港での記念式典の様子。聖火トーチを掲げているのは、本土第 1 走者・鹿児島高校体育助手の高橋律子。このセレモニーには国外聖火リレーから引き続き中島茂と森谷和雄も参加していたが、YS-11 にはその他にも報道係の菅野伸也、記録映画キャメラマンの松井公一も同乗していた。また、セレモニーの群衆のどこかには、西ドイツからやって来たエーリッヒ・ディーツとヘルムート・ビューラーも紛れ込んでいたようである。

鎌倉でのディーツとビューラー

(Courtesy of Helmuth and Fabian Buller)

1964（昭和 39）年 8 月後半に横浜に辿り着いたエーリッヒ・ディーツとヘルムート・ビューラーは、それから東京大会が始まるまでの間、鎌倉や日光など日本各地を訪れていたようである。1964（昭和 39）年 9 月 9 日に鹿児島空港でのセレモニーを目撃したのは、その最中のことであった。写真は鎌倉訪問の際に撮影されたもので、左からビューラー、日本で知り合った友人（？）、ディーツ。

2. 各自東京をめざせ

村祭りの日

一九六四（昭和三九）年九月一四日午前九時過ぎ、鹿児島県庁前に賑やかな人だかりができる。聖火リレーのセレモニーではない。聖火の県庁前からの出発は九月一〇日で、すでに終わっている。この日の県庁前には、コンパクトなファミリーカー二台とトラック一台が停まっていた。

毎日新聞社とダイハツ工業による聖火コース走破隊（P80参照）、その国内コースの出発式である。彼らがインドのカルカッタ（現・コルカタ）で国外コースを終えたのは、去る七月三一日のこと（P114参照）。それからほぼひと月半を空けて、いよいよ東京に向けて国内コースをスタートさせるのだ。その出発は、同日午前九時四五分のことであった。

同じ頃、国外聖火リレーから戻った記録映画キャメラマンの松井公一は、国立競技場に入り浸っていた。帰国した彼に、とんだ難題が降って湧いていたのである。

「アテネに行ってる間に、欠席裁判で『最終』ランナーの担当になってたんです」と松井は語る。「松井公一の『公』から『ハム』と言われてたんだけど（笑）、七人の中で誰もやらないんだったら『ハム』にやらせようと。聖火の担当だったから、お前が応援しろということで」

国外聖火リレーから帰国したら、「聖火」ついでに国立競技場の聖火台点火の撮影も担当することに決まっていたというのだ。しかも問題だったのは、そのショットに二〇〇〇ミリの望遠レンズを使用しなくてはならない点だった。前述『映画技術』一九六五年一月号の座談会で、松井自身がこう語っている。「そのころ日本ではあまり二〇〇〇ミリというのを持っているところはないし、まして一五〇〇だって、東映ニュースさんに一本あるかどうかというようなことですから」

この望遠レンズ、筒の長さも半端でなく長い。焦点距離二〇〇〇ミリだから二メートル。あまりに筒が長いので、風が吹いても画面が揺れる。おまけに超望遠だから、ちょっとした振動でも画面がブレるのだ。

「(近くで人が)歩いてもブレる。東宝にジャイロ三脚があると聞いて、これを使いました」と松井は語る。

「(キャメラは)聖火台の反対側正面、ダッグアウトという低いところに据えた。でも、風がどっちに吹くか分からない。ワンカット勝負ですよ」

当たり前の話だが、聖火台の点火は一回だけだから絶対に失敗できない。そこに不慣れで扱いづらい二〇〇〇ミリの超望遠レンズである。だから、腕に自信があった松井でも入念な準備と練習が必要だった。

「日本に帰ってきてから、練習に一か月かかった」と松井は当時の苦労を語る。「応援の日大の学生一〇人くらい階段上がらせてね、そういう練習を毎日やった。何で東京に帰ってきてこんな苦労をしなくちゃいけないのかと思ってましたよ(笑)」

そんな九月一四日の夕刻、第三・第四コースの聖火は北海道をリレー中。その日、聖火は茅部郡森町で一夜を明かすことになっていた。町で用意した聖火台に聖火を移し、婦人会のみなさんが踊る五輪音頭で町民みんなやんやの大騒ぎ。これは、全国いずこも同様の風景である。ところが、そこからがいけない。

燃えていたはずの聖火台の炎が、騒いでいるうちに見えなくなっていた。気づいた人物が慌てて聖火台を覗いてみると、かろうじてチロチロと残り火が見えるではないか。ホッと一息である。だが、下手をすれば第三・第四コースの聖火はここで立ち消えていた。一九六四年九月一八日付朝日新聞夕刊では、道の役員が「油の量が少ないからだ。高いものでもあるまいし」と怒っていたとのオチをつけていたが……。

翌九月一五日午前九時半、東京・桜田門にある警視庁の五階。このフロアに「オリンピック最高警備本部」が設置され、本部員約一〇〇人が集まり開設式が行われた。本番間近の緊張感がいやが上にも高まる。

一方、同日午前一〇時一五分頃、ここは長崎県東彼杵郡東彼杵町樋口、国道三四号線の彼杵川橋で、通行人の列に小型トラックが突っ込み、五人が死亡、三人が重軽傷という事故が起きた。彼ら八人は第一コースの聖火を見物するため、国道二〇五号線・国道三四号線の三叉路中継点に向う途中だった。その聖火はそれから一時間余り後、午前一一時二七分にその中継点を通過したのだった。

再び舞台は東京に移って、午前一一時三五分。代々木に作られたオリンピック選手村の開村式である。式典は村内の「東京広場」で始まり、陸上自衛隊中央音楽隊が演奏するオリンピック・マーチに続き、高らかにファンファーレが鳴り響いた。その広場を取り巻く一〇一本のポールには、五輪旗、日章旗、参加国の国旗などが掲げられている。そんな様子を、選手村の「村長」に任命された小松藤吉は感慨深げに見守っていた。

小松は東京大会がここまで漕ぎ着けたことへの感慨とは別に、もうひとつ別の感慨も抱いていた。それは、遥か四半世紀以上前の思い出に結びつく……。

戦前の一九四〇（昭和一五）年、本来なら東京はその年にオリンピックを迎えるはずだった。その実現のために、一九三六（昭和一一）年三月にはＩＯＣ会長のバイエ＝ラトゥールを日本に招待。接待と熱い説得で口説きまくり、何とか東京への招致を成功させたのだ。その時の東京市長の名は牛塚虎太郎（P28参照）。そして当時、牛塚の秘書を務めていたのがこの小松藤吉であった。小松はオリンピック東京招致のために奔走する牛塚の姿を、いちばん間近に見ていた。だからこそ、それが二年後の一九三八（昭和一三）年七月に挫折してしまった

記録映画「東京オリンピック」撮影終わる

オリンピックは閉幕したが、記録映画「東京オリンピック」はまだフィルムを編集するという大仕事が残っている。すでに撮影ずみのフィルムは実に十二万二百㍍、上映時間にして約七十時間。これを四千百㍍、二時間半にまとめるのだが、このフィルムのなかには、どんな苦心と成果が秘められているか、市川崑総監督の話を聞きながら探ってみよう。

ダッグアウトから撮影する様子

（1964〈昭和 39〉年 10 月 31 日付『毎日新聞』夕刊より／提供：国立国会図書館）

市川崑監督の映画『東京オリンピック』の撮影が完了したことを報じる記事。記事に掲載されている写真は、国立競技場のダッグアウトから撮影する様子。キャメラマンの松井公一も、開会式当日にこのようなかたちで 2000 ミリの超望遠レンズで聖火台を狙っていた。この写真は、依田郁子らが走る 80 メートル障害を撮影しているところである。

夕刊読売新聞

秋空に世界の旗の輪

高鳴るファンファーレ

代々木の森に色の祭典

入村第一

選手村開村を報じる新聞記事

（1964〈昭和 39〉年 9 月 15 日付『読売新聞』夕刊より／提供：国立国会図書館）

1964（昭和 39）年 9 月 15 日午後 11 時 30 分頃、東京・代々木で選手村本村が開村。その開村セレモニーが行われた。同時に、多摩御陵（現・武蔵陵墓地）そばの自転車競技選手のための八王子分村、神奈川県大磯町のヨット競技選手のための大磯選手村分村、さらに相模湖カヌー分村でもほぼ同時の同日午前 11 時半に開村式が行われた。写真上は代々木の選手村本村での開村式の様子。写真下は「入村第一号」ハンガリーの女子役員ユディツ・コホニッツによる手続きの様子である。

無念を、忘れることができなかった。まして牛塚本人は、どんなにか悔しかったであろうか……。

小松は今回の東京大会開催が具体化するにつれて、牛塚を何とか招待できないかと考えるようになる。しかし、運命は無情であった。牛塚はこの時点でも存命ながら、もはやほとんど目が見えない。体も弱っていて、牛塚が住んでいる富山市から東京へ招くことも難しい。これには思案に暮れる小松であったが……。

一方、開村で賑わう代々木選手村に、見覚えのある白いマイクロバスがやって来る。もうお察しのことだろう。西ドイツから来たエーリッヒ・ディーツとヘルムート・ビューラーのふたりを乗せた、コテコテ塗装のフォルクスワーゲン・マイクロバスだ。ここでふたりは朝日新聞の取材を受け、その記事は一九六四年九月一六日の紙面に掲載されている。ついでに語ると、このマイクロバスは毎日新聞社のカメラマンにも撮影され、写真は『毎日グラフ』一九六四年一〇月四日号に掲載された。ただし、毎日のカメラマンはこのクルマが何だったのかは分かっていなかったようである。

「連絡をとっていたドイツのアスリートたちがいたので、選手村を訪れたんです」とビューラーは語る。「そこで、再び日本のメディアからインタビューを受けました」

彼らが選手村を訪れたのは、単にアスリートたちと会いたかったから……だけではない。「ドイツの代表団が開会式のチケットを二枚くれてね。我々は到着前にお金を払ってチケットを買ったことなんてないから」と笑って語るビューラー。そのあたりが、万事チャッカリとした「彼ら流」である。

そんな同日の正午前後のこと、高知県の中央部、伊野町（現・いの町）で聖火リレー第二コースの真っ最中。ところが、路面電車・土電（現・とさでん）の伊野終点付近でトーチに異変が起きる。白煙がなぜか消えてしまい、火勢もわずかになってしまったのだ。聖火隊は当惑して立ち止まり、随行のクルマから予備トーチを持って来て再点火。何とか事なきを得たものの、関係者はまたまた冷や汗をかいたはずである。

五輪選手村

村長に小松藤吉氏

小松藤吉氏

東京オリンピック組織委員会が、かねて選考中だった選手村の村長、副村長人事はようやく具体化し、村長には組織委選手村運営本部長小松藤吉氏、副村長には同副本部長船口国夫氏とオリンピック時に自衛隊選手村支援群長として参加する第十三普通科連隊長、広谷次夫一佐が就任する見通しである。女子村の責任者には只開顕(きたか・はる)組織委嘱参事が当てられるもよう。

選手村運営本部は八月一日、旧赤坂離宮から代々木選手村内に移転、あと一月半に迫った開村までラスト・スパートをかけて設営準備にかかるが、開村後もひきつづき同じ首脳部、同じスタッフで村の運営が行なわれるわけである。ただ村長、副村長の呼称は、場合によってはいまの本部長、副本部長がそのまま使われることもある。

またIOCはじめ各国NOC委員や役員、選手団を儀礼的にもてなす大会儀典長を設ける構想があり、これには国際文化振興会理事長、日本ユネスコ国内委員、鈴木

選手村「村長」の小松藤吉

（1964〈昭和 39〉年 7 月 29 日付『毎日新聞』より／提供：国立国会図書館）

組織委員会による選手村の村長人事を報じる記事。「村長」となった小松藤吉の正式な肩書きは、「組織委員会選手村運営本部長」であった。同年 8 月 1 日より選手村運営本部は旧・赤坂離宮（現・迎賓館赤坂離宮）より代々木選手村本村に移転し、本格的な準備に入った。なお、奇しくも小松は、1940（昭和 15）年に開催される予定だった戦前の「幻」の東京大会開催準備の際、東京市長・牛塚虎太郎の秘書を務めていた。

朝刊　昭和39年9月16日　水曜日　12版

ドイツから珍客二人

陸路、マイクロバスで来日

五輪見物に八カ月の旅

富士山の絵と、五輪のマーク、そして「オリンピアード、TOKYO」――真白な車体にところせましと文字や絵を描きつけたマイクロバスが十五日、開村したばかりの代々木選手村に姿を現わした。車のぬしは、ドイツのブレーメルハーフェンからやってきたエーリッヒ・ディーツさん(六三)と、ヘルムート・ビュラー君(三〇)。「東京のオリンピックを見たい」という二十八年来の夢をはたすため、八カ月ものバス旅行のはてにやっと東京にたどりついた熱狂的な見物さんだ。＝写真は代々木の選手村に着いたヘルムート・ビュラー君(車の中)とエーリッヒ・ディーツさん(その右)

戦前からの夢果す

ディーツさんの話によると、ベルリンで第十一回大会が開かれたのは二十四歳のとき。ラジオで実況を聞きながら「四年後の東京大会はぜひこの目で見よう」と決心した。一生懸命貯金をはじめたところが不幸なことに、第二次大戦が起って東京大会は中止となった。

そんなわけだから一九五九年、ミュンヘンで開かれたIOC総会で東京大会が決ると、ディーツさんはとびあがって喜んだ。また貯

選手村を訪れたディーツとビューラーを報じる新聞記事

（1964〈昭和 39〉年 9 月 16 日付『朝日新聞』より／提供：国立国会図書館）

代々木の選手村本村が開村した 1964（昭和 39）年 9 月 15 日に、エーリッヒ・ディーツとヘルムート・ビューラーを乗せたマイクロバスが姿を見せた。その際にふたりが受けた取材を基にした記事である。これが事前に段取りのついていた取材だったのか、あるいはその場でたまたま朝日の記者に捕まっての取材だったのかは不明。

高みから望む景色

一九六四（昭和三九）年九月一六日午前一一時四〇分頃、聖火第二コースは高知県香美郡夜須町の高知県立公園住吉海岸にやって来た。そこで昼食のため一時間休憩をとることになり、聖火を聖火台に移した時に事件は起きた。聖火台の爆発である。すぐに火勢は収まったものの、大音響とともに黒煙と炎が舞い上がった。聖火台の重油に水が混じっていたのが原因ではないかということだったが……。

同じ日の午後四時半、あのエーリッヒ・ディーツとヘルムート・ビューラーも訪れた東京都庁の都知事室に、ドイツからまた別の客人が姿を見せる。都知事の東龍太郎を訪ねて来た人物は当時五四歳の紳士で、その名をウエルナー・クリンゲベルクという。この人物は、戦前一九四〇（昭和一五）年の「幻」の東京大会と深い関わりがある。一九三六（昭和一一）年のベルリン大会で組織委員会事務総長カール・ディームの片腕として活躍し、「幻」の東京大会開催に向けた指導を行う「顧問」として招かれた。その当時はまだ二〇代の甘いマスクの青年だったが、それが渋いいぶし銀の紳士となって東京に帰って来たのだ。

……といいたいところだが、都庁を訪れたクリンゲベルクを撮影した写真などはない。東都知事による『好日好時』や『知事日程第二期』に、この男の名前が認められるだけだ。もちろん、クリンゲベルクが都庁を訪問したのは、東京大会組織委員会より「特別招待者」として招かれていたから。「幻」の東京大会の「功労者」としての招待である。だが、実はクリンゲベルクという人物、元々がいわくつきの人物だった。あの「ヒトラーの愛人」ともウワサされた、映画監督で女優のレニ・リーフェンシュタールと親しい「お仲間」だったのだ。そんな素性のせいなのか、完全に存在感を消してひっそりと現れたクリンゲベルクであった……。

九月一七日には、浜松町～羽田空港間を結ぶ東京モノレールが営業開始。また、この日は聖火が国内リレーで初めて海を渡ることになった。津軽海峡を渡って北海道から青森へと向う青函連絡船「津軽丸」の船上で、北海

日本に招待された「功労者」クリンゲベルク

（『報告書 第十二回オリンピック東京大會』〈第十二回オリンピック東京大會組織委員会〉より）

1940（昭和15）年に開催を予定された「幻」の東京大会で、技術顧問を務めたウェルナー・クリンゲベルク（Werner Klingeberg）は、ハルトマン、クノーラーのふたりの秘書とともに日本に着任した。元々は、1932（昭和7）年のロサンゼルス大会でカール・ディームの指揮するドイツ選手団を補佐していた人物である。ナチ党大会を描いた『意志の勝利』（1935）やベルリン五輪を記録した『オリンピア』（1938）などの映画を監督したレニ・リーフェンシュタールと共に渡米するなど、甘いマスクとは裏腹の「もうひとつの顔」を持っていた。

(3) 3版 昭和39年(1964年) 9月17日 (木曜日) 毎日新聞 (夕刊)

聖火 津軽海峡を渡る

南は博多と室戸岬

盛んな見送りの中を聖火をのせて函館を離れる津軽丸

北海道コース 津軽丸での聖火引渡式 北海道最終走者小沼君(左)から青森第一走者小山内君(右)のトーチに点火される

津軽海峡を渡る聖火

（1964〈昭和39〉年9月17日付『毎日新聞』夕刊より／提供：国立国会図書館）

1964（昭和39）年9月17日、国内聖火リレー第3・第4コースで、北海道から青森へと向う青函連絡船「津軽丸」に聖火が乗せられた。記事の写真左は、函館港を離れていく「津軽丸」。右は「津軽丸」船上で行われた聖火引き渡しの様子で、左の北海道最終走者から右の青森県第一走者へとトーチが点火された。

道最終走者から青森第一走者へとトーチが点火されたのである。

翌九月一八日の午前九時、国際バレーボール連盟アジア地区競技委員の今鷹昇一氏あてに一本の電報が届く。北朝鮮バレーボール協会から一七日付発信で、東京大会に参加するという電報だった。日本バレーボール協会では一四日、国際バレーボール連盟は一五日に、北朝鮮に対して東京大会参加の問い合わせ電報を打っていたが、ようやくそれに対する返答が来たという訳だ。実は、これには理由があった。

国際陸上競技連盟と国際水泳連盟は、例のＧＡＮＥＦＯ（新興国競技大会・P46参照）に参加した選手に資格停止処分を下す厳しい態度をとっていた。これは東京大会とて例外ではない。一方、北朝鮮オリンピック委員会は「問題が解決されない時は東京大会に選手団を出さない」と声明を出していたので、ＧＡＮＥＦＯ出場者以外の選手も出さない可能性があった。東京大会の関係者は、そんな最悪の事態を恐れていたのだ。

そのまた翌日の九月一九日朝、青森県庁前でのこと。北海道から運ばれて来た聖火が「分火」され、第三のコースとして秋田県めざしてスタート。第四コースは岩手県めざして走り出した。

九月一九日午前中からは、国立競技場でまたまた開会式リハーサル。この午前の部は「音楽部門」。陸海自衛隊の合同音楽隊約四五〇人、国立・武蔵野・芸大の三大学合唱団約三〇〇人から、新宿区立牛込仲之小学校の鼓隊三一人までが登場する圧巻のリハーサルであった。そして午後一時より行われたのが「総合練習」。それも、参加国旗が掲揚され、入場式、ファンファーレ、合唱……などなどすべて本番通り。ないのは観客と祝砲、ハト、風船だけ……という本格的なものである。……ならば、「聖火」も登場したはず。

実はこの日、あの坂井義則の「控え」となった落合三泰が、聖火を持って登場したようなのである。

「あれは開会式のリハーサルでしたよ。バンドが入ったり、グラウンドにかなり人がいたと思う」と落合は当時を思い出しながら語る。「何日だったかは記憶に無い。階段がまだ出来ていなくて、スタンドの階段を上がっ

すれ違う聖火 第3コース誕生

○…聖火リレーは十九日、青森市から新しく第三コースが誕生して四つのコースが勢ぞろいした。国内初の分火地となった青森県庁前は、早朝から群衆数千がひしめきあった。

○…午前八時半、安全灯から聖火台に移された聖火は、竹内青森県知事の手でトーチに点火、岡本青森県教育長、神青森市教育長の手で二つのトーチに分火、それぞれ第四コースの工藤隆夫（青森高三年）第三コースの中村治郎（青森高三年）両君に手渡された。

両コースのリレー団は県庁前の国道七号線（三コース）同四号線（四コース）の接続点に約十メートル余距離をおいて向かい合い、午前九時竹内知事の号砲で約五十メートルを対面しながら進むという"すれ違いスタート"を切った。

○…第三コースは、沖谷平野を横切り、午後一時十五分弘前城の大手門、弘前市営球場に到着した。先月三日には、遠祖の霊前にご報告のため華子さんがこられたばかり、おめでたつづきに弘前市

青森県庁前を出発する聖火、手前三コース、向こう側四コース

聖火第３・第４コースの分離

（1964〈昭和 39〉年９月 19 日付『読売新聞』夕刊より／提供：国立国会図書館）

1964（昭和 39）年９月９日に札幌千歳空港へと運ばれた聖火は、９月 19 日午前９時頃に青森県庁前でふたつに「分火」され、日本海側を行く第３コースと太平洋側を行く第４コースに分かれた。記事の写真は青森県庁前の様子で、手前側が第３コース、向こう側が第４コースとすれ違ってのスタートの様子である。

開閉会式 初の総合練習

プラカード先頭に、大合唱

東京オリンピック開、閉会式の第一回総合練習が、十九日午後一時から国立競技場で行なわれた。これまでも各部門別の練習は何度も続けられたが、参加国旗が掲揚され、プラカードを先頭に入場式、ファンファーレ、電子音楽、大合唱など、この日はプログラムどおりに進められ、本番と違うのはガラガラのスタンドと祝砲、ハト、風船が"出場"しないだけだ。

組織委式典本部長らの指揮でリハーサルは秒刻みに進められた。午後一時、支援の自衛隊員、小学生鼓笛隊が競技場に集まり、同一時五十分、自衛隊中央音楽隊の高らかなファンファーレが大スタンドにこだますると、スタンドのまわりのポールに参加九十八ヵ国の国旗が自衛隊員の手で一斉に掲げられた。

これまではばらばらに練習を積んできた芸大、国立音大、武蔵野音大、N響の計三百五十人の大合唱団のオリンピック賛歌もぴったり息が合って、スタンドに流れた。

なお、十月三日には六万五千人の観衆を集め、最終的なリハーサルが行なわれるが、そのさいの入場整理券は無料とすることが同日の会議で決まり、その配布方法は今後検討することになった。

スタンドはガラガラだがグラウンドでは本番そのままの開会式総合リハーサル（国立競技場で）

初の開会式「総合練習」

（1964〈昭和 39〉年９月 20 日付『毎日新聞』より／提供：国立国会図書館）

1964（昭和 39）年９月 19 日、国立競技場で午前・午後と連続して開会式リハーサルが行われた。午前の部が音楽関連のみのリハーサル。午後の部が「総合練習」で、観客はいないもののほとんど本番さながらの練習が行われた。この時に「控え」だった落合三泰が「最終」ランナーを務めて聖火台まで駆け上がったようだが、新聞各紙はなぜかそのことにまったく触れていない。

ていった記憶があるんですよ」

落合は「最終」ランナーのリハーサルをした記憶はあるが、それが何日だったかは覚えていない。だが、「お客さんは入れていないけど、関係者の練習は入っていた」との証言からも、九月一九日と考えられる。

「トーチに火をつけて上がりましたが、点火はしていないですよ。聖火台に点火の真似をしただけですね」と落合は語る。「当日、坂井さんは聖火台の左にいますね。私は右側に上がっているんですよ」

この件については二〇二〇（令和二）年一月二六日放送のＮＨＫテレビ『サンデースポーツ』でも取り上げられており、落合が「最終」ランナーを務めた理由は「坂井の不在により」と説明されていたようである。実際にどのような理由があったかは不明だが、落合によるリハーサルの必要は考慮されていたはずである。

「上までいくと、けっこうキツかったですね。聖火台の後ろに回るときに、一呼吸入れて表に出るという感じでした」と落合は語る。「当時の都庁の方角が見えたと思うんだけど、あまり高い建物は無かったような記憶がある。田舎から出てきてまだ一年目で、東京がどんな街かよく分かりませんでしたがね」

その夜のことである。当時の富士フイルム社長である小林節太郎が、ギリシャに国際電話をかけていた。電話の相手はアレカ・カッツエリ、あの採火式で主巫女を務めた女優である（P148参照）。

小林は、東京大会や組織委員会と関係があった訳ではない。そんな小林が、なぜカッツエリに連絡をとったのか。日本経済新聞社の『私の履歴書　経済人16』に収録されている小林節太郎の項が、そのあたりの事情について触れている。「カッツエリ夫人（原文ママ）は昭和十一年のベルリン大会（当時十二歳）以来ずっと巫女をつとめていたが、聞くところによるとまだ一度もオリンピックを見たことがないという。採火式の取材をした共同通信の方が、私に呼んであげてほしい、と話を持ちかけた。それならよかろうと私は招待状を送った」

小林が電話に出たカッツエリ本人に来日の意向を聞いたところ、「ぜひ行かせてもらいたい」という返事。これで、小林の招待によるカッツエリ来日の話が決まった。

縁もゆかりもない人物を「それならよかろう」と日本に招待するとは驚くべき話である。組織委員会とは無関係な、自腹での招待である。「地位の高い人間は社会的な義務と責任を果たさねばならぬ」という、「ノブレス・オブリージュ」的精神を持つ経済人がまだ存在した時代だったということなのだろうか。

そんな夜の午後九時半頃、東京港でちょっとした騒ぎが持ち上がる。

ここからは、一九六四年九月二〇日の朝日新聞と読売新聞の記事を参考に書き進める。本来ならば、静まり返った夜の東京港。ところがその沖合三〇〇メートル、同港内三～四番ブイ付近に停泊中の貨物船から、突如救助信号の汽笛が断続的に鳴らされた。この信号を、水上署臨港派出所がキャッチ。間もなく港内の東洋信号所からも、水上署に「船から逃げ出した者が三人いる」と警備艇の派遣を要請してきた。先の汽笛も、偶然その貨物船に乗り込んでいた東京税関員が、機転を利かせて鳴らしたものだった。水上署は警備艇「はるみ」など四艇を繰り出し、警視庁には隣接各署のパトカーの出動を要請。かくして水陸両方で非常線が張られ、夜の東京港に時ならぬ大捕物が始まった。

すると、ターゲットはすぐに網にかかってきた。午後一〇時半頃、現場に駆けつける途中の「はるみ」が、芝浦岸壁付近を泳いでいるひとりの人物を発見。次いで残りのふたりも見つけて救出した。

この三人は、問題のイギリス貨物船「バロン・キナード」号（八〇六七トン）から逃げ出したオーストラリア人ふたりと英国人船員ひとり。オーストラリア人ふたりは密航者で、すでに見つかって船長の監督下に置かれていた。ところが同船が九月一三日に東京港に入港してから、例の英国人船員と「日本に上陸してオリンピックを見よう」と意気投合。翌朝の出発を前にした慌ただしさの隙を突いて、海中に飛び込んだという。

これもまた、東京大会が招き寄せた混乱というべきなのだろうか。

左手は不浄なるもの

一九六四（昭和三九）年九月二一日午後五時五五分、羽田に到着したガルーダ・インドネシア航空の旅客機に乗って、東京大会に出場するインドネシア選手団の第一陣が来日した。彼らを迎える記者団の質問は一点に集中。例のＧＡＮＥＦＯ（P46, P212参照）問題である。今回やって来たのはバスケットボールのチームで、彼らは全員ＧＡＮＥＦＯ参加組だったのだ。しかし、問題解決の糸口はいまだ見えていなかった。

翌九月二二日の正午、オリンピック参加国の国旗がはためく東京・明治公園の絵画館前に、多くの観衆が集まった。つい先日の九月一四日に鹿児島からスタートした、毎日新聞社とダイハツ工業の聖火コース走破隊（P80, P204参照）のゴールがここなのだ。聖火国内リレー第一コースをいつの間にか抜かし、ひと足先に東京へゴールインという訳である。

「まだ、地方によって道路には差がありました。東海道も全て舗装されていませんでしたよ」と走破隊隊員・ダイハツ工業技術部実験課の岩本勝次は、『オールドタイマー』No.175・二〇二〇年一二月号で語っている。まだ先進国以前の列島を駆け抜け、走破隊も東京大会の前景気を大いに盛り上げたのである。

一方、国内聖火リレーも各地で順調に日程を消化していたが、問題は九月二五日の第二コースで起きた。台風二〇号の接近により、兵庫県庁前から大阪府庁までの間は走者によるリレーではなく自動車輸送に切り替わったのだ。ところが皮肉なことに、台風が荒れ狂った二四日夜とは一転して二五日当日は天候が回復。それでも今さら予定は変えられない。予定されたランナーたちは、結局、走ることが出来なかった。

その代わり……という訳で、少々風変わりなイベントが大阪で行われた。午後六時から大阪・北区扇町の大阪プールで「聖火の夕べ」が催されたのだ。兵庫県境から府庁までを走るはずだった七チームのうち五チームへの救済措置として、プールサイドで聖火リレーが行われたのである。ちなみに一〇月一日には、兵庫県西宮市のラ

最終ゴールに到着した聖火コース走破隊

(『〈ベルリーナ〉〈ハイライン〉によるオリンピア→東京聖火コース18,000キロ走破ニュース』昭和39年9月28日発行〈ダイハツ工業株式会社宣伝課〉より／提供：ダイハツ工業株式会社)

1964（昭和39）年9月22日正午、聖火コース走破隊は最終目的地である東京・明治公園の絵画館前に到着した。去る9月14日に鹿児島県庁前を出発して国内コースのスタートを切った走破隊は、21日夕方には東京に到着。22日には市内パレードを行ってゴールインを果たした。この後、走破隊の車両は9月25日から10月9日まで東京・晴海で開かれる「第11回東京モーターショー」に展示されることになる。

大阪プールにおける聖火リレー代替イベント

(提供：朝日新聞社)

1964（昭和39）年9月22日正午、大阪市北区扇町の大阪プールで「聖火の夕べ」が開催された。台風のために走れなかった聖火ランナーたちの救済イベントで、ライトを消したプールサイドで聖火リレーを実施。最後は、飛込み台（写真左端）の上に設置された聖火台に点火された。このイベントの趣向は、国外聖火リレー途中の1964（昭和39）年8月24日、レバノンのベイルートにて行われた歓迎セレモニーと酷似（P159参照）。レバノンのセレモニーを知っている組織委員会の人間が、大阪側に提案したアイディアだったのかもしれない。

ンナーたちのために同市陸上競技場にて「模擬聖火リレー」を実施。さらに一〇月二五日には、同日開催された兵庫県尼崎市での国際親善柔道大会に合わせて、同市役所屋上で採火された聖火を尼崎市のランナーたちがリレー。走れなかったランナーたちの思いを酌んで、いくつかの代替イベントが催された。

聖火が大阪府入りした翌日の九月二六日午前中、聖火第三コースは秋田県の雄勝町院内字八丁から同県県境までの道のりを進んでいた。その数百キロの区間を走る伴走者の中に、後に総理大臣となる菅義偉の姿があったことを知る人は少ない。当時は本人も周囲も、その後の成り行きを予想してはいなかっただろう。

同じ日の午前一一時五五分、羽田空港はとてつもない爆音に包まれていた。当時はジェット機もプロペラ機も今日のそれとは比べ物にならないほど騒々しかったが、それらを凌駕するほどの音量だから尋常ではない。ソ連が誇る当時世界最大の旅客機ツポレフＴｕ-１１４が、初めて日本にやって来たのだ。

「Ｔｕ-１１４が飛ぶ時はすぐに分かりました」と、当時、日本航空第一運航管理課長だった吉田仟が、二〇〇九（平成二一）年の取材で語っている。「あれは元々軍用機で、とにかく物凄い爆音でしたからね」

吉田はＴｕ-１１４のコックピットに乗り込んだ経験があったが、それによるとコックピットのドアにはまるで軍艦のハッチ・ドアのようなハンドルが付いていたという。とにかくゴツい機体であった。しかも、やたらに機体の位置が高い。既製のタラップでは届かないのだ。仕方なく、日本航空の特別タラップに機内から小型タラップを継ぎ足して、何とか人の上り下りを可能にする始末である。

その巨大機から降りて来たのは、ソ連選手団の第二陣一六二人（第一陣は役員と選手数人が二三日に来日）。乗って来た飛行機ともども、他を圧する迫力である。ちなみにこのＴｕ-１１４と乗務員の世話をして奔走したのが、聖火空輸派遣団で高島文雄団長の「秘書」を務めていた熊田周之助（P130参照）。熊田は帰国後に本業の日本航空に戻り、日本航空東京空港支店・次長室に設置されたオリンピック・ハンドリング・センター（ＯＨＣ）

Soviet giant Tu114 visited Tokyo
羽田へ世界一巨人機
65

羽田に飛来した巨人機ツポレフ Tu-114

（『月刊航空情報』1964 年 11 月号〈酣燈社〉より／提供：航空図書館）

1964（昭和 39）年 9 月 26 日、羽田空港に当時のソ連が世界に誇った巨人機のツポレフ Tu-114 が到着。変わった飛行機にも慣れっこの航空ファンも、この威容に度肝を抜かれた。まず特徴的なのは、エンジン 1 基あたり 8 枚もあるブレード（プロペラ）。4 枚のブレードが二重に取り付けられており、何と 4 枚と 4 枚が逆回転するという二重反転プロペラ構造である。エンジンは 1 基 12000 馬力といわれるクズネツォフ NK12M エンジン。この後、1967（昭和 42）年よりソ連アエロフロートと日本航空の間で始まった日ソ共同運行便でも使用された。なお、この日到着した一番機は、4 時間後にシベリアへと飛び去って行った。

オリンピック・ハンドリング・センターでの熊田周之助

（提供：熊田美喜／協力：阿部美織、阿部芳伸、阿部哲也）

聖火空輸派遣団で高島文雄団長の秘書を務めていた熊田は、帰国後の 1964（昭和 39）年 9 月中旬よりオリンピック・ハンドリング・センター（OHC）に召集された。当時、選手団の特別チャーター機用の臨時スポットとして、JAL ジェットハンガーを使用。OHC ではこれら特別便のスケジュールの作成や到着後の機長との料金契約、さらにはクルーのホテルの予約等までを協力していた。写真はソ連アエロフロートの機長と熊田。写っているのが Tu-114 の機長であることから、撮影は 1964（昭和 39）年 9 月 26 日と思われる。

のメンバーに抜擢。羽田に飛来する選手団用の各国チャーター機を捌く毎日だった。

さらに、同日九月二六日の羽田空港に午後八時の日航機で降り立ったのが、ＩＯＣのブランデージ会長である。実は、九月二三日夜のカリフォルニア州サンタバーバラの大火災で自邸が全焼。五輪関連の記念品や東洋美術品も一切灰になっていた。そのため来日が遅れていたブランデージは虫の居所が悪かった訳でもないだろうが、空港での記者会見ではキッパリと断言した。「ＧＡＮＥＦＯ問題に対するＩＯＣの態度は変わらない」

まったく妥協の余地がない発言。あまりに取りつく島もないコメントに、元から見通しが悪かったＧＡＮＥＦＯ絡みの問題は、いきなりお先真っ暗となった観があった。

そのまた翌日九月二七日の午後二時四五分、国立競技場。開閉会式の第二回練習が始まる。この日も九月一九日（P212参照）と同じく「総合練習」で、しかも今回は祝砲やハト、風船もある本格的なもの。当然、ここに「最終」ランナーが出て来ない訳がない。坂井義則の登場である。坂井は一度聖火台の横に立ったが、それはタイミングの関係でやり直しに。次に聖火台の横に立った時は、いよいよ点火をすることになった。初点火である。ところが、これがいけなかった。

一九六四年一〇月一一日付読売新聞のコラム『ローカルＢＯＸ』によれば、リハーサルでは国立競技場の風向きの問題もあり、坂井は左手で聖火台に点火していた。ところが、これに東南アジアの某国からまさかのクレームがついた。それらの国では、右手は神聖、左手は不浄のものとされているらしいのだ。致し方ないこと、誰が悪い訳でもないこととはいえ、それでなくても息苦しさを感じていた坂井の胸中たるや……。

そしていよいよ九月も終わりの三〇日、第二コースの聖火は夕方の三重県庁に到着。午後五時三〇分、ランナーが高さ約一・二メートル、直径七〇センチの聖火台に点火した瞬間……火皿が大爆発。台の下まで炎が広がっただけでなく、周囲の芝生まで燃え始める始末だ。果たして一〇日後に控える「本番」やいかに。

坂井君 聖火台に初点火
開閉会式のリハーサル

オリンピック東京大会の開、閉会式の第二回予行演習が二十七日午後、東京千駄ケ谷の国立競技場で行なわれた。本番は午後一時四十五分、天皇陛下のご出席で開会されるが、この日は一時間ずらせて午後二時四十五分から開始。参加国旗の一斉掲揚、君が代演奏、四十五分間におよぶ九十七ヵ国選手

坂井義則が聖火台に初点火

（1964〈昭和39〉年9月28日付『毎日新聞』より／提供：国立国会図書館）

1964（昭和39）年9月27日に国立競技場で開かれた第2回の開会式「総合練習」にて、坂井義則が聖火台に初点火した。彼の「控え」だった落合三泰は9月19日の練習（P212参照）で聖火台の右側（競技場内から見て）に立ったようだが、坂井は風向きの関係から左側に立った。1回目は時間の遅れから点火に至らず、2回目で点火。その際は左手でトーチを差し出したが、これが後に物議を醸すことになる。

三重県庁前で聖火台爆発

（提供：朝日新聞社）

1964（昭和39）年9月30日夕方、第2コースの聖火が三重県津市の三重県庁前に到着した。ところが、設けられた聖火台に同日の最終ランナーが点火したとたん爆発。火皿から飛び出した火が芝生で燃え出し、こぼれた火が下の台まで燃え移った。ただしケガ人はなく、火も警備員が消火。聖火到着式のセレモニーも予定通りそのまま続けられた。

ネパールの聖火リレー

東京大会の国外聖火リレーは、アテネ～沖縄の間で12都市を回る壮大なもの。だが、実はこの他にもう1都市回っていたことは、意外に知られていない。本書に掲載した毎日新聞の地図（P155参照）には珍しく表示してあるが、大概はなかったことにされている聖火通過都市、それがネパールのカトマンズだ。

実はカトマンズ空港の滑走路が短いことから正式な国外リレー・コースからは漏れてしまったが、ネパール側の熱意が半端ではなかった。ネパールのオリンピック委員会が出来たばかりで、東京大会が初出場ということも大きかっただろう。

1964（昭和39）年8月29日にネパールの王室専用機をインドのニューデリーまで派遣し、「分火」した聖火を受け取るという荒技である。カトマンズでのリレーを終えた聖火は、翌日8月30日に再び王室専用機でインドのカルカッタ（現・コルカタ）まで運んで返還。そんな彼らの熱意はホンモノだった。

ネパール代表団への聖火受け渡し
（提供：熊田美喜／協力：阿部美織、阿部芳伸、阿部哲也）
ニューデリーの空港ビル内貴賓室における聖火受け渡しの様子。

ネパール王室専用機の出発風景
（提供：朝日新聞社）
ニューデリーのパラム空港から聖火を持参して出発するネパールの王室専用機ダグラスDC-3。

第6章

1964年10月1日〜9日 北の国から

「最終」ランナーと主巫女
(Courtesy of Nora and Louka Katseli)
国立競技場に設けられた聖火台の横に立つ、「最終」聖火ランナーの坂井義則と採火式の主巫女に扮したアレカ・カッツエリ。このふたりの聖火台横でのツーショットは1964(昭和39)年10月3日の開会式リハーサル時に実現しているので、この写真もその時のものと思われる。

1. 荒波を越えて

何から何まで本番さながら

一九六四（昭和三九）年一〇月一日午前五時四五分、東京駅の八重洲口寄り一九番ホーム西側に東京都知事の東龍太郎ら来賓を迎えて、盛大な式典がスタートした。東海道新幹線の開業記念セレモニーである。午前五時五九分に発車ベルが鳴り響き、先頭車の前に張られた紅白のテープに国鉄総裁の石田禮助がハサミを入れて、定刻の午前六時に始発の「ひかり一号」が発車した。日本も、そして東京も変わろうとしていた。

その日午後一時頃、新潟県新発田市大手町の国道に舞台は移る。同市内では第三コースの聖火リレー見たさに沿道にかなりの見物人が集まっていた。その人波の中にいた、五四歳の婦人に連れられた二歳の孫が、通りの向かい側に祖父の姿を見つけたのがいけなかった。孫は道路に飛び出し、それを止めようと追いかけた婦人が小型三輪にはねられて重体。孫はかすり傷程度だったようだが、何とも不運な事故だった。

さらに午後二時一五分頃、栃木県宇都宮市の県庁前広場は第四コースの聖火を迎える歓迎式典で、黒山の人だかりである。その式典を見ていた惣社町の二三歳ＯＬに、どこからともなく魔の手が忍び寄る。彼女の持つハンドバッグから、化粧品バッグが手慣れたワザで抜き取られたのだ。だが、それもつかの間。化粧品バッグを掴んだ男は、たちまち県警捜査一課のふたりの刑事に現行犯逮捕された。捕まったのは前科二犯の三五歳。調べたところ二個のガマ口と現金七〇〇〇円余が出てきたため、さらに余罪があるものと思われた。県警のスリ捜査専従班が聖火歓迎セレモニーの人ごみが危ないと睨み、じっと張り込んでのお手柄であった。

午後四時八分には、第三コースの聖火が歓迎セレモニー開催中の新潟県営陸上競技場に到着。同年六月六日に開催された新潟国体（P74参照）のために競技場に設置された、火焔土器型の聖火台に点火された。つい三時間前には、同じ新潟県内で交通事故を招いた聖火だが、ここでは同年六月一六日に発生した新潟地震（P84参照）からの復興の証として赤々と燃え盛ったのである。

その翌日一〇月二日の朝、舞台は新潟市から日本海を越えて一一〇〇キロ以上離れた北朝鮮の首都・平壌へ移る。同市のメインストリートである栄光通りの起点、屋根の上に建つ巨大な時計塔が目に付く平壌駅に、数万人の人だかりがあった。人だかりの先頭には、朝鮮労働党の副委員長である金昌満《キム・チョンマン》と李孝淳《リー・ヒョスン》をはじめとする政府高官、体育、出版報道関係の幹部ら、いかめしい肩書きがつく面々がズラリと顔を揃えるものものしさ。この朝、東京大会に出場する北朝鮮選手団の第一陣が、ここ平壌駅から出発しようとしていたのだ。

その一行は、北朝鮮オリンピック委員会の金宗恒《キム・ジョンハン》（注：「金鐘恒」との表記もあり）副委員長を団長とする選手、役員、報道関係者など一四五人。だが、何といっても注目の的は、北朝鮮が誇る「世界最速の女」……「千里馬」との異名をとる女子陸上選手の辛金丹であった。東京大会に出場すれば、確実に金メダルをザクザク獲得できる「金の卵」だからである。彼らには、文字通り「国の威信」がかかっていた。

一行は四方から投げられた紙テープの雨と熱狂的な見送りの中、午前一〇時一五分（日本時間午前一〇時四五分）に列車で同駅を出発。だがその時、辛金丹は東京で何が待ち受けているのかをまだ知らなかった。

一方、韓国のソウルでは、辛金丹の生き別れた父・辛文濬が東京大会開催をいまや遅しと待っていた。

一九六四年一〇月九日付読売新聞夕刊によれば、同年八月に東京オリンピック在日韓国人後援会の李裕天会長が韓国に帰国した際、辛文濬は漢陽大学校体育大学の李敦秀助教授を通じて「東京での父娘再会」を訴えたのだ。

この時代、辛文濬が東京に向かうのは容易なことではなかった。経済的な理由だけではない。つい二か月余り前まで敷かれていた戒厳令も、元はといえば日韓国交正常化に向けた交渉に端を発していた（P104参照）。当時はまだ、韓国から日本へ自由に渡航できる状況ではなかったのである。それゆえ、在日韓国人後援会の助力が必要だった。そんな辛文濬の努力が功を奏して、ついに渡航の目処が立ったのであった。

同日一〇月二日の昼頃のこと、第四コースの聖火が栃木県小山市稲葉郷の両毛線踏み切りを渡り、次の中継所まであと一五〇メートル……というところで、トーチの火が徐々に弱まるではないか。慌てて本部車が走り寄って副走者のトーチに点火し、主走者のトーチと交換。間一髪で聖火が途絶えることは阻止できた。

同日午後四時、こちらは東京の代々木選手村。村内の東京広場で日本やイタリアなど八か国選手団による第三回入村式が行われたが、そこでちょっとしたトラブル発生。この日は東西ドイツ合同による統一ドイツ・チームも入村式に臨んだのだが、何と旗なしプラカードのみの参加となったのだ。統一ドイツは黒・黄・赤の三色に五輪マークの入った統一ドイツ旗を使うことになっていたのだが、この日の旗手を東西どちらで務めるのかが決まらず、相談を受けた村長の小松藤吉も困惑。結局、統一ドイツのみ旗なしの異例の入村式となった。お互いギクシャクしたムードを隠そうともしない、何とも困った「統一」ぶりである。

さらに午後四時四〇分頃、場所はぐっと西へ向かって名古屋市である。名古屋城内の愛知県体育館に第二コースの聖火が到達。だが、同体育館前で膨れ上がった人出はざっと三万人（愛知県警調べ）。ランナーたちが整列し終わった頃に後方にいた人々がカメラを持って前に進み始め、あっという間に将棋倒し。押しつぶされたお年寄りや子どもにケガ人も出る騒ぎとなった。おそらく、国内聖火リレー最大のパニックであろう。

そして夜一〇時の羽田空港、聖火採火式で主巫女に扮したギリシャ女優アレカ・カッツエリが、エールフランス機で到着。念願かなっての来日に、終始ノリノリの様子であった。

朝鮮選手団が出発
辛選手ら第一陣

平壌二日発の朝鮮中央通信によると、オリンピック東京大会に参加する朝鮮民主主義人民共和国選手団の第一陣は二日午前十時十五分、平壌を出発した。朝鮮民主主義人民共和国オリンピック委員会副委員長金宗恒（キム・ジョンハン）氏を団長とする一行は、陸上、球技、体操、ボクシング、柔道など各競技にわたる選手、役員、報道関係者など百四十五人。

この日、平壌駅頭には、朝鮮労働党金昌満（キム・チャンマン）、李孝淳（リー・ヒョスン）両副委員長、朝鮮オリンピック委員会洪命熹（ホン・ミョンヒ）委員長をはじめ社会団体の幹部、体育、出版報道部門の幹部をふくめ数万人の市内勤労者、青年学生がつめかけた。辛金丹選手ら選手団一行は駅頭で熱狂的な見送りをうけた。

五日朝新潟入港

【新潟】三日午後新潟市富士運輸船舶代理店に東京オリンピック参加朝鮮選手団から「われわれオリンピック代表団はソ連船（新潟着）ヤクーチャ号で五日朝、新潟入港の予定である」との連絡があった。

福祉会館で第二回世話人会（県下主要十八団体）を開き、朝鮮

い、準備にとりかかっている。すでに新潟港と新潟駅前には歓

盛大な見送りを受けて平壌を出発する辛金丹選手（中央）

辛金丹ら一行が平壌駅を出発

（1964〈昭和 39〉年 10 月 4 日付『アカハタ』より／提供：国立国会図書館）

1964（昭和 39）年 10 月 2 日発の朝鮮中央通信によると、同日午前 10 時 15 分に東京大会に出場する北朝鮮選手団の第一陣が平壌駅を出発。数万人の「市内勤労者」「青年学生」が詰めかけ、駅頭で熱狂的な見送りを受けたようである。選手団には陸上、球技、体操、ボクシング、柔道などの各競技の選手たちがいたが、中でも圧倒的に注目を集めたのが、「世界最速の女」辛金丹であったことはいうまでもない。記事に掲載されている写真でも、選手団の「代表格」として写っている。

No. 1

韓居中総民発第397号
1963年 10月 4日

外務大臣
大平正芳 殿

東京オリンピックに際し離散同胞招請に対する協助方要請之件。

首題之件に関し、

来年秋 東京に於て 世界五輪大會が 開催されることは わが國は もとより 亜細亜友邦諸國に とっても まことに よろこばしい ことと 存じます。

韓日両國は 古来より 文化、経済を 通じ、又地理的にも もっとも 至近な 關係に ありながら いまだ 國交が 正常化されず 従って 両國民の 往来も 両國家間に 於て 大きな 制限下に あるような 現状に あります。特に 60萬という 韓國僑胞が 居住している 日本に於て オリンピックが 開催されると いうことは 吾々 在日韓國人に とって いろいろな 面で 意義が 大きく 本團 としては この際 下記 實施要領により 本國内に いる 同胞を 招請したいと 思いますので これが 實施に 当っては いろいろな 難点が あることと 思われますが 貴下の 大局的 見地に たった 政治的 配慮と 御協助を 頂きたく 御願い 致します。

記

(1) 招請目的

前述の如く 韓日両國は 地理的には 隣り合せで あり 所謂 一衣帯水の 間柄に ありながら 戦後 18年を 経過した 今日でも 両國の 國交が 正常化されて おらず、このた

在日本大韓民国居留民団中央総本部

韓国からの離散家族招請に関する要請

（提供：外務省外交史料館）

在日本大韓民国居留民団中央総本部より外務大臣の大平正芳に宛てて、韓国から離散家族招請の許可を要請する 1963（昭和 38）年 10 月 4 日付の書状である。当時はまだ日韓両国間の行き来が自由ではなかったため、両国に分かれた親族や家族を「離散家族」と表現している。

翌一〇月三日午前一〇時前、東京都千代田区の赤坂プリンスホテル内ロイヤルホールで、IOCとNOC（各国オリンピック委員会）の合同会議が開かれた。この会議は四日から始まるIOC理事会の前哨戦というべきもの。案の定、ブランデージ会長が開会を告げると、間髪入れずにソ連のロマノフ委員がGANEFO問題について発言。インドネシアと北朝鮮の一部選手がこの問題で閉め出されていることに物言いをつけた。だが、ブランデージ会長は「オリンピック精神を守れ」と一歩も退かない。のっけからこの応酬である。

午後一時には日本武道館の開館式が行われる。これで三六か所に及ぶ東京大会の施設はすべて完成。

午後三時からは、国立競技場で開会式リハーサルである。引き続いて閉会式の練習も行うため、本番より一時間遅らせてのスタート。約七万の一般観衆を入れて、何から何まで本番さながら。……となれば、また「最終」ランナー坂井義則の出番。だが、この日の出番は彼だけではなかったらしい。一九六四年一〇月四日付読売新聞には、「午後三時二十九分、皇居前を出発、六人のランナーに引きつがれ、二十分後には最終ランナー坂井君が会場を一周、聖火台をかけ上がった」と書かれているのだ。これを見る限り、他の「最終日」ランナーも召集されたようである。だが、当のランナーたちはこれをまったく覚えていない。ちなみに、この日は競技場にアレカ・カッツエリも主巫女の扮装で現れ、坂井とツーショットを撮るなど上機嫌だった。

さらに、「本番さながら」は聖火だけではなかった。この日、ブルーインパルスの五輪も披露されたのである。ただし、航空自衛隊第一航空団発行の冊子『青い衝撃』では、「ブルーインパルスも飛行するが、五輪マークは失敗する」と非常に素っ気なくただ一行だけ。実際に飛行した藤縄忠二尉に至っては、この日のことはまったく覚えていない。だがその藤縄も、本番以前はうまくいかなかったことだけは記憶している。

「何とかしようという気持ちだったですよ、本番ではね」と藤縄は語る。「そりゃ責任重大ですよ、世界で初めての仕事ですから。プレッシャーもありましたけど、できませんとは言えませんものね我々は（笑）」

アレカ・カッツエリと小林節太郎

（社内報『ぜろっくすらいふ』1977年11月発行〈富士ゼロックス株式会社（現・富士フイルムビジネスイノベーション株式会社）〉より／提供：富士フイルムビジネスイノベーション株式会社／ Courtesy of Nora and Louka Katseli）

採火式の主巫女である女優アレカ・カッツエリと、彼女を日本に招待した当時の富士フイルム社長である小林節太郎のツーショット。カッツエリが巫女のコスチュームを身につけていることから、来日翌日の1964（昭和39）年10月3日に国立競技場で開かれた開会式リハーサルの際に撮影されたものと思われる。

開会式リハーサルにおける「五輪」展示飛行

（1964〈昭和39〉年10月4日付『朝日新聞』より／提供：国立国会図書館）

1964（昭和39）年10月3日に国立競技場で開かれた開会式リハーサルの際は、7万人もの一般観客もスタンドに入れて、「最終日」聖火リレーに至るまで本番と寸分違わず進行した。ブルーインパルスによる「五輪」展示飛行も同様である。しかし、航空自衛隊第一航空団発行の冊子『青い衝撃』では「失敗」とバッサリ酷評。我々の目から見ればそれほど悪くも見えないが、航空自衛隊側ではまだまだ不満ということだったのだろうか。

千客万来の日々

一九六四（昭和三九）年一〇月三日午後、工場地帯を抱える北朝鮮東北部有数の港町・清津《チョンジン》に歓呼の声が響き渡る。東京大会に出場する北朝鮮選手団第一陣が、ソ連船「ヤクーチャ」号に乗って日本の新潟に向けて出発するのだ。一九六四年一〇月五日付アカハタによれば、清津駅から埠頭に至る四キロの沿道が花束を持った七万人余の人々で埋まったとか。歓声と紙吹雪の中、「ヤクーチャ」号は日本へと出発した。

午後六時半、東京都港区の東京プリンスホテルでは組織委員会主催のIOC、NOC（各国オリンピック委員会）代表歓迎カクテルパーティーが開かれた。ブランデージIOC会長夫妻はじめ約九〇〇人が詰めかけ、華やかな雰囲気。一〇月四日付毎日新聞によれば、そんな中に先のIOC・NOC合同会議には欠席したインドネシア選手団のラトメータン役員もチャッカリ顔を出して、「やっぱりオリンピックはいい」と目を細めていたという。しかし、「やっぱりいい」などといっている場合だったのだろうか。

翌一〇月四日午後、インドネシアのマラディ・スポーツ相が列車で新潟に向かう。「盟友」北朝鮮の選手団を迎えるためだが、マラディはそれに先立って帝国ホテルでIOCのブランデージ会長と面会していた。当然、そこでの話題はGANEFO問題だったはずである。だが、会見後のブランデージ発言がこの時の反応を物語っている。いわく、「この問題はすでに片づいている」……。

この日の夜には、日航機で羽田空港にある「VIP」が到着した。前回開催地のローマから「五輪旗」が運ばれて来たのである。就任間もないローマ市長アメリゴ・ペトルッチが運んで来たこの旗は、次回メキシコ大会開催まで東京都が保管することになる。

そのまた翌日の一〇月五日、暗い雨雲が垂れ込める朝の新潟港に、北朝鮮選手団を乗せたソ連船「ヤクーチャ」号がやって来た。ここからは同日付朝日新聞、毎日新聞、新潟日報の夕刊、一〇月六日・七日付アカハタなどを参考にすると、同船は午前八時に新潟港沖合の検疫地に到着。検疫後、ブラスバンドの演奏の中を出迎える人々とインドネシアのマラディ・スポーツ相が待つ中央埠頭に接岸した。午前一〇時二〇分から上陸を開始。ここでも注目の的はあの辛金丹だ。午後一時半、一行は新潟駅発の急行「越路」で東京に出発する。

さて、ここで舞台は東京の新橋へと移る。国鉄（現・JR）新橋駅すぐそばに建つ第一ホテル（現・第一ホテル東京）は、古くから高級ホテルとして知られていた。元々が戦前一九四〇（昭和一五）年に開催予定された「幻」の東京大会に向けて、多数の外国人観光客を見込んで一九三八（昭和一三）年より開業したもの。東京大会の「前哨戦」ともいえる一九五八（昭和三三）年の第三回アジア競技大会の際には、男子選手村として使われた（P23参照）。そんな「東京五輪」と縁の深いホテルが、いよいよ今回「本番」を迎えた訳だ。

この日もまた、ヨーロッパから来た外国人観光客の夫婦が第一ホテルにチェックイン。その名をイエンセン夫妻というふたりは、オリンピック見物と観光を兼ねてデンマークから来日した。一〇月一一日付朝日、毎日、産経各紙を参考にすると、六六歳の夫の名前は、朝日では「スブンド・ユール・イエンセン」、毎日では「スーヘン・ユール・イエンセン」、産経では「スーエンド・ユール・イエンセン」と表記。北欧在住の日本人の方に伺ったところ、正しくは「スヴェン・ユール・イエンセン〈Svend Juul Jensen〉」ではないかとのことなので、ここでは「スヴェン」とさせていただく。夫の職業は「百貨店主」とも「貿易商」とも書かれており、妻の名前は「エステル」。ともかくこのイエンセン夫妻、開閉会式含む東京大会の入場券四〇枚を購入済みでやって来た。この後、イエンセン夫妻と第一ホテルは本書の中で少々興味深い役割を果たすことになる。

その第一ホテルから、ほぼ北に五キロ余の位置にある国鉄上野駅でのこと。午後六時五〇分、同駅一四番線ホームに北朝鮮選手団を乗せた急行「越路」が到着。ここにも歓迎の人々が到着一時間ぐらい前から詰めかけて大混雑。またまたブラスバンドに合唱、大歓声でモミクチャである。ただ、GANEFO問題が絡んで彼らは選手村には入れないため、ひとまず東京・小平市の朝鮮大学宿舎へと向かった。

一夜明けて、一〇月六日午前六時の羽田空港。KLMオランダ航空機でギリシャ選手団一行二四人が到着。その中には、聖火採火式で「第一走者」を務めたあのヨルゴス・マルセロスもいた（P148参照）。マルセロスは私家版として発行した冊子の中で、来日時のことをこう語っている。「ギリシャ代表チームのメンバーはとても誇らしげに私の名前を呼び、私を探し始めました。そして彼らは記者たちと話すように促しましたが、最初、私はそれを拒んだのです。私は三日間の旅でヒゲも剃っていなかったし、疲れ果てていましたからね」

結局、マルセロスはチームメイトと共に選手村入り。シャワーを浴びてから、ある「会見」に臨んだ。赤坂の旅館で彼を待ち受けていたのは、「最終」ランナー坂井義則。読売新聞がセットしたツーショットである。実は採火式当日に第一走者として走ったばかりのマルセロスと坂井が国際電話で対話する……という企画もあったのだが、通信状態が悪くて電話が通じずに断念。そんな訳で、この日はマルセロスと坂井が対話する二度目のチャンスであった。いってしまえば単に聖火ランナーの最初と最後……というだけの間柄のふたりだが、それでもマルセロスは坂井と対面した際、お互いに何らかの共通点を見いだしたのだろうか。自らが発行した冊子の中で、マルセロスは次のように語っている。「私は自分と同じように母国に誇りを持ち、自分に授けられた名誉にも誇りを持った人物と向き合ったのです」

実はマルセロスも坂井と同様に、余人には分からぬプレッシャーを感じていたのかもしれない。

この一〇月六日の午後三時には、東京都千代田区の日生劇場で第六二回IOC総会の開会式が開催された。だがその一方で、この日、甲州街道、山手通り、青山通りなどに飾られた二〇七〇本の五輪歓迎旗のうち一二五本がもぎ取られていたと、一〇月七日付毎日新聞は報じている。また、一〇月四日付読売新聞夕刊によると、四日〇時二〇分頃に東京都足立区千住で、同日午前一時半頃に世田谷区三軒茶屋で、同日午前一時五〇分頃に世田

毎日新聞（夕刊）　新聞定価1ヵ月

北朝鮮選手団が来日
「全種目に参加する」と団長

新潟についた北朝鮮選手団、真ん中で大きく旗を振っているのが辛金丹選手

【新潟】北朝鮮オリンピック選手団の金宗恒団長（北朝鮮オリンピック委員会副委員長、高等教育相）ら役員、選手、報道陣百四十四人は五日午前七時五十分、新潟港着のソ連船ヤクーチャ号（五、八七〇トン）で来日した。GANEFO（新興国スポーツ大会）に参加し、出場資格が問題となっている世界的女子中距離ランナー辛金丹選手をはじめ、趙元済（柔道）金安弘（同）鄭万準（マラソン）金万輿（重量あげ）選手らが含まれている。

船が港外に投びょうするとともに、東京オリンピック組織委岩田渉外部長が乗り込み「出場資格のない陸上六選手はオリンピック村に入村できない」むね通告した。

午前十時二十分、上陸を開始、朝鮮総連など約八百人が「マンセイ、マンセイ」と小旗を振るのにこたえ、選手たちは手をふりながらタラップをおりた。

記者会見で金団長は声明書を発表したのち「われわれは全種目に参加する」と語った。また辛選手は「調子は上々だ。ベストレコードは四百㍍51秒4、八百㍍1分58秒0でオリンピックでは二百、四百、八百の三種目に出場する」と語った。

中央ふ頭で歓迎式が行なわれ、塚田新潟県知事のメッセージ

◇選手団声明　われわれは陸上、レスリング、サッカー、バレー、ボクシングなど十四種目に出場するが、優秀な成績をおさめるとともにスポーツを通して親善に努める。隣国日本で行なうアジアのオリンピックに関心をもっており、日本の皆さんの歓迎に感謝する。

30件の"

日本…

北朝鮮選手団が新潟港に到着

（1964〈昭和39〉年10月5日付『毎日新聞』夕刊より／提供：国立国会図書館）

1964（昭和39）年10月5日朝、北朝鮮選手団第一陣を乗せたソ連船「ヤクーチャ」号が新潟港に入港。記事の写真中央で旗を振っているのが辛金丹選手である。「ヤクーチャ（ЯКУТИЯ）」号は1913（大正2）年に帝政ロシア向けにイギリスで建造された5878トンの貨客船。第一次大戦で一度沈んだが、ソ連で再利用されていた。この年の9月まで日本から北朝鮮への帰還船に使われていたが、今回は帰還船用の赤十字は塗りつぶされ薄い緑色に塗り替えられている。なお、この日は歓迎の人々が続々と詰めかけたため、新潟県警と新潟港署は警察官230人を動員して警備にあたった。

"聖火の手"ガッチリ

◇…マルセロス選手㊧と"トーチ"をにぎりあって語る坂井君（赤坂の旅館で）…◇

"根性"を説く大先輩
互いに健闘を祈る

坂井君　マルセロス君

聖火はいよいよ、きょう七日、東京入りする。四十八日前、ギリシャのオリンピアからスタートしたときの第一走者ゲオルギオス・マルセロス選手は六日朝来日、その第一声は"坂井君に会いたい"という言葉だったが、その坂井義則君も同じ気持ちで、この朝東京・赤坂の旅館で待ちうけていた。緑濃い代々木の森が見える一角で、ギリシャのトップ・ランナーと、四日後の開会式に聖火台へ"平和の火"をともすアンカーは堅い握手をかわした。

この朝、羽田空港から代々木の選手村にはいったマルセロス選手は、ワイシャツにセーターという軽装に着がえ、坂井君の待つ旅館にむかった。

その坂井君も、いいあわせたようにワイシャツ、セーター姿。握手、笑顔、そして坂井君がマルセロス選手の目の前に、聖火をかかげる自分のトーチ・ホルダーをいきなりさし出すと"オー、ぼくも、オリンピアで使ったトーチとホルダーを大切に家にもっているよ。一生の記念だからね」。

「これは坂井君へのおみやげ」こんどはマルセロス選手が、包みをさし出す。ギリシャふうのマスコット人形と、ミニチュア・ウイスキー一本。「ウイスキーはあなたのおとうさんの分」。そして肩を抱きながら「最終ランナーに選ばれて、どんな気持ち？」「走る前からたいへんな感激です。競技

聖火第一走者と最終走者のツーショット

（1964〈昭和39〉年10月7日付『読売新聞』より／提供：国立国会図書館）

オリンピアの採火式で最初に聖火を運んだヨルゴス・マルセロスと、開会式当日に聖火台を点火する坂井義則のツーショットが東京で実現。マルセロスは1964（昭和39）年10月6日朝に東京着。これは午前6時10分着のKLM-861便と思われる。選手村入りしたマルセロスは、すぐに坂井のもとへ駆けつけた。母国語の他に英語も話すマルセロスは、坂井に対して「根性で覚えろ」と檄を飛ばしたようである。

谷区代沢町で、同日午前三時半頃には世田谷区世田谷で、東京大会のための万国旗をちぎった事件が連発。一〇月五日付毎日新聞夕刊には、一〇月五日の午前三時頃、東京都杉並区の西荻窪商店街で男が電柱の五輪祝賀の日の丸を抜き取ったという記事も出ていた。誰もが東京大会を歓迎していた訳ではなかったのだ。

そんな同日一〇月六日のこと。時間は定かでないが、北朝鮮選手団が滞在することになった東京・小平市の朝鮮大学宿舎にひとりの新聞記者がやって来る。この記者がやって来た事情を説明するには、少々話をさかのぼらねばならない。ここからの話は『在日本大韓体育会史』によるが、例の「世界最速の女」辛金丹の父親・辛文濬が東京オリンピック在日韓国人後援会の李裕天会長とコンタクトをとった後（P225参照）、同後援会では東京大会組織委員会事務局長の与謝野秀らに父子再会についての協力を要請していたのだ。『在日本大韓体育会史』では、組織委員会が北朝鮮選手団の宿舎である朝鮮大学校に電話を入れた……云々とあるので、おそらくそれは一〇月五日夜以降のことだろう。しかし、辛金丹の父親の件を伝えても、選手団の広報担当者は「辛金丹選手に父親はいない」と一方的に電話を切ってしまう。これでは再会などとても無理か。だが、オリンピック取材にあたっていた朝日新聞の記者がこれを聞きつけたことから事態は動いた。同後援会側の意向を受けて、この記者が辛金丹単独会見のために朝鮮大学校まで出向くことになったのである。

こうして辛金丹と面会した記者は、父親の写真を差し出した。すると写真を凝視した辛金丹は、黙ってそれを胸元にしまい込むではないか。これで、父親の存在を伝えることはできた。だが、再会はどうする。

翌一〇月七日の午前九時四〇分ごろ、千葉県船橋市の京葉有料道路で軽自動車と大型トラックが衝突。軽自動車に乗っていた四人のうちふたりは即死、ふたりは重体という悲惨な事故となった。この軽自動車の一行は、第四コースの聖火リレー見物に行く途中だった。日本列島を駆け抜けて来た四つの聖火は、いずれもゴールの東京都庁間近まで近づいて来ていたのだ。

そんな同日午前九時四〇分から、日本生命日比谷ビル内国際会議室においてＩＯＣ総会の二日目が行われる。五六人の代表が集まったこの総会では、議題に先立って会長・副会長選挙の開票が行なわれた。結果は、エイブリー・ブランデージの会長三選決定。それもそのはず、会長候補者はブランデージただひとりだった。

正午からは、東京・日比谷公園の野外音楽堂で、北朝鮮選手団を迎えての在日朝鮮人による歓迎中央大会が開かれた。会場を埋め尽くした参加者は、何と約一万五〇〇〇人。選手団が演壇に姿を現すと、総立ちになって北朝鮮国旗や造花を振り、壇上に向かって五色の紙テープを投げるという熱狂ぶりだ。

さらに午後一時過ぎ、ここは東京都千代田区の東京都庁（注：旧庁舎）である。この日はあいにくの空模様だったが、都庁第一庁舎前の歩道には午前一一時過ぎに早くも見物人が並び始めた。正午にはこれが黒山の人だかり。警官約二〇〇人が出動して警備にあたったが、大混雑で身動きもできない。

そんな午後一時一六分、観衆から歓声がわき起こった。第三コースの聖火が都庁にやって来たのだ。警視庁音楽隊のファンファーレが鳴り響き、都庁二階バルコニーに特設された聖火台の前で、トーチはランナーから千代田区実行委員会会長で千代田区長の遠山景光、都実行委員会会長の出口林次郎に渡され、聖火台に点火された。ＩＯＣ総会から駆けつけて来た都知事の東龍太郎も感謝の言葉を述べたが、歓声にかき消されて聞き取れない。

それから間もなくの午後一時半、今度は第四コースの聖火も都庁に到着した。聖火台の火は聖火灯に移され、聖火灯は第一庁舎知事特別応接室に安置。都の聖火リレー実行委員ら五人が不寝番をつづけて聖火を見守ることになった。この日、聖火見たさに沿道を埋めた都民の数は約九五万七〇〇〇人（警視庁調べ）。都民も他の地域と変わらず、聖火で大興奮したことは間違いない。

さらに、午後二時の国立競技場に舞台は移る。いよいよ開会式の最終練習である。そして、この日も「最終」ランナー坂井義則が登場する。坂井は「七日のリハーサルまでは何か不安だった」とコメントしているようなので、彼もこの七日のリハーサルで何かコツを掴んだのかもしれない。この日は先にも述べたように雨模様の曇り空だったようだが、参加各国の旗手たちも登場して一際賑やかさが増した。なお、一九六四年一〇月一〇日付毎日新聞によれば、なぜか北朝鮮はこのリハーサルに招待されなかったようだ。北朝鮮側は同日夜に組織委員会に抗議を申し入れ、組織委員会側は連絡不備の手落ちを認めたという。

午後六時には、東京赤坂のホテル・オークラで北朝鮮選手団の歓迎会が開かれる。インドネシア、ソ連など一七か国の選手団も参加しての盛大な催しだったが、これらの国々も多くはGANEFO参加組。だが、ソ連などはこの事態を見越して有力選手はGANEFOに出さなかった。だからGANEFO出場選手さえ抜きにすれば、東京大会にも遠慮なく出場できる。いわゆる「そこはそれ」の「大人の対応」ということか。結局、インドネシアと北朝鮮だけがマトモにペナルティをくらうカタチになってしまった。この歓迎会では「大人の対応」組も一緒に「制裁撤回」を求めて怪気炎を上げたようだが……。

ちょうどその歓迎会と同じ午後六時、東京小平市の朝鮮大学校では、メディアを集めて辛金丹の記者会見が行われた。むしろメディア的にはこちらの方が注目されたかもしれない。辛金丹はホテル・オークラでの歓迎会には出席しなかったのだ。北朝鮮選手団の副団長と共に会見に臨み、白いチョゴリに身を包んだ辛金丹らの主張は、やはり「制裁は不当」という一点のみ。こちらも一ミリも譲らない。

だが、状況はそんな主張とは真逆に進んでいた。この日、国際水泳連盟は東京代々木の総合体育館事務所で理事会を開き、改めてこの年の八月に行われたGANEFO水上大会参加者に一二か月、そして一九六三(昭和三八)年の第一回GANEFOに続いて水上大会にも参加した者には一八か月の資格停止処分を下した。国際陸上競技連盟も、GANEFO参加選手への制裁を緩める気配はない。IOCもいわずもがなである。どう強弁しようとも、これが東京大会開会式三日前……一〇月七日夜の段階での現実であった。

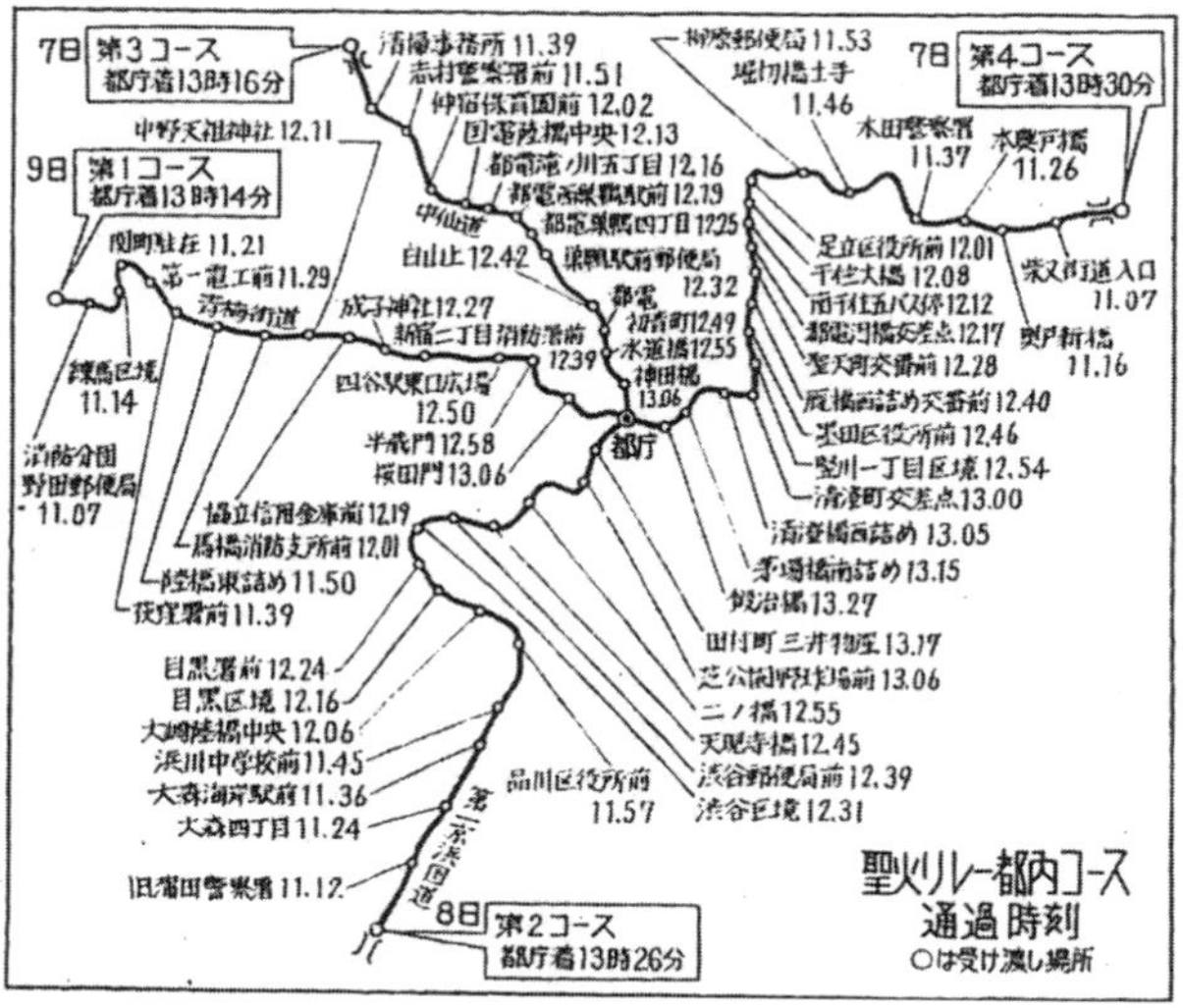

聖火の東京都内通過予定図

（1964〈昭和 39〉年 10 月 7 日付『毎日新聞』より／提供：国立国会図書館）

4 つのコースに分かれて日本列島を運ばれて来た聖火が、いよいよ東京都庁めざしてゴールインする。その都内における通過予定を示した図である。10月 7 日付『毎日新聞』によると、4 コースに警官 1 万 5115 人を配置し、混雑によるケガ人や交通事故が起きないように万全の体制をとるとのことであった。だが、東京都広報が第 2 コースの通過箇所の「渋谷橋郵便局」を「渋谷郵便局」と間違えて発表した（この図も間違えている）ことから、10 月 8 日にちょっとした騒ぎが巻き起こる。

毎日新聞（夕刊）（日刊） 昭和39年(1964年) 10月7

聖火、東京に着く

二万四千キロの長旅

第三、四コース ご苦労さん、歓呼の拍手

採火以来48日目で

都庁に到着した聖火（第三コース）

第 3 コースの聖火が東京都庁に到達

（1964〈昭和 39〉年 10 月 7 日付『毎日新聞』夕刊より／提供：国立国会図書館）

1964（昭和 39）年 10 月 7 日午後 1 時過ぎ、東京都庁第一本庁舎前に第 3 コースの聖火が一番乗りする。8 月 21 日のオリンピアでの採火以来、実に 48 日目のことであった。間もなく第 4 コースの聖火も到着し、都庁に集まった人々の熱狂も最高潮に達した。なお、記事に掲載された写真にも写っているように、聖火を歓迎するべく第一庁舎前広場に高さ約 5 メートルの歓迎塔が建てられている。

「聖火遊び」はもうおしまい

一九六四（昭和三九）年一〇月八日午前一〇時半頃、東京都大田区南蒲田の第一京浜国道の歩道で、第二コースの聖火の通過を待っていた観衆の中にオートバイが突進。六〇歳の男性がケガをする事故が発生した。

この日、第二コースではもうひとつトラブルが発生した。都の広報が通過コースの恵比寿〜渋谷橋郵便局前を、誤って恵比寿〜渋谷郵便局間と発表（P237地図参照）したため、聖火の通過しない渋谷署〜東急文化会館〜渋谷郵便局間約五〇〇メートルに一五〇〇人余の観衆が集まってしまったのだ。これを知った渋谷署ではパトカーで誤りであることを知らせて観衆を移動させたが、同署には「一生に一度の聖火を見損なった」とクレームの電話が殺到。「たかが火」一本にもう大騒ぎである。

一方、新潟市小針の住宅街ではこの日の午後五時頃に小学校四〜五年の男の子が「聖火遊び」をしていたと問題になった。一〇月九日の新潟日報によれば、新聞紙を聖火トーチのように長く丸めて火をつけ、聖火ランナーよろしく高くかかげて路地を走りまわるというものだから、こちらは「たかが火」では済まない。だが、子どもならやりそうなことでもある。当時、こんな「聖火遊び」は全国各地で報告されていた。

こうしてあちこちで大騒動を巻き起こしながら、第二コースの聖火ランナーは午後一時二六分に都庁に入る。いよいよ残すところは第一コースのみである。

そんな新潟の「聖火遊び」に先立つ午後四時のこと、インドネシアのマラディ・スポーツ相が帝国ホテルで記者会見を開いた。この席上でマラディ・スポーツ相は、GANEFOに参加した陸上、水泳選手の出場が認められないならば、同国選手団は東京大会に参加しないと言明。しかし、前述の通り国際陸連も国際水連も同国選手の資格停止処分を再確認済み。つまり、これでインドネシアの不参加は決定的となった。

午後六時、帝国ホテル蘭の間にて富士写真フイルム社長の小林節太郎主催によるアレカ・カッツエリ懇親パーティー（巻頭カラーP1参照）が開催される。アレカ・カッツエリは日本滞在中、東京大会関連イベントに顔を出すだけでなく、テレビ出演、歌舞伎観劇や京都訪問など多忙を極めた。一〇月二六日には厚生省を訪れて東京パラリンピックのための寄付を行っているから、少なくとも一〇月下旬までは日本にいたようである。

その夜の羽田空港。一〇月一〇日付毎日新聞では「午後八時」、『サンデー毎日』一九六四年一〇月二五日号では「午後六時半」となっているが、おそらく一七時二〇分着のノースウエスト六便に乗っていたのだろう。辛金丹の父親・辛文濬が、ついに東京にやって来た。だが、まだ再会の目処は立たない。前述の『在日本大韓体育会史』によれば、それを聞いた辛文濬は「周囲をはばかることなく落胆の表情を露わにした」という。

だが、事態は「再会の目処が立たない」どころではなかった。一〇月九日付読売新聞によれば、辛文濬の来日寸前の午後七時近く、岸記念体育館の組織委員会に北朝鮮選手団から「緊急面会」を連絡してきたのだ。同記事には「都内のホテルで開かれたパーティーに出席中」だった事務総長の与謝野秀が雨の中を急いで引き返した……とあるが、これは帝国ホテルでのアレカ・カッツエリ懇親パーティーであった可能性が高い。ともかくその読売新聞によれば、午後八時過ぎに北朝鮮選手団の金宗恒団長が組織委員会の与謝野事務総長を訪ね、報道陣シャットアウトで四五分間の会談が行われた。終わった後の与謝野事務総長の顔面は、真っ赤に上気していたとのこと。金団長はそのまま記者クラブへ向かい、会見でこう発言した。「正当な要求が通らなかったので、ただちに帰国する」……結局、選手団全員不参加という決定だ。

これを知った辛文濬は、どれほどショックだったか。だが、ショックを受けた人々は他にもいた。

北朝鮮不参加が決まり、同国選手出場が予定されていた個人競技は棄権とみなすことになった。チームゲームで対戦する試合は、取消されて相手チームの勝ちとなった。だが、ひとつだけ問題があった。参加わずか六か国の一角が失われ、競技が不成立となる恐れが出て来た女子バレーボール（P40, P212参照）である。

2. 開会式前日

時間だけが空費されていく

一九六四（昭和三九）年一〇月九日、東京大会開会式前日の朝が来た。国立競技場では、最後まで残った二〇〇〇人分の仮設スタンド建設作業が、夜までには仕上げる予定で突貫工事で進められていた。また、渋谷のハチ公像の前には東京大会記念の噴水が完成し、初放水が行われた。準備は着々進行中である。

だが、東京都渋谷区の岸記念体育会館内にある日本バレーボール協会では、てんやわんやな状況になっていた。予想されてはいたものの、ここで北朝鮮の引き揚げは痛い。今にして思えば、一九六二（昭和三七）年のＩＯＣモスクワ総会で東京大会のバレーボール種目に女子を追加できた（P40参照）のは大成功だったが、その際に「参加チームを少数にする」条件を付けられたことが仇となった。「東洋の魔女」のために何とかオリンピック種目にねじ込んだというのに、参加国が五か国では競技として不成立になってしまうかもしれない。仮に成立したとしても、最初からケチがついてしまう事態は何としても避けたい……。

午前一〇時、オリンピック東京大会の成功を祈願する舞楽奉納が、明治神宮拝殿でおごそかに行なわれた。

午前一〇時四〇分には北朝鮮選手団役員二名が組織委員会を訪れ、出国に要する選手団員のＩＤカード一一五枚を受け取るとともに、選手団が乗るために同日午後四時五〇分上野発新潟行き「とき」、同五時五〇分発「ゆきぐに」を手配してほしいと依頼してきた。北朝鮮選手団は確実に帰る。これはもはや決定事項だ。タイムリミットはこの日の夕方である。

午前一一時四五分、インドネシアのマラディ・スポーツ相が東京・狸穴の中央官庁合同庁舎に河野一郎オリンピック担当相を訪ね、約三五分間会談。「インドネシア選手団は一〇日に帰国する」ことを明らかにした。河野は水上・陸上を除く他種目への参加を要望し、「スカルノ大統領とただちに連絡をとってほしい」と提案したが、それが難しいことは明白であった。

正午、東京・赤坂の東京ヒルトンホテル（現・ザ・キャピトルホテル東急）では、北朝鮮選手団の金宗恒団長主催でお別れレセプションの準備が進んでいた。一方、その二階会議室では五〇人を超える報道陣が詰めかけて、異様な雰囲気が漂う。ここからは『サンデー毎日』一九六四年一〇月二五日号、『在日本大韓体育会史』などの資料を参考に構成していくと、報道陣を前に北朝鮮選手団の声明が発表された。「われわれ朝鮮民主主義人民共和国選手団は、第一八回東京オリンピックに参加しないことを決定した」……。

分かっていたこととはいえ、室内には沈痛な空気が流れる。そんな沈黙を破って、あるジャーナリストから質問が飛んだ。「辛金丹選手のお父さんが日本に来ているそうですが事実ですか」

「私は初耳です」と緊張の後に金宗恒団長が答えた。「でも私たちのきいているところでは、辛金丹選手のお父さんは韓国で貧しい暮らしをされているそうですから日本にくるのはムリなのではないでしょうか」

だが、報道陣は畳み掛けるように質問する。「もし、お父さんがいらしているとして、辛金丹選手に会いたいといってきたらどうしますか」

「ほんとうにお父さんがみえて、そういうことになったら彼女はさぞ喜ぶでしょう」と金宗恒団長は答えたが、果たしてその真意は……。

そんな金宗恒団長の記者会見が終わろうとしていた頃、東京・代々木の組織委員会にふたりの男がやって来た。

あの辛金丹の父親・辛文濬と、彼を日本に迎えた東京オリンピック在日韓国人後援会の李裕天会長である。ふたりは組織委員会に「何とか娘と会う斡旋をして欲しい」と頼みに来たのだ。

その頃、東京ヒルトンホテルの会議室で記者会見も終わり、午後一時にはようやく北朝鮮選手団のお別れレセプションが始まった。朝鮮大学校宿泊所から選手団が出席し、インドネシア、キューバ、ソ連、チェコなど一四か国の選手団代表も参加した。

それから間もなくの午後一時一二分、東京都庁に最後に残った第一コースの聖火が到着する。その時、あのアレカ・カッツエリが都庁で都知事の東龍太郎と会っているところだった。聖火の到着を聞いた彼女は、そのまま都知事と一緒に二階バルコニーの聖火台横へ参上する。

だが、聖火到着で賑わう都庁前の片隅で、とんでもない悲劇も起きていた。午後一時半頃、聖火リレーを見物中の会社員が突然脳卒中を起して倒れたのだ。救急隊が京橋病院へ運んだが死亡。この人物が、聖火パニック最後の犠牲者だったのだろうか。

舞台はまたまた東京ヒルトンホテルに戻って、北朝鮮選手団お別れレセプションは宴たけなわ。だが、辛金丹はその場をひと足先に抜け出していた。辛金丹には、どうしてもはずせない用があったのだ。

午後三時過ぎ、埼玉県狭山市の入間基地。ブルーインパルスの面々がはるばる浜松から到着する。もちろん、そこにはあの藤縄忠二尉もいた。一〇月一〇日付埼玉読売新聞では、もしも翌日の一〇月一〇日開会式が悪天候だった場合、彼らは二一日に飛ぶ予定であると報じている。その日はマラソンが行われるので、おそらく国立競技場におけるマラソンのスタートに花を添えることになったのだろう。同紙にはまた、ブルーインパルスの面々が入間基地で待機し、愛機の「整備と点検に力を入れていた」とも書いてあったのだが……。

午後三時四五分、東京都庁に集められた聖火は四本のトーチに点火され、四人の走者に手渡された。走者たちは都庁を一斉に出発。彼らの向かう先は、開会式当日のリレー・スタート地点となる皇居前広場である。午後三時五五分、四人の走者は皇居前広場に特設された聖火台の前に到着。午後四時には、走者たちからトーチを渡された東京都知事の東龍太郎らが、またまたその場に立ち会ったアレカ・カッツエリの合図で特設聖火台に点火した。これから一晩、聖火はこの特設聖火台で燃やされることになる。

その午後四時頃には、千駄ヶ谷・信濃町両駅、青山方面から競技場に向う道路の歩道と車道の間に、警視庁と自衛隊員らが臨時のバリケードをずらっと設けた。もちろん、翌日・開会式当日の「最終日」聖火リレーのための準備である。あの「最終日」聖火ランナーたちの出番がいよいよやって来るのだ。

同じ午後四時には、組織委員会に待ち構えていた辛金丹の父・辛文濬と在日韓国人後援会の李裕天会長に朗報が飛び込む。『在日本大韓体育会史』によると「金宗恒・北朝鮮オリンピック委員会副委員長（注：兼・北朝鮮選手団団長）からＪＯＣに電話がかかり」とあるが、この「ＪＯＣ」は前後の関係からみて「組織委員会」の誤りだろう。ともかく、たまたま組織委員会で何とか辛金丹親子を再会させるべく折衝にあたっていた李裕天会長は、その金宗恒団長からの電話をとった。それは、辛金丹親子再会に関する待望の連絡だった。「辛金丹選手を父親に会わせるから、上野駅前広場に連れて来てくれ」との申し出である。

それに対して李裕天会長は、再会場所を「ＪＯＣ（こちらも組織委員会の誤りだろう）の事務所」と提案。だが、金宗恒団長は「韓国の特務機関が辛金丹を拉致する」危険性を挙げて拒否。李裕天会長も辛文濬拉致の危険性を挙げて反論し、話は平行線となってしまった。両者の不信感は根深いのだ。

結局、李裕天会長が「それほどいうなら上野に行く」と折れると、金宗恒団長は「三〇分だけ待ってくれ」といいのこして電話を切った。ただただ、時間だけが無駄に空費されていく。

その頃、辛金丹は飯田橋の朝鮮会館にいた。そこで食事を用意して、じっと父を待っていた。

そんな北朝鮮側と韓国側との緊迫したやりとりが行われていた午後四時ごろ、国立競技場ロビーでは「最終日」聖火ランナーたち一〇人が集まり、コーチの中村清を囲んで最後の打合せ会を行っていた。だが、この日の打合せについては、取材できた「最終日」ランナーは誰ひとり覚えていない。一〇月一〇日付毎日新聞が伝えているのみである。この日は一〇人の走者全員が姿を見せ、「最終」ランナーの坂井義則は求められるままに色紙にサインをしながら、「全力を尽くしてやるだけ」などとコメントしていたとのこと。また、この記事には坂井について「最終ランナーの大きな栄光と責任がやはり重くのしかかったのか、ホオの肉が落ちた時期もあったが」とも書かれており、端から見ても一時期プレッシャーがかかっていたのは明らかだったようだ。

「(坂井さんの) 精神的なもの (プレッシャー) は感じてましたよ」と語るのは、第二走者の後藤和夫である。「坂井さんも大変だろうなと思いましたけど、そこに至る経緯には『世の中はこんなふうに政治が絡むんだな』と。一七～八歳くらいの頃にはショックだった」

「坂井さんはガクガクだったと思います」と語るのは、坂井に聖火を渡す役割を担っていた第七走者の鈴木久美江だ。「東伏見に早稲田陸上部の合宿所がありますが、取材が来てそこにはいられなかったと聞いたことはあります。先輩の家やいろいろ渡り歩いていたとも聞いています」

実際、前述の毎日新聞によれば、坂井は二～三日前から強化コーチの小掛照二宅の世話になっていたらしい。ただし、メンタルは回復していたかどうか。前述した天狼院書店ウェブサイトの記事『聖火最終ランナーの孤独』では、「何で、あんな日に生まれちまったんだ!」と中村コーチに嘆いたこともあったと書かれている。果たして坂井の胸中は……。夕闇が迫る頃、「最終日」ランナーたちはそれぞれ帰って行った。

一方、組織委員会事務所では、永遠のような長さの三〇分が過ぎた頃に北朝鮮選手団の金宗恒団長から再び電話がかかって来た。「上野は警備の都合上、問題がある。五時に朝鮮総連会館に来てくれ!」

皇居前での聖火集火式

（提供：千代田区広報公聴課）

1964（昭和 39）年 10 月 9 日夕方、皇居前広場で行われた聖火集火式の様子である。2 万 5000 人の観衆が見守る中、4 人のランナーからトーチを受け取った東京都知事の東龍太郎らが、採火式の主巫女アレカ・カッツエリの合図によって特設聖火台に点火した。

開会式前日の打合せ時の写真？

（提供：岡野政子）

学生服姿で最終聖火ランナーの 8 名が一堂に会しているという珍しい写真。左から池田元美、ひとりおいて後藤秀夫、青木政子、鈴木久美江、飯島浩、後藤和夫、落合三泰。はっきり確認できない人物は、福地徳行か岡島貴敏であると思われる。全員が冬服（衣替えは通常 10 月より）を着用していることから、開会式前日 10 月 9 日の打合せ時の撮影と思われる。もしそうであれば、場所は国立競技場のロビー入口だ。

一瞬の再会と別離

「五時に来てくれ」との北朝鮮選手団の金宗恒団長からの電話に、東京オリンピック在日韓国人後援会の李裕天会長は戸惑った。「三〇分ではそちらに行けない」

だが、北朝鮮選手団はすでに帰り支度をしている。列車の時間が迫っている。もう後がない。こうなると「行けない」とはいえない。「行くしかない」のだ。

こうして辛金丹の父親・辛文濬は、在日韓国人後援会の李裕天会長と組織委員会の山本警備交通部長に連れられて、午後四時五〇分に東京都千代田区富士見町の朝鮮会館に駆けつける。朝鮮会館は見送りの人々でごった返し、選手たちもほとんど会館前に停まったバスに乗り込んだ後。そんな朝鮮会館の門内に、この三人が転がり込むように入って行く。だが、北朝鮮側の青年隊によって報道陣はシャットアウト。それから間もなく……辛金丹と辛文濬……父と子が、手を握りながら人垣から出て来た。だが、すぐにまた人々に取り囲まれてしまう。

その間、たったの五分。一四年ぶりの再会が、たったの五分で終わった。

そのやりとりについては、「文濬さんが『元気か。またぜひ会おう。わたしも不自由なく暮らしている』と、ちょっぴり語りあっただけ」（一〇月一〇日付読売新聞）、「『お父さん、お父さん』と金丹さん。『元気でな。元気でな』とお父さん。あとは言葉にも声にもならない」（同日付朝日新聞）、「交わした言葉は『みんな元気か』『母も弟もみんな元気、お父さんも達者でね』『文通しようね』というくらい」（同日付毎日新聞）、「『アボジ、イシミカ（おとうさんですか）』『やっぱりおまえだったか』という会話をかわしただけ」（同日付産経新聞）……と各紙バラバラである。結局は、李裕天会長からのまた聞きだから無理もない。実はふたりの再会時間も、日本側では「五分間」でほぼ統一されているのだが、韓国では一九六四年一〇月一〇日付東亜日報が「一五分」、二〇一九年一〇月九日付ハンギョレ新聞電子版でも「七分」とズレがある。

ともかく辛金丹はすぐにクルマに乗せられ、父と子はあっという間に引き裂かれた。そんな大混乱の中での、一瞬の再会だったことは間違いない。前述『サンデー毎日』一九六四年一〇月二五日号や新聞報道によると、北朝鮮選手団は午後五時五〇分発急行「ゆきぐに」に一本化して新潟に発つことになったようだ。

そんな再会と別離が繰り広げられていた一方、北朝鮮離脱によって大揺れの女子バレーボール問題についても、水面下での模索が続けられていた。午後五時には日本バレーボール協会の今鷹昇一副理事長が「現在善後策を検討中で一〇日午前中になんらかの線を出したい」とコメント。実は、この時点で浮上していたのが、「代打」としてのアジア地区予選二位・韓国チーム招聘……という策であった。国際バレーボール連盟（ＩＶＦ）も九日午前、来日していた韓国バレーボール協会の呉会長とコンタクトをとり、同国女子チームの出場を非公式に打診していた。だが、事はそう簡単ではない。この時点での日韓関係は、お世辞にも良いといえない。戒厳令までの経緯もさることながら、韓国警備艇による日本漁船の拿捕も常態化していた。明日は開会式だというのに、楽観視できる状況ではない。「東洋の魔女」大活躍の夢も風前の灯である。

夕闇迫る東京の街。今朝、渋谷のハチ公前に完成した噴水（P240参照）も見事にライトアップ。カラーライトをあてて七色の虹を織りなす設計で、道行く人々の目を楽しませた。また、国会議事堂でもこの日からライトアップが始まった。議事堂のライトアップは今日でこそ毎晩行われているが、かつては一九三六（昭和一一）年一一月の議事堂竣工など祝賀行事の時しか行われなかった。今回は東京大会開催期間中の点灯である。

午後五時五〇分、上野駅から北朝鮮選手団を乗せた急行「ゆきぐに」が出発。またしても約二〇〇〇人の凄まじい見送り。一〇月一一日付アカハタでは、立ち去る際の辛金丹が「おそらく来日以来みせたことのないほど明るい」笑みさえたたえていたなどと書いているが、その真意を分かってはいなかっただろう。

あたりがすっかり暗くなった午後六時、後楽園球場では三万五〇〇〇人の観衆を集めて盛大なイベントが催された。球場の照明がパッと落ちると、いきなり聖火ランナーの入場。皇居前の聖火台から「分火」したものである。ステージ上にまたまたアレカ・カッツエリ登場。今日は出ずっぱりである。ステージの聖火台に点火して、始まったのは「東京オリンピック前夜祭」。東京母の会連合会の「東京五輪音頭」の踊りなど、あれこれと賑やかな出し物が飛び出す二時間余であった。

一方、聖火台に火が燃え続ける皇居前広場では、意外な人物が姿を見せていたようだ。一〇月一〇日付毎日新聞によれば、「午後八時半から天皇、皇后両陛下（昭和天皇・香淳皇后）が約一〇分間、二重橋のたもとから皇居前広場で燃える聖火を見ていた」というのだ。新聞やテレビで集火式のことを知り、急に思い立って見に来たようなのだが、周囲は暗かったために広場側の人々は誰も気づかなかったらしい。

同じ午後八時半には、大いに盛り上がった「前夜祭」も終了。集まった観衆はみな家路に就いた。

そんな一〇月九日開会式前日の夜が更ける、東京・新橋でのことである。新橋といえば「サラリーマンの街」。サラリーマンが仕事帰りに立ち寄るための、赤提灯や居酒屋、バーも数多くある。そんな店のひとつで……何と入間基地で「待機」しているはずのブルーインパルス隊員たちが、楽しげに飲んでいるではないか。

「前の年だったか、宣伝映画に我々ブルーインパルスが協力したんです」と藤縄忠は語る。「その関係で仲良くなって、お互いに都合付けて会ったり飲んだりというようなことをやってたんですよ」

宣伝映画のスタッフたちとすっかり仲良くなって「飲み友だち」になっていたブルーの面々は、その夜も一緒に飲んでいたという訳だ。だが、「軽く」飲んで済ますどころか、かなりの深酒になっていたようである。大事な開会式前夜に、一体全体、何でまたそんなことになったのか。

「土砂降りですよ。だから飲んじゃったんですよ、明日はダメだねと（笑）」

準備万端整えたにも関わらず、開会式前夜に無情にも土砂降りの雨が降り出したのである。

さい」といっていた。

……のベッドにいるとは、くやしいし、また悲しいでしょうね。私も一日車を運転していますが、交通事故は突然に、思いがけない時に起こるものです。どうか運転手さんをしからないで下さい。幸い、私が働いて貯金したお金がいくらかあります。よけいなこととは思いますが、これで買ったテレビを贈りますので、競技の模様を見ていただけたら、私も楽しくオリンピックを見ることができます。早く全快して四年後のメキシコ大会にがんばって下さい。病院へ郵送したかったのですが、郵送では開会式に間に合いませんので、読売新聞社に依頼しました」

手紙には「葛飾N・Y」とあるだけ。本社の調べで名前はわかったが、どうしても匿名でということ

互いの肩しっかり

辛選手父娘 つかの間の再会

北朝鮮選手団の引き揚げにあたって、上野駅には不調の事態にそなえ、警視庁機動隊、上野署員など約二百人が出動、警戒にあたった。ホームには朝鮮総連関係者はじめ在日朝鮮人の家族連れや学生など約千五百人が詰めかけ、オリンピック初参加のユメもむなしく帰国する選手団との別れを惜しみ北朝鮮旗の小旗をふりながら"金日成将軍の歌"を合唱、にぎやかに見送った。

これよりさき同四時五十分、選手団のうち女子中距離で金メダル確実とみられていた辛金丹選手は、同選手に会うため、はるばる韓国・ソウルから来日した父親の辛文濬さん(四八)と東京都千代田区富士見町二の五、朝鮮会館で十四年十一か月ぶりに対面した。

父親文濬さんは、在日韓国人東京オリンピック後援会の李裕天会長の招きで、八日夜来日したもので、李会長とオリンピック組織委の村井事務次長を通じ、北朝鮮側と三回にわたる交渉の結果、ようやく念願がかなった。対面は同会館の玄関で、[illegible]、李会長も立ち会って行なわれたが報道陣は完全にシャットアウト。

李会長の話では、文濬さんが

朝鮮会館の玄関先で14年ぶりに対面、抱き合う辛父娘

辛金丹と辛文濬の再会

（1964〈昭和 39〉年 10 月 10 日付『読売新聞』夕刊より／提供：国立国会図書館）

1964（昭和 39）年 10 月 9 日午後 4 時 50 分、東京都千代田区富士見町の朝鮮会館にて、14 年ぶりの再会を果たす辛金丹と父親の辛文濬。韓国本国ではこの出来事が大変な話題となり、映画や歌にもなった。なお、なぜか再会直後についても、「辛文濬は最初から上野駅まで追う気はなかった」「上野での見送りは諦めた」「駅まで行ったが人ごみに紛れてしまった」と新聞各社の報道はバラバラ。さらに、それらとまったく別の「異説」もある。

はなやかに前夜祭

古い芸能やパレード

後楽園 喜びと期待最高潮に

グラウンドいっぱいにくりひろげられた東京五輪前夜祭

東京オリンピック前夜祭

（1964〈昭和 39〉年 10 月 10 日付『読売新聞』より／提供：国立国会図書館）

後楽園球場で 1964（昭和 39）年 10 月 9 日午後 6 時から始まった「前夜祭」の様子である。聖火点火とアレカ・カッツエリの前口上に始まり、全日本学校バンド連盟 2000 人参加の鼓笛バンド演奏、東京母の会連合会 1500 人の踊り、「金竜の舞い保存会」100 人の舞踊、日本女子体育短期大学の学生 600 人によるバレー体操、江戸消防記念会と東京とび職連合会 2000 人参加のハシゴ乗り、防衛大学校の学生によるファンシードリル、東京都民謡連盟の 1500 人による集団民謡の踊り……と盛りだくさん。最後は大々的な仕掛け花火で幕を閉じた。

雨は降っていたか

「前の日は土砂降りでね、こりゃあ明日はできないぞという気持ちはありましたからね」と語るブルーインパルスの藤縄忠。開会式前夜が雨だったのは有名な話である。では、雨は何時から降り始めたのか。

気象庁のウェブサイトには、『過去の気象データ検索』というページがある。そこで一九六四年一〇月九日から一〇日の東京のデータを調べると、意外な結果が出て来るのだ。詳しくは別表をご参照いただきたいが、記録では雨が降っていないか、降っても「お湿り」程度となっているのである。

気象庁に聞いてみると、この「東京」の観測地は大手町だそうである。大手町とブルーインパルスがいた新橋との距離は三キロ程度。まだ「ゲリラ豪雨」がなかった時代である。雨は本当に降っていたのか。

「前夜が大雨だったでしょう。当日になってもどしゃ降りなら、式典は中止となる。順延はないと聞いてガックリしたんですが、ある記者が『いや大丈夫。天皇陛下は天気についているから』と言ってくれた」と市川崑監督は前述ＪＯＣウェブサイトの『市川崑総監督が語る名作「東京オリンピック」』で発言している。

「土砂降りですよ」と語るのは、当時、横須賀市在住の「最終日」ランナー後藤和夫である。「東京はどうか分かりませんが、自宅では土砂降りだった。夜中だったですね」

「間違いなく覚えてます。大雨でした」と語るのは、もうひとりの「最終日」ランナー落合三泰。「高校の合宿所にいました。合宿所は登戸です。大雨で明日開会式できるのかなと思ったのを覚えてる」

「大雨」「土砂降り」……とにかく「お湿り」程度ではなかったようなのだ。ところが九日夜に後楽園球場で開かれた「東京オリンピック前夜祭」の新聞各紙における記事を見ても、雨が降っていた形跡はない。前夜祭は午後六時から午後八時半まで行われていたが、天気については「この日はあいにくの空模様だったが」（一〇月一〇日付毎日）、「あいにくのくもり空だったが」（同日付読売）ぐらいしか記述がない。大々的な催しで大雨に

時間		降水量（mm）
10月09日	18時	——
	19時	——
	20時	——
	21時	0.0
	22時	0.0
	23時	0.0
	24時	×
10月10日	01時	×
	02時	——
	03時	——
	04時	——
	05時	——
	06時	——

東京・1964年10月9日夜〜10日朝の降水量

（気象庁「過去の気象データ検索」より）

開会式前夜1964（昭和39）年10月9日夜から開会式当日10月10日朝の降水量を見てみると、9日の21時から23時に「お湿り」程度の降水量があった他は、記録上は雨がまったくない（9日24時と10日1時は統計値欠測）。しかし数多くの証言によれば、9日夜には「土砂降り」というべき大雨が降っているようである。

凡例：

—— 該当現象がない

× 統計値がない（欠測）

0.0 降水量0.5ミリ未満

（ほぼポツリポツリぐらいの降り方）

＊「東京」の計測地点は大手町。

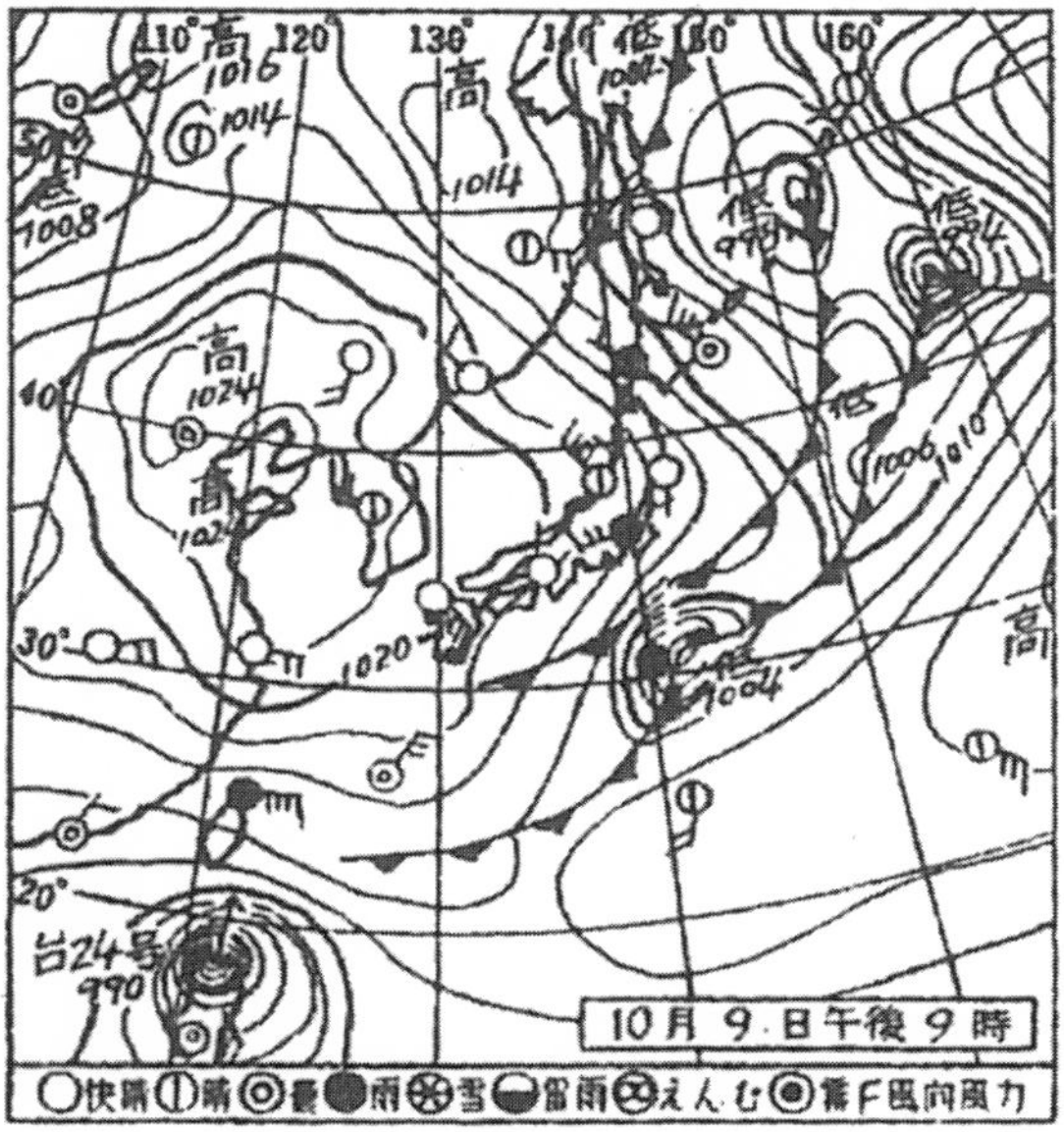

1964年10月9日午後9時の天気図

（1964〈昭和39〉年10月10日付『毎日新聞』より／提供：国立国会図書館）

この天気図を見る限りでは、東京はハッキリ「雨」の記号が付けられている。10月9日の午後9時には、東京に雨が降っているのは間違いないようだ。ちなみにこの天気記事での10月10日・東京の予報は「北東の風、晴のち曇」。この雨が翌日朝以降まで持ち越さないことは分かっていたようである。

降られたのなら、こんな書き方では済まないだろう。……ならば、雨は午後八時半以降か。

同日付の新聞各紙を調べてみると、唯一、九日夜の雨に触れている箇所があった。天気予報欄に載った「九日午後九時現在」の天気図である。どうやら午後九時には雨は降っていたようである。

「食事が終わって、二〇時過ぎぐらいですね。激しい雨でした」と語るのは、当時、東京・浅草に住んでいた高校三年生の水野一成である。水野本人は東京五輪と何の関係もなかったが、彼の家では九月半ばからニュージーランドのスポーツ記者をホームステイさせていたため、多少オリンピック気分に浸っていた。

「ぽつぽつと降りだしてから、急に激しい雨が。夕立くらいの降り方でした」と、水野はその夜の雨を回想する。「風はそんなに無くて、庭木の葉を打つ雨音がすごかった。数時間ずーっと続いてましたね」

この証言を聞く限りでは、雨は地域による時間差を考えても午後八時から八時半頃に降り出したと考えるべきだろう。水野は午後一〇時ぐらいには寝てしまったようだが、その時はまだ降っていたようである。ともかく、この夜は間違いなく東京に雨が降っていた。気象庁に雨の記録がない理由は不明である。

外は土砂降りの雨。新橋の店の中では、ブルーインパルスの面々がすっかり「出来上がって」いた。

「一二時頃にはお開きにして、宿に戻りました」とその夜を思い出して藤縄忠は語る。彼らの宿は同じ新橋にある第一ホテルである。降りしきる雨の中を、ブルーインパルスの面々は第一ホテルへと向かった。

その第一ホテルでは、あの老夫婦……デンマークから来たイエンセン夫妻（P231参照）が眠っていたはずである。いや、明日一〇月一〇日の開会式を思って、なかなか寝付けなかったかもしれない。

日付が変わった一〇月一〇日の午前〇時一五分には、伊藤忠商事主催の「オリンピック・エッセイ・コンテスト」優勝者であるアジアの高校生七人が羽田空港に到着した。一行の中にはもちろんシンガポールのフランシス・ヨウもいたが、その頭上から夜の雨が降り注いでいたかどうかは定かでない。

高校時代の水野一成

（提供：水野一成）

水野の父親は 1964（昭和 39）年 3 月 27 日に亡くなったばかり。たまたま開会式のチケットが当たっていたようだが、亡くなってしまったため従兄弟が代わりに行くことになったという。そのあたりから、東京大会との縁はあったのかもしれない。ニュージーランドのスポーツ記者は、水野の姉の夫が JETRO（日本貿易振興機構）に務めていた関係で預かることになった。この写真は、1963（昭和 38）年 5 月の高校二年の旅行で、福島県の飯坂温泉にて撮影。

あこがれの東京五輪へ

本社と伊藤忠商事が招待

東南アの高校生八人来日

羽田に着いた東南アの高校生

アジアではじめてひらかれるオリンピックをよりいっそう有意義なものにしよう―とサンケイ新聞社と伊藤忠商事が主催して東京大会に招待した東南アジア八か国の高校生八人のうちパキスタンのムジャヒド・サファール君（一七）＝カラチ・D・J・サイエンス高校三年＝ら七人が十日午前零時十五分着のインド航空機で東京・羽田空港に着いた。空港には、ひと足

「オリンピック・エッセイ・コンテスト」優勝者来日

（1964〈昭和 39〉年 10 月 10 日付『産経新聞』より／提供：国立国会図書館）

1964（昭和 39）年 10 月 9 日、羽田空港に到着したエア・インディアの航空機に乗って、「オリンピック・エッセイ・コンテスト」優勝者 7 人が来日した（もうひとりの韓国の高校生はひと足先に 9 日夜来日して、この夜は関係者と共に一行を出迎えた）。各人、それぞれの国の新聞記者を伴っての来日である。ちなみにエア・インディアの 10 日到着便はなく、前日 9 日には 22 時 30 分東京着の 106A 便が存在するので、おそらくこの便の到着が遅れたものと思われる。彼らは羽田から、宿舎となった開業間もないホテル・ニューオータニに向かった。

Ⅳ会場附近図と選手団の移動コース

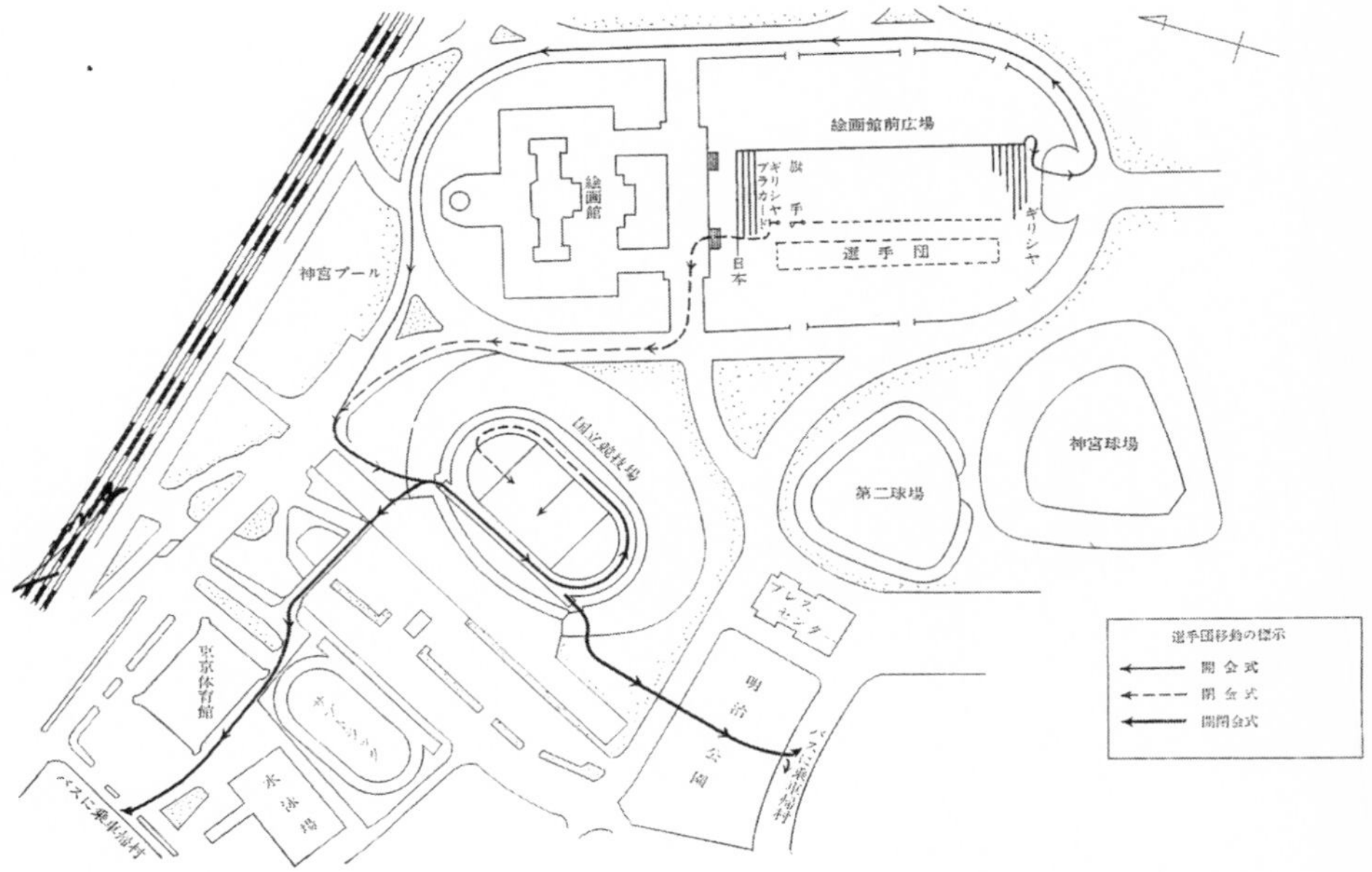

開会式当日の会場付近図

（『オリンピック東京大会　開閉会式実施要綱』〈オリンピック東京大会組織委員会〉より／提供：池田宏子、池田剛）

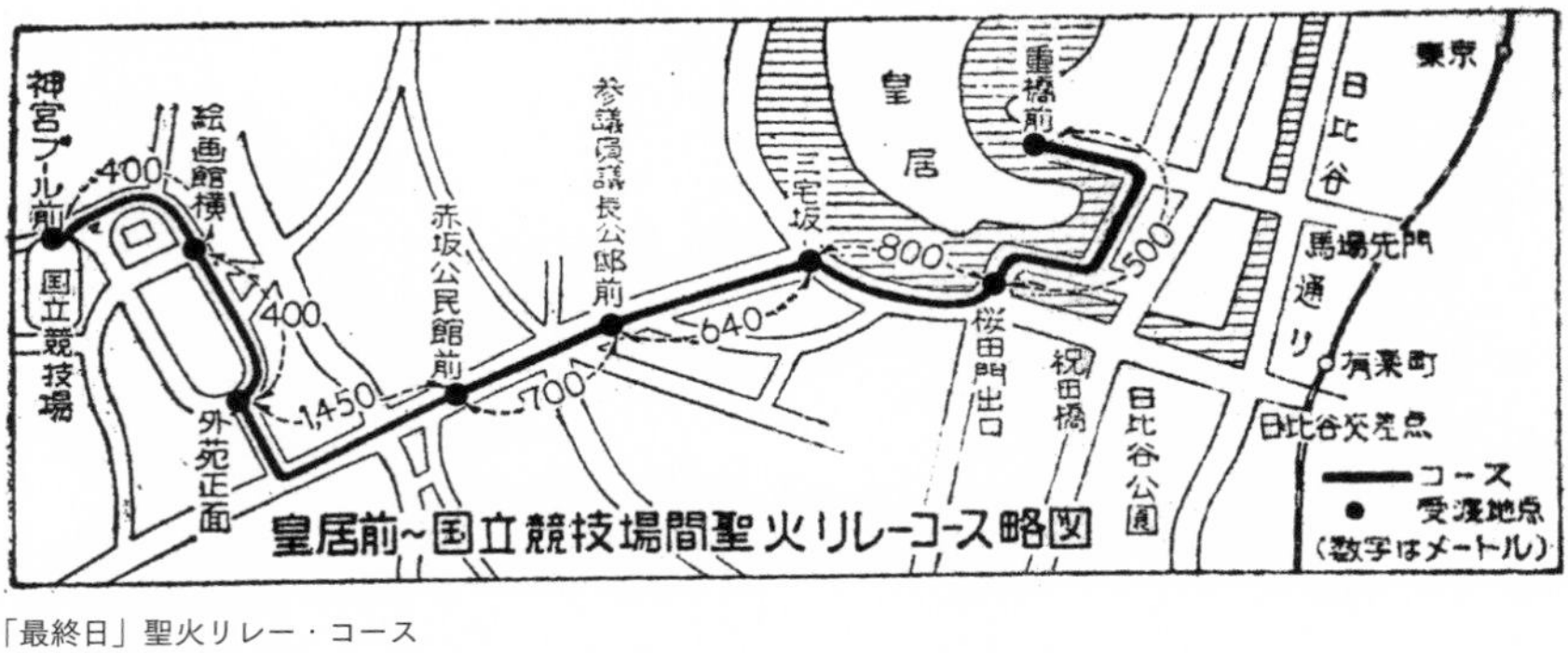

「最終日」聖火リレー・コース

（1964〈昭和 39〉年 8 月 30 日付『報知新聞』より／提供：池田元美）

担当は以下の通り。（1）皇居前～桜田門：福地徳行、（2）桜田門～三宅坂：後藤和夫、（3）三宅坂～参議院議長公邸前：後藤秀夫、（4）参議院議長公邸～赤坂公民館前：池田元美（5）赤坂公民館前～青山入口三叉路：飯島浩、（6）青山入口三叉路～絵画館横：青木政子、（7）絵画館横～国立競技場・千駄ヶ谷門：鈴木久美江、（8）国立競技場・千駄ヶ谷門～競技場内：坂井義則、（控え）岡島貴敏、落合三泰。

第7章

1964年10月10日 開会式当日

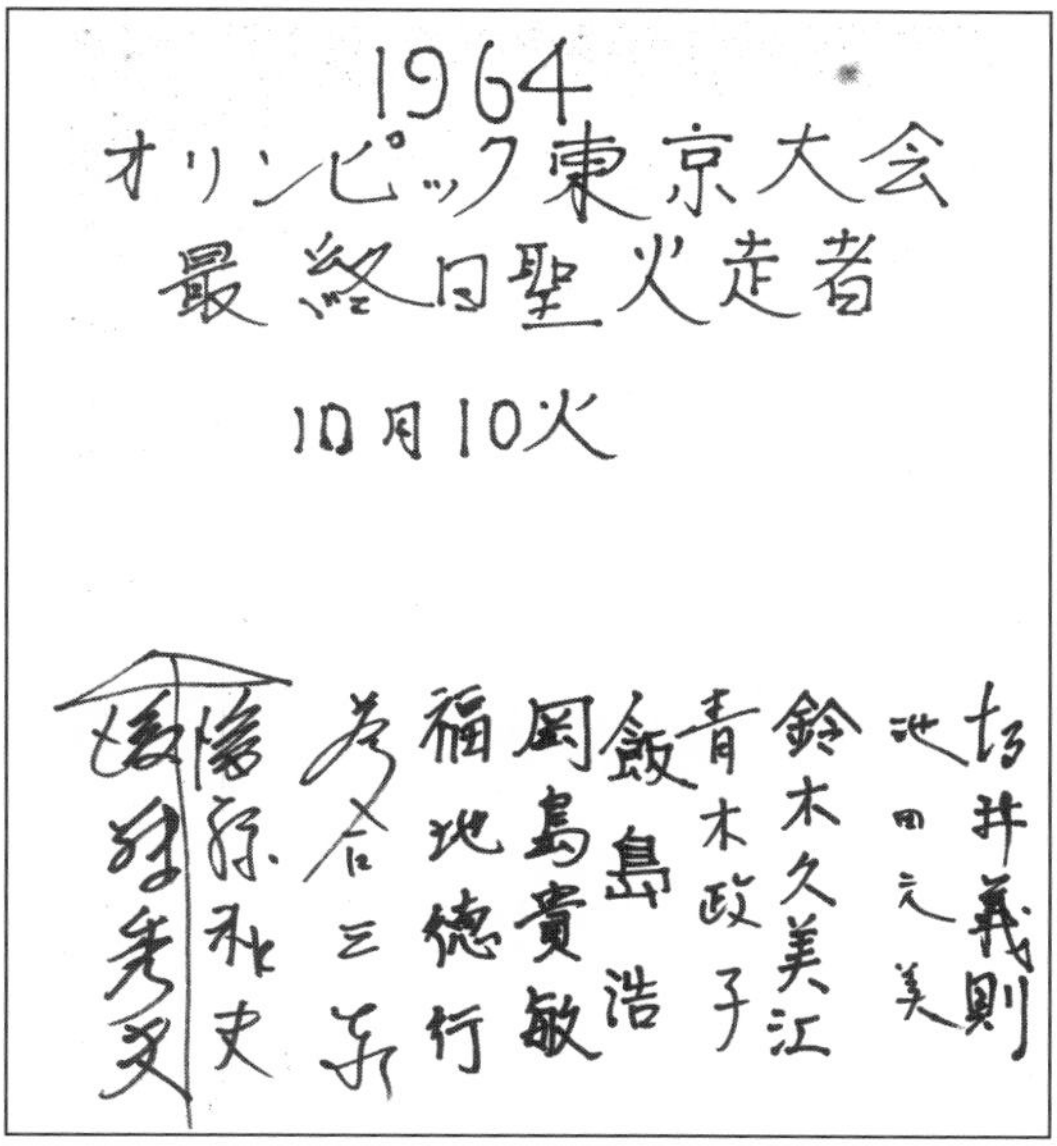

「最終日」ランナーによる色紙
（提供：後藤和夫）
1964（昭和39）年10月10日、開会式当日（最終日）聖火ランナー10人がサインを残した記念の色紙。「10月10日」が聖火とかけて「10月10火」とされていたり、後藤和夫と後藤秀夫が同じ名字ということで「相合い傘」で並べられているなど、若者らしい茶目っ気を感じさせる。

1. 私は東京大会を生きた

抜き差しならない事情

一九六四（昭和三九）年一〇月九日の夕方、イングランド北部の街ブラッドフォードの劇場ゴーモン・シネマ。緞帳の裏側で、ジョン・レノンとポール・マッカートニーのふたりがふざけて笑っている。

今日一〇月九日は、ジョン・レノン二四歳の誕生日だ。

この日は四週間に及ぶビートルズ英国ツアーの初日。今年のビートルズは海外ツアーに映画撮影、テレビ出演など多忙で、長らくのご無沙汰にイギリスのファンは飢えていた。当のビートルズもアメリカでの大成功から忙しさが格段に増したが、彼らは若く活力に満ちていた。この頃はまだ成功を楽しむ余裕があった。

緞帳が上がると大歓声と悲鳴。ビートルズはオープニングの定番「ツイスト・アンド・シャウト」の演奏を始める。ジョンもみんなも若かった。先のことなど考えもしなかった。コンサート開始は英国時間一〇月九日午後六時一五分。それは、日本時間で一〇月一〇日の午前二時一五分のことであった……。

それから間もなくの一〇月一〇日午前二時三〇分頃、まだ深夜の静けさの中にある東京の国立競技場。見回りをしていた四谷署の警官が、真っ暗な競技場をうろ付き回っている怪しげな人影に気づく。慌ててこの不審人物を取り押さえてみると、それはまだ一九歳の若者であった。彼は東京大会開会式見たさに入場券もなしに新潟県からやってきたが、決して行き当たりばったりな行動ではなかった。一九六四年一〇月一〇日付読売新聞夕刊によると、何と「新潟日報社会部記者」の名刺、ニセ報道用腕章、食料などを持参して八日午後から国立競技場に忍び込んでいたというから、ある意味でその用意周到さには頭が下がる。ただ、一〇日まで待っている間の孤独と退屈さだけが誤算だった。彼が捕まった時に雨が降っていたかどうかは分からない。

その雨はいつ頃止んだのか。東京大会開会式の朝は、絵に描いたような日本晴れだった。

午前五時一〇分、国立競技場の前にひとりの男が現れる。一九六四年一〇月一〇日付新潟日報夕刊によれば、この「一番乗り」の人物は静岡県榛原郡御前崎町の公務員だった。彼は今日の午前〇時二分静岡発の夜行列車に乗って、国立競技場まではるばるやって来たという。彼はゲート前に陣取って座り込むと、取材記者の質問に悪びれもせずこう答えた。「天気がよくてよかった。もちろん役所はサボリましたよ」

雨を心配しながら眠りについた浅草の高校三年生・水野一成も、朝五時半頃に目覚めて晴天に驚いた。

「朝に起きた時には天気良かった。外を見たら良い天気でした。昨日の雨が信じられないくらい」と、水野はその日を思い出しながら語る。「雲ひとつ無いという感じですね。完全な青空」

そんな見事な青空を見ているうちに、水野は居ても立ってもいられなくなってきた……。

午前六時頃、新橋の第一ホテルではひと騒動持ち上がっていた。同ホテルに宿泊していたブルーインパルスの面々が目を覚まして、晴れ上がった空に気づいたからである。

「一番最初に起きたのは松下さん（注：隊長の松下治英）で、外見たら青空だったんで急いでみんなの部屋に電話して」と、ブルーインパルス隊員の藤縄忠が当時を振り返って語る。「私はその時に起きていたかどうか忘れたけど。前の晩はかなり飲んでいましたからね」

雨で開会式当日の展示飛行は「ない」と踏んでの、昨夜の痛飲である。だから、百戦錬磨のブルーインパルス隊員も相当に動揺したようだ。「こりゃ大変だってね（笑）、そりゃもう大慌てだったですよ」

絵画館前広場わきにはバラック建ての警視庁第四方面警備本部がオープン。周辺に動員された警察官は全部で七〇〇〇人。本部内には千駄ヶ谷駅前など八か所を監視できるモニターが据え付けられた。

午前八時、ブルーインパルスの面々が慌てて第一ホテルから飛び出して来る。

「(基地までは)クルマで行きました。基地が出してくれたクルマです。運転手さんもいましたんで」と藤縄忠は語る。「酔いは多少は残っていたと思います。でもね、これは絶対成功させなきゃいけないと……昨夜飲んだなんてことは飛んじゃいましたよ(笑)」

午前八時半頃、国電信濃町、千駄ヶ谷、原宿各駅、地下鉄青山一町目駅から、揃いのブレザーを着込んだ大会関係者が国立競技場へと向かう。一般観客も午前九時ごろから徐々に姿を見せ始めた。

午前九時過ぎ、東京都渋谷区鎌ヶ谷のインドネシア会館から一台のバスが発車する。帰国するインドネシア選手団が羽田空港へと向かうバスだ。一〇月一〇日付産経新聞は、国立競技場近くを通った時の車内の様子を伝えている。それによると、それまではしゃいでいた選手たちは一瞬おしゃべりをやめ、その目は開会式ムードにわく国立競技場周辺に向けられていたとのこと。彼らもやはり思うところはあったのだろう。

そんな開会式当日の東京の空に、またしてもＹＳ-11が飛来する。それも、おそらく聖火空輸を行った試作二号機だ。そこには飛行試験の主任を務めていた山之内憲夫が乗っていた。

「計器進入の試験があって、羽田にアプローチ(注:着陸態勢をとること)に来た覚えがあるんです」と山之内。「降りたとかではなくて、東京に来て二~三回アプローチして、それで帰ったんだと思います」

何と数時間後にはブルーインパルスが席巻する東京の空に、あのＹＳ-11も再び訪れていたとは……。

一方、競技場では組織委員会の面々が朝から準備に追われていた。聖火空輸派遣団で聖火係を勤めた中島茂は、今度は式典副本部長として現場を指揮していた。また、通訳だった渡辺明子も多忙だった。

「朝から晴れて良かったって話して。みんな渉外部の人は駆り出されて、雑用をいろいろしていました」と渡辺は語る。「藤岡（端）競技部長とかと朝からいたのは覚えています」

舞台裏がそんな慌ただしい状況の最中、競技場そばまでやって来たのが高校生の水野一成である。

「学校に行くような顔をして出ていって、千駄ヶ谷で降りて国立競技場の周りをウロウロと歩いてました」と水野は語る。「ただ見に行っただけ。『ここでやるのかぁ』と。そんなにすごい人出じゃなかったですね」

「そんなに混んでませんでしたね」とYS-11聖火空輸「第四のパイロット」沼口正彦（P199参照）も同様に語る。何と沼口は、開会式を見るために国立競技場に来ていたのだ。「（組織委員会からの招待など）そんなのまったくありませんよ。ハガキがたまたま当たってですね（笑）。新幹線も初めて乗って。ひとりで行ったのは他の人に悪いなと思いましたけど（笑）」

沼口は早めに競技場に着いたようだが、並んでいる間に普段とは異なる雰囲気に気づく。「入場待ってたら日本人よりも外国人の方が多くてですね、本当に周り全部外国人みたいでこんなの初めてでしたね」

当時、東京でも外国人の姿はまだ珍しかった。「インバウンド」など無縁だった時代の話である。

午前一〇時、各ゲートから一斉に入場が始まる。国際色豊かな観客たちが集まる中、一〇月一〇日付毎日新聞夕刊には、なぜかカミシモを着た人物の写真が掲載されている。一体何をしにやってきたのやら。

午前一〇時四〇分頃、デンマークから来たスヴェンとエステルのイエンセン夫妻は、丸の内の東銀ビル（現・丸の内永楽ビルディング）からタクシーに乗って新橋の第一ホテルまで帰って来た。用事を済ませ、後はゆっくりと国立競技場に行くばかり。東洋の異国でのワクワクする休日だ。

その頃、国際バレーボール連盟は緊急で会議を行い、「代打」としてアジア地区予選第二位の韓国チームを招くことを決め、IOC、組織委員会などの了解を得た。一〇日午前の記者会見では、日本バレーボール協会の今鷹昇一副理事長が「今夕には最終的に結論が出せると思う」と語った。あとは韓国側が受諾するか否か。

実際には、ここからが大変だったようだ。日本バレーボール協会発行の『バレーボール』一九六四年一一月号によれば、それまでの韓国女子チームは朝興銀行（現・新韓銀行）チームのメンバーが主力だったが、同チームはすでに解散。そのため、第一銀行（現・韓国スタンダードチャータード銀行）チームのメンバーを主軸に急遽招集しなくてはならなかったという。『日本バレーボール協会五十年史』によれば、ユニフォームも徹夜で作り上げるという突貫工事ぶりである。結果的には、韓国チームは開会式翌日一一日に日本航空のチャーター便で来日。しかも、「ビザなし」で入国したというから尋常ではない。気になるのが、同じ『五十年史』中のある記述だ。そこには、韓国チーム招聘にあたって「大統領までわずらわし」た……と書いてあるのだ。

前述したように、当時の日韓関係は非常に厳しいものがあり、国交正常化交渉も暗礁に乗り上げていた。これを憂慮していたのが、両国の「同盟国」アメリカだったようである。一〇月三日には、訪韓した米国務次官補のウィリアム・バンディが韓国外交部長官の李東元と会談。日韓国交正常化のために米韓が協調するとの共同声明を発表。ソ連や中国に対する同盟国の結束を強固にしたかったのか、米国は韓国側にプレッシャーをかけていたようだ。これが韓国女子招聘にどれほど影響を与えたかは分からないが、日韓双方とも状況を打開するために何らかのキッカケが欲しかったのではないか。「大統領までわずらわし」て、しかも「ビザなし」という異例の措置には、背後の抜き差しならない事情が透けて見える。だが、そこから先は憶測でしかない。

午前一一時半、昨夜新潟に着いた北朝鮮選手団の金宗恒団長と辛金丹は、宿泊した新潟駅前の東映ホテルで記者会見を開いた。この日、彼らは船で帰国の途に就く。辛金丹が日本にいるのも、あと数時間。

一方、辛金丹の父親である辛文濬もまた、オリンピックに背を向けた。「開会式を見に行こう」という知人の誘いも断り、東京の旅館に一日中閉じこもっていたのである。

新橋の第一ホテル

（『This is DAI-ICHI HOTEL』VOL.5, No.2〈Guide Plan Tokyo Co., Ltd.〉より）

第一ホテル（現・第一ホテル東京）は1938（昭和13）年に開業。1940（昭和15）年に予定された「幻」の東京大会で、外国人観光客が急増することを見越して建てられた。戦後間もなくは連合国軍によって接収されたが、返還後は新たに新館も建設するなど発展を続けた。ただし、老朽化が進んで1989（平成元）年に閉鎖。1993（平成5）年に第一ホテル東京として改めて開業した。2002（平成14）年には阪急ホテルズ（現・阪急阪神ホテルズ）に吸収合併されている。この写真は外国人観光客向けの英文小冊子表紙に掲載されたものだが、トリミングした部分には東海道新幹線が写り込んでいることから、1964（昭和39）年9月初めのテスト走行時に撮影されたものではないかと思われる。

国立競技場の開門

（提供：産経新聞社）

1964（昭和39）年10月10日の開会式当日、午前10時に国立競技場のゲートが一斉に開門。待っていた観客たちが場内に入って行った。ただし、いくつかの証言から見ると、さほど混んでいた訳でもないという。開会式のプログラム自体は午後2時より行われることから、開門時に慌てて駆けつけた者はあまりいなかったのかもしれない。

毎日が日曜日だ！

一九六四（昭和三九）年一〇月一〇日のお昼前、東京都千代田区有楽町の警視庁丸の内警察署。東京大会開会式を前にザワついていた署内に、血相を変えて飛び込んで来た外国人の老夫婦がいた。デンマークから来た例のスヴェンとエステルのイエンセン夫妻である。おそらく警察も五輪体制で外国語に即応できたのだろう、慌てふためく夫妻の言葉に耳を傾けると、朝乗ったタクシーの中にビニールのハンドバッグを置き忘れたというではないか。ハンドバッグには開会式を含む入場券四〇枚が入ったまま。何でまたこのタイミングで。

同じくお昼頃には、ブルーインパルスの面々が入間基地に到着する。

「みんなマイカーとか持っていた頃ではないですから、今ほど道路は混んでいなかったですし」と藤縄忠は語る。「一二時には着いていたと思います。それからすぐに昼食をとりました」

午後〇時二五分、インドネシア選手団ら一行はガルーダ九九三便に搭乗して羽田から帰国した。

午後〇時三〇分、「オリンピック・エッセイ・コンテスト」入賞者のアジア八か国の若者たちが、国立競技場にやって来る。もちろん、そこにあのフランシス・ヨウがいたことは間違いない。

西ドイツからのエーリッヒ・ディーツとヘルムート・ビューラーも競技場にいた。彼らはセレモニーの一部始終をそこで見ていた。特にディーツは、二八年越しの夢の実現にさぞ感無量だったことだろう。

「ディーツさんはこの旅自体にも、インスブルックから東京までずっとクルマで来れたことにも大いに感謝していましたね」とビューラーは語る。「私に言ってましたよ、『毎日が日曜日だよ！』って」

午後〇時三三分、警視庁の『オリンピック東京大会の警察記録』によれば、代々木選手村から選手たちを乗せた輸送バス一八八台のうち、先頭集団が絵画館前円周道路に到着。後続のバスも続々と到着した。

午後一時頃、正面スタンド最上部、開会式の演出を行う指揮室で、組織委員会・競技部式典課課長の松戸節三

（P50参照）が指示を飛ばし始める。松戸は本日の総務・指揮主任という重責を果たしていた。

同じ頃、場内スタンドに約六万五〇〇〇余の観客が入場。一方、場外に集まった観衆はピークの約八万に達して、周囲はほぼ飽和状態。警備部隊は入場券を持たない観衆を青山通りと新宿御苑に分断誘導した。

やがて絵画館前広場に、九四か国、六五〇〇人余の選手役員がアルファベット順に整列。そんな様子を、持ち場である絵画館横に待機中の「最終日」ランナー第七走者・鈴木久美江がずっと見つめていた。

「たしかふたり、『先生』が付いてくれたと思うんです。お名前は覚えていない」と鈴木は語る。「私は小さいから、周りの方はみんな『先生』に見えちゃう（笑）。私の前に芝生の広場があってそこに選手団が集合して、青木（政子・第六走者）さんが聖火を待っているゲートの方からぐるーっと周って、私が待っている前を選手団が通っていったのを見ていますから」

午後一時三〇分、選手団が入場に備えて、絵画館前広場から順次移動を開始。その頃、国立競技場そばにカメラを持ったたひとりの若い男が到着する。彼はこの年に電電公社（現・NTT）に入社したばかりの角田俊男という男だ。角田は「世紀の祭典」に少しでも触れようと、仕事帰りにわざわざここまでやって来たのである。

「当時はまだ新人で各地の営業所を点々としていた頃で、たまたま新宿局に配属になっていて」と角田は語る。「新宿局は大久保にありましたから、千駄ヶ谷まですぐでしたからね」

この日は土曜日なので仕事は半ドン。そこで、職場の同僚と一緒に「近場」の競技場までやって来た。

「特に写真マニアでもないので、コニカのカメラを持ってね」と語る角田だが、当時は珍しいカラー・フィルムを詰めての見物である。絵画館前広場から国立競技場への道のりは、人波で溢れ返っていた。

午後一時四五分、NHKテレビで開会式中継が始まる。国立競技場見物に行っていた高校生の水野一成は、すでに浅草の自宅に戻っていた。すると、自宅にはテレビ目当てに午後一時頃から近所の人たち二〇人ぐらいが詰めかけている。水野の家には、当時はまだ珍しいカラーテレビがあったからだ。

「当時カラーテレビは、色調整すると（場所を）動かせなかったんですよ」と水野は語る。「色調整をしないと、色がにじんじゃうんです。口紅の色が顔中になっちゃうとか。オリンピックなんでメーカーに来てもらってセット（再調整）してもらったから、動かすのはダメ」

近所の人たちがテレビのブラウン管を見つめる中、チャンネルをＮＨＫの開会式放送に合わせる。やがて、実況担当の北出清五郎アナウンサーが名調子で語り出した。「世界中の秋晴れを全部東京に持ってきてしまったような、素晴らしい秋日和でございます」

午前中はＹＳ-11で東京上空にいた山之内憲夫は、すでに名古屋の事務所で開会式のテレビを見ていた。

その頃、競技場そばにいた角田俊男が、目の前を通過するギリシャ選手団を撮影（巻頭カラーP8参照）。入場の一か国目である。旗手は聖火リレー「第一走者」のヨルゴス・マルセロスだ。

「競技場に入る順番を待っている時から、心臓が胸から飛び出しそうなほど速くて大きな鼓動が聞こえましたよ」とマルセロスは二〇二〇年に回想している。「ギリシャのオリンピック選手団を率い、ギリシャ国旗を掲げて競技場に入って行ったその瞬間までね」

一方、入間基地のブルーインパルスは、気象官から天気のブリーフィング（説明）を受けた後、リーダーが今日のフライトについてブリーフィング。リーダーはもちろん、隊長の松下治英一尉である。

「もう段取りは我々も分かっていることですから、そんなに長くないです」と藤縄忠は語る。「それぞれ一〇分から一五分というところでしょうかね」

国立競技場では、ＹＳ-11聖火空輸「第四のパイロット」沼口正彦がワクワクしながら開会式を見守っていた。沼口がワクワクするには、個人的で特別な理由があった。

東京での「オリンピック・エッセイ・コンテスト」優勝者

（提供：産経新聞社）

1964（昭和 39）年 10 月 10 日未明にそれぞれの国のジャーナリストと共に東京に到着した「オリンピック・エッセイ・コンテスト」優勝者の面々は、東京大会開会式に見るために国立競技場にやって来た。彼らは東京で産経新聞社やフジテレビを見学。また、東海道新幹線に乗って京都にも足を延ばした。この写真は 10 月 15 日の座談会で撮影されたものと思われる。右列手前より 3 番目がシンガポール（当時のマレーシア）のフランシス・ヨウである。

開会式見物に来た角田俊男

（提供：角田俊男）

1964（昭和 39）年 10 月 10 日の東京大会開会式の際、国立競技場近くに見物に来た角田俊男の写真である。背後に写っているのは、開会式当日の国立競技場。この写真を撮影したのは、当日同行していた同僚である。ちなみに角田が立っていた地点は、P254 に掲載されている「会場付近図」（上の図）で見ると、絵画館前広場から伸びている選手団移動コースの「開会式」（実線）と「閉会式」（破線）が交わってほぼ直角にカーブする地点の近くだったようである。

「あの時のリーダー（ブルーインパルス隊長の松下治英）がですね、自衛隊での私の同期生で。入った時から友だちでですね、ずーっと知ってましたから」と沼口は語る。「式次第はプログラムに書いてありますし、アナウンスで何時頃からまいりますというような連絡もあったりして」

午後一時五〇分、選手団の先頭……ギリシャ選手団が競技場の千駄ヶ谷門前に到着。

午後一時五八分、電子音楽に迎えられて、天皇皇后両陛下が貴賓席に到着。同時に「君が代」の演奏が始まった。国立がんセンターで治療を受けていた池田勇人首相も、主治医の許可を得て開会式に参加である。

「開会式当日は（ＩＯＣ会長の）ブランデージさんが貴賓室におられたんですが、そのブランデージさんの後ろにずっと陣取って座っていました」と、聖火空輸派遣団で報道係を勤めた菅野伸也は語る。「ブランデージさんに何か用事があったり尋ねられたりした時に、いつも答えられるように座っていたんです」

「私は主に小さな国のオリンピック・アタッシェ（選手派遣国の東京との連絡官）の仕事をしていたので、その方たちの席に座りました」と久野明子は語る。午前中から忙しくしていた彼女も、開会式が始まると着席して進行を見つめていた。「貴賓室のそばですが、そこからは少し離れていたのは覚えています」

他にも、客席内には採火式の主巫女に扮したアレカ・カッツエリもいた。昨日は出ずっぱりの大活躍だったが、今日は国立競技場の観客に徹していた。

午後二時、行進曲と共に「一番手」ギリシャ選手団が旗手ヨルゴス・マルセロスを先頭に入場。

「あの素晴らしい日のことはすべて、生涯覚えていることでしょうね」とマルセロスは語る。「聖火第一走者で旗手ですよ！　あれはこの上ない時間であり思い出です」

また、マルセロスは私家版の冊子でもこう述べている。「私は一九六四年オリンピック大会を生きた。その最初から最後まで。そうともいえますね」

IOC会長ブランデージと菅野伸也

（提供：菅野伸也）

開会式当日、菅野伸也は貴賓室にいたIOC会長のアベリー・ブランデージ（Avery Brundage）のすぐそばに座っていた。何時頃に国立競技場に行ったかは定かではないが、何か頼まれたり聞かれた時のために、ブランデージのそばにスタンバイしていたという。この写真は、1963（昭和38）年にブランデージが視察のため東京を訪れた時のもの。国立競技場での撮影である。

ギリシャ選手団の入場行進

（提供：朝日新聞社）

選手入場行進一番手として登場したギリシャ選手団の様子。旗手は聖火リレー「第一走者」のヨルゴス・マルセロスである。マルセロスは2020年の取材でこの日の印象について、「非常に印象的だったのは聴衆の熱狂ぶりで、彼らの歓声は喜ばしい聖歌のように会場の空気を満たしていました」と独自の表現で語っていた。

2. 祭壇を灯すために

世界はひとつ、なのか?

入場行進が始まった午後二時頃、「控え」だった落合三泰は「最終」ランナー坂井義則と一緒にいた。

「絵画館の中継点近くの喫茶店かどこかに、私と坂井さんと浜部（憲一・コーチ）さんの三人で入って、時間が来るのを待っていた」と落合三泰は語る。これは、佐藤次郎の『東京五輪1964』に「国立競技場近くの食堂に向かった」と書かれていることと符合する。落合はそこで、坂井にのしかかる負荷の重さを改めて気づかされた。「緊張しているのは分かりましたよ。お互い無言で時間を潰している感じでしたね」

一方、競技場で同じ午後二時頃、ロイヤルボックス北寄り口付近で観覧していた和歌山県知事の小野真次に異変が起きる。気分が悪くなった小野は、東京消防庁タンカ隊によって場内の第六医務室へ運ばれた。

「開会式は、沖縄から鹿児島に向かう船内のテレビで見てました」と語るのは沖縄の宮城勇だ。彼はその日、船の中にいた。「善意で支援金をいただき、東京に行けることになって。もちろんパスポート持参です」

当時、沖縄は米軍占領下。「本土」入りするには「入国」手続きが必要だったのである。

その頃、国立競技場には自らハンドカメラを持った市川崑監督がいた。前述JOCウェブサイトの『市川崑総監督が語る名作「東京オリンピック」』でこう語っている。「開会式の選手入場が始まったとたん、その素晴らしさに呆然としてしまいました。遂に見とれてしまったまま、一カットも撮れませんでした（笑）」

キャメラマンの松井公一も、二〇〇〇ミリの超望遠レンズで狙っていた。「靴の大きさがフレームいっぱいになるくらいアップに撮りました。市川崑さんはアップが好きだから、注文されてないけどそうやった」

やがて、ドイツ選手団が入場。旗手は紛糾の末、東独の女子飛び込みエンゲル・クレーマーが務めた。

「ドイツは分裂していたのに、ドイツ選手団はひとつの旗の下に『単一の団結したチーム』として歩いていた」

というヘルムート・ビューラーの口調には、いつもの軽口が影を潜める。「でもね、それはただ外面だけ。東西の役人の間にはほとんど調和なんてなかった。選手の中には友達同士になった者もいましたがね」

それから一〇分ほど後にマレーシア選手団が入場。会場内にいたフランシス・ヨウの故郷シンガポールは、当時はマレーシアの一部だった。だが、彼はマレーシアを「母国」として見つめていただろうか。

その頃、入間基地では、ブルーインパルス隊員が外部点検を済ませたF-86に乗り込む。松下隊長がコックピットから出した手をクルクルッと回すと、全機エンジンを始動。全員同時にヘルメットをかぶる。

「ブルー、チェックイン。ブルー・ワン！」という松下の問いに、他の隊員が返答。「ブルー・ツー」「ブルー・スリー」「ブルー・フォー」……そして五番機の藤縄忠が応答。「ブルー・ファイブ！」

全機のキャノピー（注：コックピットの覆い）が一斉に閉じられ、整備員が揃って機体を離れる。

「ブルー、スモーク・チェック。スモーク・ナウ」と松下。全員が操縦桿に付いている機関銃のトリガーを少し引くと、スモークがわずかに出る。それを確認してから地上滑走を開始。誘導路に入り直進。さらに滑走路に入って、四機と一機に分かれた編隊離陸（ダイヤモンド離陸）の隊形となる。離陸前点検を終了。

「リリース、ブレーキ……ナウ！」と松下編隊長の指示で各自踏みしめていたブレーキを放す。滑走開始。スピードが増して時速約一三〇ノットを超える頃、静かに機首を上げる。たちまち機体は入間基地の真っ青な空へと吸い込まれて行った。ブルーの離陸、その時刻は午後二時三〇分。

その空の彼方には

富山県射水郡大門町（現・射水市）のある一軒家でのこと。ひと組の老夫婦が、お茶の間のテレビで開会式の中継を見ていた。だが、体の衰えた夫は目が見えていないらしい。その夫こそ、戦前の「幻」の東京大会招致に奔走した元・東京市長の牛塚虎太郎（P28参照）。かつて牛塚の秘書で現在は選手村村長の小松藤吉（P206参照）は、開会式に牛塚を呼べないことを残念がっていた。だが、牛塚の妻はテレビを見ながら、状況を夫に逐一説明しているではないか。妻の「実況」を聞く牛塚の顔は、満面の笑みを浮かべていたはずである。

午後二時三〇分頃、東京の皇居前広場では大観衆の前で聖火台から火が取り出された。第一走者・福地徳行の手に聖火が委ねられ、二重橋前を出発。午後二時三五分、「最終日」聖火リレーのスタートである。

「こっちは田舎ですから、当日は近所の人が日の丸を持って出征兵士みたいな見送り方をして（笑）」と第一引継地点の桜田門で待っていた後藤和夫は語る。「午前中に桜田門のところへ学生服で行きました。もう人だかりで大変だった。家族や親戚も来ていて、隣の女子高生も授業をさぼって来ていました」

午後二時三七分、福地徳行が第一引継地点の桜田門に到着。ここで第二走者の後藤和夫に引き継ぐ。

「指定の位置に立って、桜田門のほうを向いて待っていると（福地さんが）現れて。可愛い顔をしていましたからね（笑）」と後藤和夫は語る。

東京のど真ん中を交通止め。右手は皇居。左手には大歓声。頭上は真っ青な日本晴れの空である。

「それは気持ちいいですよね」と、後藤和夫はその時の心境を語る。「誰もいないし、沿道には観衆がいる。白バイが先導している。自分ではかっこよく走っていると思ったんですが（笑）」

この頃、国立競技場近くで見物していた角田俊男の前を日本選手団が通過（巻頭カラーP8参照）。

午後二時四〇分頃、ブルーインパルスは江ノ島上空に到達した。ここで待機である。待機中のブルーは、江ノ島を起点として南西の方向に細長い楕円を描いて飛んでいたという。

「江ノ島の上空が一番競技場に近いポイントになる。右回りでずっと細長い円を描いていたんです」と藤縄。「江ノ島から一八〇度曲がって、沖の方に向って。そしてまた一八〇度回って……という感じでね」

興味深いのは、待機中の段階から五輪飛行と同じ距離・位置関係を維持していたことだ。「競技場のところまで来て、一気にその場で離れるという訳にはいきませんから。各人の目と勘でやっていますからね」

午後二時四一分、後藤和夫は第二引継地点・三宅坂に到着。第三走者の後藤秀夫に引き継ぐ。

「ピックアップの車が来るんです」と後藤和夫は語る。「終わった人をピックアップして国立競技場へ」

一方、第三走者の後藤秀夫は青山通りを西へ。三宅坂までは緩やかだった傾斜が少々キツくなる。それがピークを迎えると、第三引継地点・参議院議長公邸前は近い。

「当日、学校で『これから行くんだ』といったら、友達が『じゃあ俺が写真を撮りに行く』といってね」と第四引継地点で待っていた池田元美は語る。池田は午前中は登校して、その足で現地入りしたようだ。

午後二時四四分、後藤秀夫が第三引継地点・参議院議長公邸前に到着。第四走者の池田元美に引き継いだ。道は下り坂だが、すぐに赤坂見附交差点で登りに転じる。

「ただ広いところを走ったなという印象は残ってる」と池田は冷静に語る。「記録も関係ないし、決まった通りにやるだけだから負担は感じなかった」

午後二時四五分頃、落合三泰は坂井義則やコーチの小浜と共に、絵画館前に移動した。「地図上で三角形になっている場所」というから、おそらくカメラを持って待ち構えていた角田俊男から遠くなかった。

午後二時四五分過ぎ、国立競技場に日本選手団が入場。日本選手団をしんがりに、全選手団が整列を終えた。場内フィールドいっぱいに並ぶ選手たち。いよいよセレモニーも佳境である。

「ウォーミングアップしたことは覚えてます。その場でね」と語るのは、第四引継地点で待っていた飯島浩。

「長距離をやっていたから、すぐに走ることはしませんので、事前に体を慣らしていました」

午後二時四七分三〇秒、池田元美が第四引継地点・赤坂公民館（現・赤坂区民センター）前に到着。第五走者の飯島浩に引き継ぐ。飯島のコースから傾斜はなくなったが、距離は最も長い。その距離の半分以上で、右側に延々と赤坂御用地が続くというしささか単調なコース。だが、飯島にはやるべきことがあった。

「赤坂公民館で（トーチを）受け取った時には右手で、途中に左に交番があったあたりで左手に持ち替えていた」と第五走者の飯島浩は語る。「後ろの車に『はい、持ち替えて』と指示されて」

その頃、江ノ島上空で旋回しながら待機中のブルーインパルスは、想定外の事態に困惑していた。

「待機中、（開会式の進行が）一分遅れた二分遅れたと連絡が入っていた」と藤縄は回想する。「我々は待機しながら、リーダーはどう決断するのかなと思っていたんです」

状況が掴めないと、国立競技場に向かうタイミングが分からない。五輪展示飛行が決まらない。

「あの人は沈着冷静な人ですよ。慌てふためいたりする人じゃない」と藤縄は松下治英隊長を語る。「松下さんは無線機をＮＨＫの実況放送に合わせて、地上の様子を聞きながらタイミングを計ることにした」

一方、地上の「最終日」聖火リレーはそのまま進行中。第五走者の飯島浩が最長コースを走っているところである。「気分は良かったですね。片道三車線の真ん中をひとりで走ってたんですから。東京のど真ん中を三台の白バイに先導していただいて。だから気分は良かったけど、周りの景色は全然覚えてません」

「私は田舎でしたから、学校に行かず、家から出かけたと思います」と語るのは、第五引継地点で待っていた青木政子だ。「（引継地点は）バリケードがあって、絵画館前には誰も通さないという感じで」

午後二時五四分、飯島浩が第五引継地点・青山口噴水場前に到着。第六走者の青木政子に引き継ぐ。

三宅坂へと向かう第二走者・後藤和夫

（提供：後藤和夫）

1964（昭和 39）年 10 月 10 日、皇居前〜桜田門の 500m を走った第一走者・福地徳行の後を受けて、三宅坂までの緩やかに傾斜した 800m を走る第二走者・後藤和夫である。背後に見えるのは皇居。

参議院議長公邸前を走り出す第四走者・池田元美

（提供：池田元美）

三宅坂〜参議院議長公邸前の 640m を担当した第三走者・後藤秀夫の後を受けて、第四走者・池田元美が走り出す様子である。ここから青山通りを西に向かって赤坂見附交差点方面へと進み、赤坂公民館まで 700m を走る。

「公道といっても、練習で街中を走ったこともあるから、そんなに（不慣れは）無いですよね」と青木。「緊張感はあったと思うんですけど、淡々と。すごいことだと全然感じてなかった（笑）」

午後二時五六分、青木政子が第六引継地点・絵画館横に到着。ここで第七走者の鈴木久美江に引き継ぐ。

「中学三年だから、緊張することは無いんじゃないかと。気楽なもんです（笑）」と鈴木は語る。そんな鈴木久美江が通過する姿を、競技場そばにいた角田俊男が撮影した（巻頭カラーP8参照）。

午後二時五七分、国立競技場では天皇陛下が貴賓席から開会を宣言。開会を告げるファンファーレ。

午後二時五八分、鈴木久美江が第七引継地点・神宮プール前に到着。待ち構えていたのは、「最終」ランナーの坂井義則。「控え」として落合三泰もそこにいた。

前述した『聖火最終ランナーの孤独』によれば、開会式当日も坂井は「競技場に入ったら、観衆全部が僕に白い目を向けるのではないか」と思い詰めていたという。だが、ここで何分間かの時間調整が入る。すると観衆が円周道路外側歩道に集中。慌てて警備側は配置員を増強し、パイプ製の柵を車道側から押さえた。

「待っている時に、私に付いてくれた先生から『坂井さんが緊張しているから声をかけてあげて』と言われてたんです」と鈴木は語る。「（進行が）数分遅れたんですよね。だから、坂井さんと対面している時間があったんですよ。それで私は『大丈夫ですか？』と声をかけました。坂井さんは『階段がちょっと心配』と」

午後三時過ぎ、国立競技場では新宿区立牛込仲之小学校の六年生生徒たちによる鼓隊に挟まれるかたちで、五輪旗とローマ市長アメリゴ・ペトルッチが入ってくる。五輪旗は東京都知事に引き継がれた。そこで、絵画館前広場から祝砲が三発。スタンドからは五色の風船が一万個放たれた。

「大砲が三発鳴ったら、私が坂井さんのトーチに聖火をつける段取り」と鈴木久美江は語る。「それで坂井さんが（国立競技場の千駄ヶ谷門に）入っていったと思います」

青山一丁目駅付近での第五走者・飯島浩

(提供：飯島浩)

第四走者・池田元美は赤坂公民館（現・赤坂区民センター）前で第五走者・飯島浩とバトンタッチ。ここから神宮外苑正面の青山入口三叉路までの1450mを走る。「最終日」聖火リレーとしては最長のコースで、飯島は後方のクルマから指示を受け、途中でトーチを持つ手を替えている。写真は赤坂御用地の南西の突端にある赤坂署赤坂一丁目交番付近を走る飯島で、左端の地下鉄看板は営団地下鉄（現・東京メトロ）銀座線の青山一丁目駅の入口（当時、半蔵門線や都営地下鉄・大江戸線は存在していない)。飯島が左手でトーチを持っている点にご注目いただきたい。

神宮外苑円周道路を走る第六走者・青木政子

(提供：岡野政子)

第五走者・飯島浩から聖火を受けた第六走者・青木政子が、絵画館横に待つ第七走者・鈴木久美江までの400mを走る。写真の背後にある金網の向こうは、テニスコートなど神宮外苑のスポーツ施設。その景色は今日もほとんど変わらない。

「(坂井さんの)二〇～三〇メートル後ろを私と鈴木さん、浜部(憲一・コーチ)さんの三人が追いかけているんですよね」と落合三泰は語る。一方、青木政子の記憶は微妙に異なる。「鈴木さんと一緒に国立競技場へ入っていったんです。入口にも人がいっぱいで、(坂井の入場を)ふたりで見た記憶があります」

だが、坂井はすぐに北入口から場内に入らなかった。ブルーインパルスの藤縄忠は、後に坂井本人から聞いた話としてこう語っている。「まだ前方に鼓笛隊(注:鼓隊)が見えたので、自己判断で一旦待機したらしい。これがよかった。実は、坂井さんはいいタイミングをとってくれたんです」

一方、ここは午後三時頃の新潟市。駅前の東映ホテルから、帰国する北朝鮮選手団を乗せたバスが発車する。新潟港中央埠頭には、彼らを母国に運ぶソ連船「ヤクーチャ」号が横付けされていた。およそ五〇〇人の見送りの人々が集まって来ていたが、慌ただしい帰国のせいか持参した旗やノボリにはまだ「歓迎」の文字も残っていた。バスに乗っていたであろう辛金丹の胸中は、いかなるものだったであろうか。

再び舞台は変わって、同じ午後三時過ぎ、東京・新橋の第一ホテル。ロビーのカラーテレビに映る開会式の中継を、寂しげに見つめる外国人の老夫婦がいた。デンマークから来たあのイエンセン夫妻である。まだ母国では見ることのできないカラーテレビ。本来なら喜んで見ただろうが、ふたりの気持ちは沈んだまま。待ちに待った開会式なのに、ハンドバッグと東京大会のチケット四〇枚は失われたままだ。

だが、イエンセン夫妻はまだ知らない。ふたりからほんの一〇メートルほど先にあるホテルのフロントに、ひとりの若い男が訪れていることを。彼は帝都自動車交通の池袋第一営業所に所属する、二四歳のタクシー運転手。午前中、イエンセン夫妻をクルマに乗せていたのが彼だった。車内に忘れられていたハンドバッグをフロントに届けた彼は、そのまま静かに第一ホテルから去って行った。

国立競技場では、小学生たちによる鼓隊が退場していく。「今だ!」坂井義則はタイミングを見計らって、一

第七走者・鈴木久美江と最終走者・坂井義則

（提供：毎日新聞社）

絵画館横から400m走って来た第七走者・鈴木久美江は、国立競技場そばで最終走者・坂井義則に聖火を託す。この写真は、その際に時間調整を行った瞬間を撮影したもの。鈴木久美江によれば、彼女が坂井をリラックスさせるべく「大丈夫ですか？」と問いかけたということである。その一言が一種の「ガス抜き」になったのだろうか、聖火リレー本番直前にも関わらず、坂井が笑顔を見せているのが興味深い。この近くには、落合三泰もスタンバイしていた。

祝砲の公開訓練風景

（提供：陸上自衛隊宇都宮駐屯地）

「最終」ランナー坂井義則スタートの合図となった3発の祝砲は、陸上自衛隊宇都宮駐屯地（栃木県宇都宮市）に所在する第12特科連隊（現在は第12特科隊に改編）によるものと思われる。当該部隊の記録によれば、開会式での祝砲の練習を開始したのは、1964（昭和39）年1月より。当日は絵画館前広場から祝砲を撃った。なお、組織委員会側の祝砲に関する主任は、式典課の森谷和雄（P50参照）である。この写真は宇都宮駐屯地内での祝砲実施部隊の訓練を報道関係者に公開した際のもので、撮影は1964年1月～2月。

気にトラックに走り込んだ。その時刻、午後三時七分……。

聖火空輸派遣団の聖火係として奮闘した中島茂は、競技場内でその瞬間を見ていたはずである。

沖縄「第一走者」宮城勇は、船の中のテレビでその映像を見ていた。

記録映画キャメラマンの松井公一は、二〇〇〇ミリの望遠レンズで坂井を待ち構えていた。

オリンピアでの聖火「第一走者」ヨルゴス・マルセロスはフィールドで見ていた。「(坂井と)同じ感情で私の胸は一杯になった。彼がリレーの最後となるパートを走って、祭壇を灯すために階段を上った時にね」

採火式の主巫女アレカ・カッツエリは、溢れる涙で前が見えなかった。一〇月一〇日付毎日新聞夕刊で、彼女はこう語っている。「わたしはこの日のためにきたのです」

YS-11「第四のパイロット」沼口正彦は、その時の状況をこう語る。「みんな、ホ～ッていうような感じの方が多かったですよね。ワ～ッなんていうのはなかったですよ。感嘆した、ホ～ッていう声」

前述『聖火最終ランナーの孤独』の中では、坂井自身がこう語っている。「競技場のゲートをくぐったら、満員の観衆より先に、真っ藍な空が目に入ったんだ。思わずこれが〝紺碧の空〟なんだなと思ったんだ」

「だからさぁ、聖火を掲げて競技場を走っている僕の頭の中には、ずっと〝紺碧の空〟が流れてたんだ」

抜けるような青い空。その空の彼方には……。

江ノ島上空でブルーインパルスが待機。ラジオで実況アナが聖火ランナーの入場を伝えると、隊長の松下治英は所要時間を瞬時に計算した。無線での松下の指示を、五番機の藤縄忠は今も忘れない。

「よし、行くぞ!」

澄み切った空の下、ブルーインパルスは国立競技場に向けて一斉に飛び立って行った。

大空に上がる風船

（提供：日本女子体育大学）

祝砲の3発目を合図に、5色の風船約10000個が一斉にあがる。これを担当していたのは、日本女子体育短期大学（現・日本女子体育大学）の生徒300名。1964（昭和39）年8月12日付『読売新聞』によれば、当初は水素ガス使用の風船上げを計画。しかし、1963（昭和38）年10月に東京・晴海の国際貿易センターでの自動車ショーで起きた爆発事故や、この年3月に名古屋のオリエンタル中村百貨店（現・名古屋三越栄店）で起きた爆発事故の影響で、東京消防庁が待ったをかけた。その結果、不燃性のヘリウムガスに変更になったのである。

国立競技場・北出入口から入場する坂井義則

（提供：産経新聞社）

1964（昭和39）年10月10日午後3時7分、国立競技場の北出入口から入場する「最終」ランナー坂井義則の姿である。この坂井の入場タイミングを待っていたのは、江ノ島上空のブルーインパルスや2000ミリ超望遠レンズで聖火台までの階段を狙っていたキャメラマンの松井公一だけではなかった。1964年10月11日付『産経新聞』によれば、組織委員会・式典課員の岩崎旭と日新工業の社員たちが、聖火台に仕込んだプロパンガス噴出のタイミングを待っていたという。

国立競技場上空に描かれた五輪

（提供：航空自衛隊）

1964（昭和 39）年 10 月 10 日、メイン・スタジアムである国立競技場の上空約 10000 フィート（約 3000 メートル）に、東西約 7 キロにもわたる巨大な五輪が描かれた。ブルーの江ノ島～国立競技場の移動に約 5 分。到着して安定させるために旋回した後、五輪を作るのに 30 秒。ほとんど風のない状態だったこともあり、五輪はほぼ 1 分間上空にとどまり、ゆっくりと東京湾方向に漂っていった。

エピローグ

1964年10月10日～現在 東京大会開会式後

聖火リレー直後の鈴木久美江

（提供：井街久美江）

1964（昭和39）年10月10日の開会式当日、聖火リレー本番終了直後に国立競技場スタンド下の控え室にて撮影。鈴木久美江と一緒に写っているふたりの男性は、リレー本番時に「自分に付いてくれた『先生』」と彼女が語っていた人物である。

宴が終わった後で

TOKYO1964を通過した人々

一九六四（昭和三九）年一〇月一〇日の開会式後、「最終日」聖火ランナーである福地徳行、後藤和夫、後藤秀夫、池田元美、飯島浩、青木（現・岡野）政子、鈴木（現・井街）久美江、坂井義則、岡島貴敏、落合三泰……の一〇人は、開会式本番以後は交流も再会もほとんどなかった。二〇二〇年大会の東京開催決定から一年後、二〇一四（平成二六）年九月一〇日には「最終」ランナー坂井義則がこの世を去った。

沖縄の第一走者だった宮城勇は、その後、高校の教諭を経て沖縄国際大学の教員になった。現在は引退して、浦添市に住んでいる。

市川崑監督の映画『東京オリンピック』でキャメラマンを務めた松井公一は、その後、中日映画社を辞めて定年までフジテレビに在籍した。映画自体は試写を見たオリンピック担当大臣の河野一郎にクレームをつけられ、「芸術か記録か」の論争を巻き起こす。しかし興行は大ヒットで、作品的にも一九六五（昭和四〇）年のカンヌ映画祭で国際批評家賞を、英国アカデミー賞でドキュメンタリー賞を受賞する高評価を得た。

航空自衛隊ブルーインパルス隊員のひとり藤縄忠は、その後、航空自衛隊を退職して一九七〇（昭和四五）年に日本航空に入り、そこで一九九七（平成九）年の退職まで民間パイロットとして活躍した。

組織委員会聖火空輸派遣団の聖火係として奮闘した中島茂は、一九六九（昭和四四）年に日本体育協会の事務局長に就任。一九七二（昭和四七）年の札幌冬季大会でも聖火リレーに関わった。その後は国立競技場の理事と日本体育施設協会の理事などを兼任。二〇〇七（平成一九）年二月二日に亡くなった。

組織委員会聖火空輸派遣団で報道係だった菅野伸也は、東京大会での経験が買われたのか、その後も一九七二年の札幌冬季大会をはじめ国際的なスポーツイベントに数多く駆り出された。

組織委員会聖火空輸派遣団で通訳として国外リレー後半に同行した渡辺（現・久野）明子は、現在は一般社団法人日米協会の副会長を勤めている。

日本航空機製造のパイロットとしてＹＳ‐11聖火空輸にも参加した沼口正彦は、一九八二（昭和五七）年の同社解散後は東亜国内航空（後に日本エアシステムに改称）に入社。同社に六五歳まで在籍した。

ＹＳ‐11試作二号機飛行試験主任の山之内憲夫は、一九七三（昭和四八）年に民間航空機開発協会（現・日本航空機開発協会）に移籍、ボーイング７６７を皮切りにボーイングとの共同開発に関わった。

ＹＳ‐11「聖火」号に乗務した全日空スチュワーデスの板倉（現・白木）洋子は、一九六七（昭和四二）年に結婚に伴い全日空を退社。スチュワーデス業からも退くことになった。

北朝鮮の女子陸上選手・辛金丹とつかの間の再会を果たした父の辛文濬は、東京大会を見ずに開会式翌日の一〇月一一日にソウルに戻った。辛文濬によれば、辛金丹は「一五年後には必ず会えるでしょう」と語ったとのことだが、その意味は不明である。また、この親子に関する話には異説もあるが、その真偽も不明である。ふたりはその後、二度と会うことはなかった。父親の辛文濬は一九八三（昭和五八）年一二月二七日に六七歳で死去。その二年後の一九八五（昭和六〇）年に、南北離散家族相互訪問が初めて実現した。

シンガポールのフランシス・ヨウは、一〇月一八日に日本訪問の旅を終えて帰国。帰国後の消息はほとんど掴めていない。その後、マレーシア政府とシンガポールとの関係は悪化し、一九六五（昭和四〇）年八月九日にシンガポールはマレーシアから離脱、独立して現在に至る。なお、伊藤忠商事は問い合わせに対して、「オリンピック・エッセイ・コンテスト」についての記録は一切残っていないと回答している。

ギリシャの陸上選手で東京大会の聖火第一走者であるヨルゴス・マルセロスは、選手をリタイアした後はスポーツ界の要職を歴任。現在、ギリシャ・オリンピアンズ協会副会長である。

ギリシャの舞台女優で東京大会の聖火採火式では主巫女役を勤めたアレカ・カッツエリは、その後の採火式に登場することなく、一九九四（平成六）年九月一一日にアテネで亡くなった。

デンマークから東京大会見物のために来日していたイエンセン夫妻については、その消息も含めて詳細は一切不明。夫妻のハンドバッグを第一ホテルに届けた運転手の消息も不明で、当時、運転手が在籍していた帝都自動車交通の池袋第一営業所も現在は存在していない。

西ドイツからクルマで東京に来たエーリッヒ・ディーツとヘルムート・ビューラーのふたりは、東京大会後にアメリカを経由して、一九六五（昭和四〇）年二月に帰国。母国ではふたりの旅はかなりの話題を呼んだ。さらに、ふたりは一九七二年札幌冬季五輪の際も来日している。ディーツは一九八七（昭和六二）年五月二五日に七四歳で死去。その三年後の一九九〇（平成二）年に、東西ドイツが統一した。さらに二〇年以上の時が流れて、二〇二〇年大会の東京開催が決定。ビューラーは息子のファビアンと共に再び東京訪問を計画する。しかし、新型コロナウイルス蔓延に伴う東京大会延期によって、最終的に訪問を断念した。

戦前「幻」の東京大会招致に関わった元・東京市長の牛塚虎太郎は、東京大会から二年後の一九六六（昭和四一）年一一月一日に世を去った。「幻」大会に関わった東京市長は、これで全員鬼籍の人となった。

東京二〇二〇大会は新型コロナウイルスの影響で延期となり、二〇二一年夏に開催が予定されている。

東京大会聖火に関わった3人のスリーショット

（提供：宮城勇）

左から、日本人最初の聖火ランナー宮城勇、採火式の主巫女に扮した女優アレカ・カッツエリ、「最終」ランナー坂井義則。宮城勇が東京を訪問したタイミングで行われた、聖火にゆかりのある3人の最初で最後の対面。沖縄タイムスの企画によるもので、1964（昭和39）年10月18日付の同紙には彼らがスタンドで観戦しながら談笑している写真が掲載された。1964年10月15日、国立競技場入場口で撮影。

現在のヘルムート・ビューラー

(Photo by Michael Grottendieck / Courtesy of Helmuth and Fabian Buller)

ヘルムート・ビューラーは息子のファビアンと共に東京2020大会を見物しに来日する予定だったが、新型コロナウイルス蔓延のため大会は延期。それに伴って彼らの来日も中止となった。写真は東京2020大会延期に関して、2020（令和2）年にドイツ紙『Westfälische Nachrichten』の取材を受けたヘルムート・ビューラー。手に持っているのは、1964（昭和39）年来日当時に持参したライカのカメラ。下に置かれているのは、東京への旅の記録を収めたアルバム（P61、P165参照）である。

あとがき

本作は一九六四（昭和三九）年の東京オリンピックの開会式までの数か月に焦点を当て、そこに至るまで次から次へと関係者に降り掛かる苦難と混乱の連続を描いた作品である。その中心となるのは、最終日（開会式当日）の聖火ランナーたち一〇人だ。

二〇一九（令和元）年の夏の終わり、私は一九六四年大会の最終日聖火ランナーを調べて欲しいと人を介して頼まれた。そのひとり……池田元美氏と出会ったのがすべての始まりである。私としては「東京五輪」は何度も取り上げてもう卒業と思っていたが、たまたま伺った池田氏の話はちょっと意外で興味深いものだった。その言葉に、いわゆる「仰々しいもの」が一切なかったからである。

元々が「大げさ」なものが苦手な私は、従来からメディアで語られる「一九六四年大会の物語」のムード……義務感、使命感、過剰に熱い感動……などに少々違和感を感じていた。それが、池田氏の話を伺っているうちに、自分の中で何かがストンと腑に落ちるような気がしたのである。

そうだ、あの時の彼らは「若者」だったのである。それも戦後の若者だ。

それに気づいた時、一九六四年大会を出来る限り「等身大」で、普通の人々の物語として語れる気がしてきた。また、私は『１９６４東京五輪聖火空輸作戦』（原書房、二〇一八年）制作の際に収めきれなかった一九六四年大会の情報や資料を活用して、同大会の聖火リレー全体を総括できる可能性をも感じたのである。

そもそも、一九六四年大会は現場の人々が持つ「底力」のおかげで、かろうじて成功させることができたものなのだ。あるいは、知られざる存在ながら信頼に足る「人材」が、着実に現場を支えていた。そんな「底力」や「人材」を、果たして今日の我々は持ち得ているのだろうか……。

そんなところに、とてつもない出来事が起きた。新型コロナウイルスの蔓延である。

これが二〇二〇年大会を延期に追い込んだことから、皮肉にも私は本書を制作する十分な時間を得た。それ以上に、本書を制作するためのトリガーもそこから生まれたのである。

これは一九六四年の東京大会までの日々を描いた物語だが、同時に未曾有の災厄に直面している今の私たちにも通じる話なのである。

いつもの私の作品と同じく、今回もまた非常に多数の方々のご協力を得て制作された。

まず、元・日本航空アーカイブズセンターの古賀大輔氏、全日空白鷺会・東京の元・会長である茂垣多恵子氏の貢献がなければ、そもそも本書は成立していないといわなくてはなるまい。

公益財団法人日本スポーツ協会・資料室の佐藤純子氏（二〇〇六～二〇二一年当時）には、一五年もの間ずっとご支援をいただいた。この方のバックアップがなければ、私が著書を発表することはなかっただろう。また、秩父宮記念スポーツ博物館・図書館の須藤順子氏、公益財団法人野球殿堂博物館の井上裕太氏、ＡＮＡ／全日本空輸株式会社広報室の栗田詩織氏、大田優美子氏（二〇一七～二〇一八年当時）、黒滝祥子氏（二〇一六年当時）、大槻恭子氏（二〇〇九年当時）、元・同社総務部・資料管理所の羽田正博氏（二〇一六年当時）、同社広報室・羽田チームの内田陽一氏、日本航空アーカイブズセンターの佐藤敏文氏、江向雅幸氏（二〇一八年当時）、金子泰夫氏（二〇一六年当時）、同社東京２０２０オリンピック・パラリンピック推進部の堀尾悠氏、同社広報部の吉岡敬之氏（二〇一八〜二〇二一年当時）、同・故・門間鉄也氏（二〇〇九年当時）、三菱重工業株式会社・広報部名古屋グループの池谷光彦氏と下間生子氏、元・同社名古屋航空宇宙システム製作所広報チームの竹内功学氏（二〇一六年当時）、株式会社阪急阪神ホテルズの臼田七海氏、元・株式会社ナックイメージテクノロジーの遠藤和彦氏、一般財団法人日本航空協会の長島宏行氏（二〇一七年当時）と苅田重賀氏、同・航空図書館の中村優子氏、所沢航空発祥記念館の近藤亮氏（二〇〇九〜二〇一七年当時）、東京都公文書館の馬場宏恵氏、佐賀大学同窓会事務局の篠崎萬佐恵氏、三養基高等学校同窓会の牛島理恵氏にもいろいろとお世話になった。

それに加えて、National Library Singapore の Carmen Wang 氏、People's Association Headquarters の Nicodemus Kuan 氏、National University of Singapore の Office of Alumni Relations に所属する Amy 氏と Ida 氏、National Library of the Philippines の Jean S. Ico 氏、Flughafen München GmbH の Bettina Schaller 氏、Kungliga biblioteket（National Library of Sweden）の渡邊幸奈氏、Det Kgl. Bibliotek（Royal Danish Library）の Martin Lund 氏……などの方々にも、多大な貢献をしていただいている。

特に、千葉県文書館の飯島渉氏には何かと助けていただいた。本書のコレラ発生に関する部分は、すべて飯島氏のご協力の賜物である。沖縄県公文書館の豊見山和美さまにも、数々の情報や資料をいただいた。沖縄に関する部分で、この方の貢献は計り知れない。また、独立行政法人日本貿易振興機構・アジア経済研究所図書館の澤田裕子氏にも、北朝鮮関連の資料でご協力いただいた。

加えて、日本オリンピック委員会の冨吉貴浩氏と脇本昌樹氏、秋葉将秀氏（二〇一六年当時）、国際オリンピック委員会（ＩＯＣ）の Aline Luginbühl 氏（二〇一六〜二〇一七年当時）、The Olympic Studies Centre の Estel Hegglin 氏にも深くお礼申し上げたい。

もちろん本書は、当時を実際に生きた方々、その縁者や関係者の方々のお力もお借りしている。元・一九六四年大会聖火最終日ランナーのみなさん……後藤和夫氏、池田元美氏、飯島浩氏、青木政子氏、鈴木久美江氏、落合三泰氏、沖縄で……そして日本での最初の聖火ランナーである宮城勇氏、元・ブルーインパルス隊員の藤縄忠氏、同隊長の故・松下治英氏、記録映画キャメラマンの松井公一氏、故・中島茂氏ご親族の池田宏子氏と池田剛氏、故・熊田周之助氏ご親族である熊田美喜氏、阿部芳伸氏、阿部美織氏、阿部哲也氏の皆様、故・森谷和雄夫人の森谷和子氏、聖火空輸派遣団で報道係を務められた菅野伸也氏、同じく派遣団で通訳を務められた久野明子氏、元・日本航空機製造株式会社の山之内憲夫氏、同・沼口正彦氏、元・全日空客室乗務員の白木洋子氏、大会当時のことを教えてくださった水野一成氏と角田俊男氏、最初にトーチを持って走った熊谷進氏、霧島神宮から明治神宮までの親子マラソンについて資料をご提供いただいた清野昌子氏、写真について相談に乗っていただいた鈴木宣勝氏、故・森西栄一氏ご息女の岩倉佐波吏氏、一九六四年当時の東京都知事である東龍太郎氏ご令孫の東乙比古氏、二〇〇九年に取材させていただいた故・和久光男氏の夫人である和久淑子氏……に、改めてお礼の言葉を述べておきたい。

また、ドイツの Helmuth Buller 氏とご子息の Fabian Buller 氏、ギリシャの Georges Marcellos 氏とご子息の Manos Marsellos 氏、Louka Katseli 氏と Nora Katseli 氏のおふたりにも感謝したい。

さらに、ギリシャ関連で情報をいただいた GreeceJapan.com の永田純子氏、オリンピック・エッセイ・コンテストの情報などを調べていただいた産経新聞の森田景史氏、文化放送『ニュースワイド SAKIDORI!』でご協力いただいた同社報道スポーツセンターの鈴木敏夫氏、一九六四年大会関連の情報について何度もご協力いただいた朝日新聞の伊藤恵里奈氏、ビューラー父子をご紹介いただいた Westfälische Nachrichten 紙の Beate Schräder 氏、聖火リレーを巡る情報をご提供いただいた株式会社東京ビデオセンターの福田真衣氏、東乙比古氏をご紹介いただいた床波ひろ子氏、東京二〇二〇大会の聖火取材でご協力いただいたイカロス出版株式会社・月刊『エアライン』編集部の山田亮氏、聖火コース走破隊の情報を拝借させていただいた八重洲出版『オールドタイマー』編集部の塚原大蔵氏、国外聖火リレーに関する情報をいただいたＮＨＫ国際放送局の古俣モシェ氏、韓国の人名について教えていただいたシネマコリアの西村嘉夫氏、ご助言をいただいた東京新聞の加藤行平氏にも、ここでお礼を申し上げたい。

一九六四年大会聖火空輪関連については、一〇年以上の間、東京大学教授の鈴木真二氏に相談に乗っていただいた。交通史研究家の曽我誉旨生氏にも、資料提供のみならず何度も力を貸していただいた。また、国士舘大学体育学部教授の田原淳子氏には、突然の連絡にも親切にご対応いただいた。改めて感謝の言葉を述べたい。

さらに、香港などとの交渉で尽力してくれただけでなく本書が成立するための力添えをしてくれた本山光氏、写真の画像処理などで協力してくれた林均氏、海外事情について教えてくれた旧友の沖山崇氏、同じく質問に答えてくれた河野智美氏、インタビュー内容のテキスト化で協力してくれたAKIRA text createの山本晶氏、シンガポールでの現地取材をしてくださった田名邉雄氏、イランでの現地取材をしてくださったアリ・ヘジャズィヤン氏、イラン取材のコーディネートとペルシャ語翻訳をしてくださった加藤容子・ヘジャズィヤン氏、同じくネパールでの調査・取材で協力してくださった在ネパール日本人会・会長の菅沼一夫氏、副会長の高田英明氏とサンガラウラ京子氏、高知県での取材にご協力いただいた近澤由美氏、制作中のアドバイスなど力を貸してくれた金子真理氏、私がかつて在籍していた株式会社アーク・コミュニケーションズでの上司・成田潔氏にも大いに感謝したい。そして最後に、この本が世に出るチャンスをくださったみずき書林代表取締役社長の岡田林太郎氏にも改めてお礼申し上げたい。本書の実現はすべてこれらの方々のおかげである。

私は本書を制作する傍ら、コロナ禍で忍耐を強いられ続けている若い世代の人々に思いを馳せていた。貴重な若い時期に、このような災厄と巡りあってしまったことはまことにお気の毒だと思う。つい最近、六〇を越した私としては、若い人たちに大変申し訳ない気持ちを抱いている。

一九六四年のあの頃、日本は若さに溢れていた。東京大会の主役も「若い人」たちだった。それも一握りの「特別な人」だけではなく、むしろ名も知れぬ多くの人々こそが主役だったと思う。

そこには、若い人たちを盛りたてようとしていた一握りの「大人」たちもいた。

単なる「成功体験」やベタベタした甘ったるいノスタルジーではなく、それこそが「今日」、一九六四年大会を振り返ることの本来の意義ではないかと私は思うのである。

延期された二〇二〇年東京大会まであと一〇〇日を切った東京にて。

夫馬信一

◉『埼玉国体グラフ　第22回国民体育大会』（埼玉新聞社）
◉『陸上競技マガジン』昭和41年8月号（ベースボール・マガジン社）
◉『埼玉県立飯能高等学校同窓会会報　松楓』40号（飯能高等学校同窓会）
◉『同窓さふさ』第53号（千葉県立匝瑳高等学校　同窓会事務局）
◉『私の履歴書　経済人16』（日本経済新聞社）
◉『大島鎌吉の東京オリンピック』岡邦行（東海教育研究所）
◉『文春新書　東京五輪1964』佐藤次郎（文藝春秋）
◉『スポーツ人間ちょっといい話』中条一雄（朝日新聞社）
◉『伊藤道郎　世界を舞う／太陽の劇場をめざして』藤田富士男（新風舎）
◉『オリンピック東京大会バレーボール競技報告書』（日本バレーボール協会）
◉『日本バレーボール協会五十年史／バレーボールの普及と発展の歩み』（日本バレーボール協会）
◉『在日本大韓体育会60年史／1953-2012』（在日本大韓体育会）
◉『在日本大韓体育会史』（在日本大韓体育会）
◉『朝鮮スポーツ秘話』ちょん・ゆり（二月社）
◉『わが国の水産業　いか』（日本水産資源保護協会）
◉『新編 世界イカ類図鑑』奥谷喬司（東海大学出版部）
◉『公益財団法人日本オリンピック委員会』Website：
『東京オリンピック1964／紆余曲折を乗り越え、迎えた10月10日』
『東京オリンピック1964／市川崑総監督が語る名作「東京オリンピック」』
◉『Westfälische Nachrichten』Online - “1964 – 1972 – 2020 : Es sollte die dritte Japan-Reise sein”（Aschendorff Medien GmbH & Co. KG）
◉『聖火最終ランナーの孤独／2020に伝えたい1964』山田将治（『Web READING LIFE』〈天狼院書店〉）
◉『54년 전 오늘, 14년 기다린 신금단 부녀는 7분 동안 상봉했다』（ハンギョレ新聞電子版）
◉『Hellenic Olympic Committee - Official Website』
◉『The Internet Movie Database』Website
◉気象庁HP『過去の気象データ検索』
◉『JAXA宇宙情報センター』Website
◉『タウンニュース』横須賀版／Web版・2019年7月26日号（株式会社タウンニュース社）
◉『Jタウンネット』東京都 Website
◉株式会社うおいちHP『お魚図鑑／カミナリイカ（もんごういか）』
◉『都市国家シンガポールでの地域活動拠点～政府と住民との懸け橋“人民協会（People's Association）”を訪問～』（一般財団法人自治体国際化協会〈クレア〉　シンガポール事務所）
◉『THE BEATLES BIBLE』Website
◉『L'Encyclopédie des Messageries Maritimes』Website（Philippe RAMONA）
◉『サンデースポーツ2020』2020年1月26日放送（NHK総合テレビ）
◉『MBCアーカイブス　昭和のふるさと／国産旅客機YS-11「びわ娘」がPR』（MBC南日本放送）
◉『SINGAPORE: MALAY-CHINESE RACIAL CLASHES - DEATH TOLL NOW 18』News Film（Reuters）
◉『SINGAPORE: CITY TENSE BUT QUIET FOLLOWING TWO DAYS OF INTER-RACIAL RIOTS』News Film（Reuters）
◉『대한뉴스제 491호　반공의횃불』（KTV）
◉『東京オリンピック』（社団法人東京オリンピック映画協会）
◉「300〈スリー・ハンドレッド〉」（Warner Bros., Legendary Entertainment, Virtual Studios）
◉『歩け走るな！／Walk, Don't Run』（Columbia Pictures）

新聞社）
◉『東京タイムズ』1960年1月3日（東京タイムズ社）
◉『岐阜新聞』1995年3月15日（岐阜新聞社）
◉『千葉日報』1964年8月14日（千葉日報社）
◉『千葉読売』1964年10月10日朝刊（読売新聞社千葉支局）
◉『産経新聞』千葉版・1964年10月11日朝刊（産経新聞社）
◉『朝日新聞』千葉版・1964年10月11日朝刊（朝日新聞社）
◉『神奈川新聞』1964年5月28日（神奈川新聞社）
◉『朝日新聞』和歌山県版・1964年10月10日～17日（朝日新聞社）
◉『高知新聞』1964年9月6日～9月17日（高知新聞社）
◉『朝日新聞』高知県版・1964年9月16日（朝日新聞社）
◉『東京中日新聞』1964年1月12日（中部日本新聞社）
◉『北海道新聞』2020年7月18日（北海道新聞社）
◉『アカハタ』1963年11月11日～1964年10月13日（日本共産党中央委員会）
◉『しんぶん赤旗』2019年7月15日（日本共産党中央委員会）
◉『日刊ゲンダイ』2020年6月23日～24日（株式会社日刊現代）
◉『Hong Kong Tiger Standard』August 15, 1964（Sing Tao Newspaper Limited）
◉『ケイハン』1964年8月24日（ケイハン研究所）
◉『東亜日報』1964年10月10日（東亜日報社）
◉香港公共圖書館（Hong Kong Central Library）所蔵資料：
『香港工商日報／The Kung Sheung Daily News』1964年7月22日～9月5日（香港：工商日報有限公司）
『華僑日報／Wah Kiu Yan Po』1964年7月22日～24日（華僑日報有限公司）
『工商晩報／The Kung Sheung Evening News』1964年9月5日（香港：工商日報有限公司）
『大公報／Ta Kung Pao』1964年7月22日～24日（大公報〈香港〉）
◉ National Library Singapore所蔵資料：
『The Straits Times』28 April 1964, 22 July 1964, 31 July 1964, 25 August 1964, 24 September 1964, 10 October 1964, 4 June 1987, 23 July 1989
◉ National Library of the Philippines所蔵資料：
『The Manila Times』Sept. 5, 1964（The Manila Times Publishing Co., Inc.）
『The Sunday Times』August 2.1964（The Manila Times Publishing Co., Inc.）
◉『This is DAI-ICHI HOTEL』VOL.5, No.2（Guide Plan Tokyo Co., Ltd.）
◉『Here is KOREA』編集：大韓民国駐日公報館（東京オリンピック在日韓国人後援会）
◉『文春文庫ビジュアル版　異説・黒澤明』（文藝春秋）
◉『ザ・ビートルズ日本公演プログラム』（中部日本放送）
◉『ビートルズ／その誕生から現在まで』ハンター・デヴィス著／小笠原豊樹、中田耕治・訳（草思社）
◉『The Beatles CHRONICLE 1962 - 1966』（東芝EMI株式会社）
◉『Soviet Passenger Ships, 1917-1977』Edward A. Wilson（World Ship Society）1978
◉『FESCO : 125 YEAR LONG VOYAGE』2005（FESCO）
◉『COURRIERS D'EXTREME-ORIENT - LISTE DES DEPARTS 1961/62』（Messageries Maritimes）
◉『昭和39年8月　習志野に発生したエルトール・コレラとその防疫』（千葉県衛生民生部）
◉『千葉県の文書館』第25号・令和2年3月（千葉県文書館）
◉『広報習志野』昭和39年10月・第116号（習志野市役所）
◉『厚生白書（昭和39年度版）』（厚生省）
◉『OLYMPIC FLAME - Tokyo 1964』by George Marsellos
◉『親子マラソン／私はこうして続けた』清野恵吉（講談社出版サービスセンター）

二・航空技術監修（原書房）
◉『1964東京五輪聖火空輸作戦』夫馬信一・著／鈴木真二・航空技術監修（原書房）
◉『渋谷上空のロープウェイ／幻の「ひばり号」と「屋上遊園地」の知られざる歴史』夫馬信一・著（柏書房）
◉『週刊カメラタイムズ』No.675・1964年9月22日（カメラタイムズ社）
◉『月刊航空情報』1964年11月号・No.184、同年12月号・No.185、1965年1月号・No.186（酣燈社）
◉『フォト』1964年12月1日号（時事画報社）
◉『毎日グラフ』1964年10月4日号（毎日新聞社）
◉『サンデー毎日』1964年10月25日号（毎日新聞社）
◉『週刊現代』1964年9月3日号（講談社）
◉『週刊サンケイ』1964年8月31日号（産経新聞社）
◉『バレーボールMagazine』1962年7月号（ベースボール・マガジン社）
◉『バレーボール』1964年10月号、11月号（日本バレーボール協会）
◉『きょうの朝鮮』1963年2月号、4月号、9月号（外國文出版社）
◉『今日の朝鮮』1964年1～2月号（外國文出版社）
◉『映画技術』1965/01・No.149（社団法人日本映画技術協会）
◉『映画テレビ技術』2008/09・No.673（一般社団法人日本映画テレビ技術協会）
◉『土木建築工事画報』第14巻第4号・1938年4月号、第14巻第5号・1938年5月号（工事画報社）
◉『オールドタイマー』No.175・2020年12月号（八重洲出版）
◉『月刊エアライン』2020年1月号、5月号、6月号（イカロス出版）
◉『HOTERES／週刊ホテルレストラン』2016年1月8日・15日号（オータパブリケイションズ）
◉『日本文化出版ムック vol.50　スポーツマンism／日本スポーツマンクラブ会報特別号』日本スポーツマンクラブ会報特別号プロジェクト委員会編（日本文化出版）
◉『ぜろっくすらいふ』1977年11月発行（富士ゼロックス株式会社）
◉『大阪朝日新聞』1937年3月17日（大阪朝日新聞社）
◉『東京朝日新聞』1928年7月29日～1938年3月29日（東京朝日新聞社）
◉『朝日新聞』1952年2月14日～2020年3月14日夕刊（朝日新聞社）
◉『読売新聞』1964年1月20日朝刊～1964年10月27日朝刊（読売新聞社）
◉『東京日日新聞』1938年2月2日～16日（大阪毎日新聞社）
◉『毎日新聞』1950年6月26日朝刊～2019年12月29日朝刊（毎日新聞社）
◉『産經新聞』1962年6月5日朝刊、1964年8月26日朝刊～1964年10月19日朝刊（産經新聞社）
◉『日本経済新聞』1961年1月9日朝刊～1964年8月31日朝刊（日本経済新聞社）
◉『日刊ゲンダイ』2020年6月23日～24日（株式会社日刊現代）
◉『スポーツ中国』1964年4月30日（中国新聞社）
◉『日刊スポーツ』1964年8月7日、1964年8月28日PR版（日刊スポーツ新聞社）
◉『報知新聞』1964年4月1日～1964年8月27日（報知新聞社）
◉『スポーツニッポン』1964年7月1日～1964年8月26日、2019年10月6日（スポーツニッポン新聞社）
◉『スポーツニッポン』関西版・1964年8月1日～13日（スポーツニッポン新聞社）
◉『東京新聞』1964年4月4日～1964年8月29日、2020年6月2日夕刊（中日新聞東京本社）
◉『熊本日日新聞』1964年9月13日（熊本日日新聞社）
◉『長崎新聞』1964年9月15日（長崎新聞社）
◉『新潟日報』1964年10月1日～11日（新潟日報社）
◉『下野新聞』1964年10月2日～13日（下野

『都史資料集成II　第7巻』（東京都）
『知事日程　第二期』自昭和三十八年四月二十三日　至昭和四十二年四月二十三日（東龍太郎氏関係資料）
◉『創立五十周年記念号　養基』（佐賀県立三養基高等学校）
◉『旧制佐賀高等学校　菊葉』第29号、第34号、第39号・創立八十周年特集号（菊葉同窓会本部）
◉『おおぞら』1960年8月号～1974年11月号（日本航空）
◉『AGORA』2000年9月号（日本航空）
◉『社報　全日空』1964年8月号NO.63、同年9月号NO.64、同年10月号NO.65（全日本空輸株式会社）
◉『全日空客室乗務員OG会「白鷺会」30周年記念誌』（全日空白鷺会）
◉『全日空白鷺会会報誌　白鷺』第30号・平成18年8月、第39号・平成25年6月、第40号・平成26年6月（全日空白鷺会）
◉『shirasagi』vol.54・2008年12月10日発行（全日空白鷺会・大阪）
◉『全日空白鷺会大阪会報・しらさぎ』Vol.65・2017.5（全日空白鷺会・大阪）
◉『国産中型輸送機YS-11』（日本航空機製造株式会社）
◉『YS-11エアラインの記録』（日本航空技術協会）
◉『YS-11　世界を翔けた日本の翼／祥伝社新書』中村浩美（祥伝社）
◉『NAMC NEWS No.23 - September 1964』（日本航空機製造株式会社）
◉『新三菱名古屋ニュース』第42号・昭和37年9月16日、第49号・昭和38年1月1日（新三菱重工業株式会社　名古屋航空機製作所、名古屋機器製作所、名古屋自動車製作所）
◉『三菱重工名古屋ニュース』昭和39年10月16日発行号（三菱重工業株式会社）
◉『半世紀前の型式証明　YS-11の頃』藤原洋（『航空と文化』2013夏季号No.107〈一般財団法人日本航空協会〉）
◉『青い衝撃』（航空自衛隊第1航空団）
◉『航空自衛隊五十年史』（航空自衛隊）
◉『オリンピック東京大会沖縄聖火リレー／1960年代前半の沖縄における復帰志向をめぐって』豊見山和美（『沖縄県公文書館研究紀要』第9号・2007年3月〈沖縄県公文書館〉）
◉『沖縄県公文書館だより／Archives47号』2014年8月発行（沖縄県公文書館）
◉『わが外交の近況（第9号）』昭和40年7月（外務省）
◉『国会から見た経済協力・ODA（7）／～日韓基本条約、請求権・経済協力協定を中心に（その1）～』行政監視委員会調査室・高塚年明（『立法と調査』2008.4・No.279〈参議院事務局企画調整室〉）
◉『新興国競技大会（GANEFO）における日本選手団参加問題と日本政府：外務省外交史料館所蔵史料を手掛かりとして』冨田幸祐（科学技術情報発信・流通総合システム〈J-STAGE〉）
◉『1964年東京オリンピックにおける参加国・地域に関する史的研究』冨田幸祐（2017年度笹川スポーツ研究助成）
◉『特集にあたって（特集　途上国・新興国のスポーツ）』安倍誠（『アジ研ワールド・トレンド』巻237・2015年7月号〈日本貿易振興機構アジア経済研究所〉）
◉『1960年代初頭日本の対朝鮮半島外交に関する考察ー1964年東京オリンピックと北朝鮮、日韓関係ー』冨樫あゆみ（『韓国研究センター年報』Vol.19・2019年3月29日発行〈九州大学韓国研究センター〉）
◉『日本の仲介外交と日英摩擦ーマレーシア紛争をめぐる日本外交と日英協議、一九六三-六六年ー』ジェームス・ルエリン 神戸大学国際協力研究科（『国際政治』第156号・2009年3月〈日本国際政治学会〉）
◉『飛行機がよくわかる本／ヴィンテージ飛行機の世界』夫馬信一・著／鈴木真二・監修（PHP研究所）
◉『幻の東京五輪・万博1940』夫馬信一・著（原書房）
◉『航空から見た戦後昭和史／ビートルズからマッカーサーまで』夫馬信一・著／鈴木真

◉『Adolf Hitler, Carl Diem, Werner Klingeberg, and the Thousand Year Reich: Nazi Germany and Its Envisioned Post-War Olympic World』 by Garth Paton and Robert K. Barney
◉『レニ・リーフェンシュタールの嘘と真実』スティーヴン・バック・著／野中邦子・訳（清流出版）
◉『THE JAPAN MAGAZINE - OLYMPIC NUMBER』1936 No.1-2（ジャパン・マガジーン社）
◉『TOKYO INVITES …』（第18回オリンピック競技大会組織委員会）
◉『第一回アジア競技大会報告書』昭和二十六年十月三十日（財団法人日本体育協会）
◉『第二回アジア競技大会報告書』昭和30年5月20日（財団法人日本体育協会）
◉『第3回アジア競技大会報告書』1959年3月31日（財団法人日本体育協会）
◉『第三回アジア競技大会聖火リレー報告書』（オリンピック東京大会組織委員会競技部）
◉『アジア競技大會會報』第1号・昭和32年3月25日発行、第5号・昭和32年10月25日発行、第6号・昭和32年12月15日発行、第7号・昭和33年2月25日発行（第3回アジア競技大会組織委員会）
◉『財団法人日本体育協会要覧』昭和二十三年十二月一日（財団法人日本体育協会）
◉『体協時報』第37号・昭和29年12月発行、第40号・昭和30年5月発行、第41号・昭和30年6月発行、第176号・昭和43年7月発行（日本体育協会）
◉『第18回オリンピック競技大会報告書』（財団法人日本体育協会）
◉『日本陸上競技連盟七十年史』日本陸上競技連盟七十年史編集委員会（財団法人日本陸上競技連盟）
◉『早稲田大学競走部七十年史』（早稲田アスレチック倶楽部）
◉『東京オリンピック選手強化対策本部報告書』（財団法人日本体育協会）
◉『オリンピック東京大会への道／東京国際スポーツ大会画報』（ベースボール・マガジン社）
◉『NHK スポーツ資料 1964』『NHK スポーツ資料 1965』（日本放送協会）
◉『第1回アジア競技大会（1951年）への日本の参加経緯』田原淳子、池田延行、波多野圭吾（報告書・体育研究所プロジェクト研究）
◉『オリンピックと資本主義社会3：オリンピック招致と日本資本主義』内海和雄（『人文・自然研究』第2号〈一橋大学〉／一橋大学機関リポジトリ）
◉『自民党30年の検証・8／東京オリンピック』（『月刊自由民主』1985年8月号・通号389号〈自由民主党〉）
◉『オリンピック東京大会・聖火』宮崎県観光課・聖火リレー県実行委員会総務部（宮崎県）
◉『TOKYO OLYMPIAD 1964』（共同通信社）
◉『オリンピック東京招致記念／東京オリンピック』編者：山田米吉、鈴木良徳、川本信正、大谷要三（日刊旭川新聞社）
◉『オリンピックと日本スポーツ史』昭和27年7月5日発行（財団法人日本体育協会）
◉『OLYMPIA → TOKYO 30000 キロ／聖火の道をもとめて』（日産自動車）
◉『聖火の道ユーラシア』麻生武治、森西栄一（二見書房）
◉『ダイハツせんでんニュース』昭和39年6月8日発行、6月27日発行（ダイハツ工業株式会社宣伝課）
◉『〈ベルリーナ〉〈ハイライン〉によるオリンピア→東京聖火コース18,000キロ走破ニュース』昭和39年7月7日発行、7月10日発行、7月31日発行、8月10日発行、9月12日発行、9月28日発行（ダイハツ工業株式会社宣伝課）
◉『道を拓く／ダイハツ工業一〇〇年史』2007年9月発行（ダイハツ工業株式会社）
◉外務省外交史料館所蔵資料：
分類番号 I'. 1. 10. 0 4-6-1『1 国際オリンピック大会関係／第18回東京大会（1964）／聖火リレー関係)』、分類番号 I'. 1. 10. 0 4-6-12『国際オリンピック大会関係／第18回東京大会（1964）／諸国関係者の輸送関係（含む観客)』
◉東京都公文書館所蔵資料：

参考文献

◉『第18回オリンピック競技大会　東京1964　公式報告書　上』（オリンピック東京大会組織委員会）
◉『第18回オリンピック競技大会　東京都報告書』（東京都）
◉『オリンピック東京大会　開閉会式実施要項』（オリンピック東京大会組織委員会）
『オリンピック東京大会資料集4　会場部』、『同8　報道部』、『同9　競技部』（財団邦人オリンピック東京大会組織委員会）
◉『オリンピック東京大会と政府機関等の協力』（文部省）
◉『オリンピック東京大会の警察記録』（警視庁）
◉『東京オリンピック／オリンピック東京大会組織委員会会報』5号、8号、11号、18号、21号、23号、28号（オリンピック東京大会組織委員会）
◉『東京都オリンピック時報』4号、5号、8号、12号（東京都オリンピック準備局）
◉『選手村ニュース』NO.3～NO.6（オリンピック東京大会組織委員会）
◉『職員便覧　1964』（財団法人　オリンピック東京大会組織委員会）
◉『組織委員会議議題集』（財団法人オリンピック東京大会組織委員会）
◉『組織委員会議事録　第1回 - 第31回』（財団法人札幌オリンピック冬季大会組織委員会）
◉『Outline of the Proposed Torch Relay for the Games of the 18th Olympiad, Tokyo 1964 : August 18th, 1962』（オリンピック東京大会組織委員会）
◉『第1回、第3回、第4回、第5回、第6回、第8回、第9回聖火リレー特別委員会資料』（オリンピック東京大会組織委員会・聖火リレー特別委員会）
◉『聖火リレー特別委員会中間報告書』（オリンピック東京大会組織委員会・聖火リレー特別委員会）
◉『オリンピック東京大会聖火リレーについて／第1次、第2次、第3次答申』（オリンピック東京大会組織委員会・聖火リレー特別委員会）
◉『聖火リレー特別委員会／第2回、第3回、第4回、第5回国外小委員会資料』（オリンピック東京大会組織委員会・聖火リレー特別委員会／国外小委員会）
◉『聖火リレー特別委員会／第2回、第4回国内小委員会資料』（オリンピック東京大会組織委員会・聖火リレー特別委員会／国内小委員会）
◉『オリンピック東京大会聖火リレーに使用する航空機について』昭和38年3月28日（オリンピック東京大会組織委員会・聖火リレー特別委員会）
◉『聖火空輸幹事会の研究報告および問題点』（オリンピック東京大会組織委員会・聖火リレー特別委員会／聖火空輸専門委員会）
◉『聖火リレー特別委員会における協議の結果について』（オリンピック東京大会組織委員会・聖火リレー特別委員会）
◉『オリンピック聖火空輸に関する事前調査等』（オリンピック東京大会組織委員会・聖火リレー特別委員会／聖火空輸専門委員会）
◉『聖火リレーに関する事前打合せ（国外）実施計画』（オリンピック東京大会組織委員会・聖火リレー特別委員会／聖火空輸専門委員会）
◉『聖火リレー空輸ルート派遣団員打合わせ会』1964/6/19（オリンピック東京大会組織委員会・聖火リレー特別委員会）
◉『オリンピック聖火空輸特別便に関する実施要項』（日本航空株式会社、日本交通公社）
◉『報告書　第十二回オリンピック東京大會』（第十二回オリンピック東京大會組織委員会）
◉『第十二回オリンピック東京大會　東京市報告書』（東京市役所）
◉『オリンピック第十六巻第五號』昭和十三年五月（財団法人大日本體育協會）
◉『Torches and Torch Relays of the Olympic Summer Games from Berlin 1936 to Rio 2016』（The IOC Olympic Studies Centre）

◉東京大学天文学専攻・国立天文台先端技術センター　本原研究室
◉朝日新聞社
◉毎日新聞社
◉産業経済新聞社
◉イカロス出版株式会社『月刊エアライン』編集部
◉株式会社八重洲出版『オールドタイマー』編集部
◉株式会社東京ビデオセンター
◉文化放送　報道スポーツセンター
◉天狼院書店
◉中日新聞社
◉株式会社長崎新聞社
◉株式会社日刊現代
◉株式会社柴田書店『月刊ホテル旅館』編集部
◉株式会社陸上競技社
◉ユキカゼ @NAVY_ICHIHO
◉大成建設株式会社
◉ベストウイングテクノ株式会社
◉帝都自動車交通株式会社
◉岐阜県中小企業団体中央会
◉岐阜提灯協同組合
◉公益社団法人日本馬術連盟
◉伊藤忠商事株式会社
◉公益財団法人東京都北区体育協会
◉習志野市立大久保小学校
◉習志野市立谷津小学校
◉京成電鉄株式会社
◉小池歯科医院
◉株式会社イケダパン
◉株式会社ニュー・オータニ

◉角田俊男
◉水野一成
◉岩倉佐波吏
◉鈴木宣勝
◉東乙比古
◉床波ひろ子
◉佐藤則夫
◉木下孝二
◉公益財団法人日本体育施設協会
◉独立行政法人日本スポーツ振興センター
◉株式会社崑プロ
◉株式会社ナックイメージテクノロジー
◉遠藤和彦
◉一般社団法人日本映画テレビ技術協会
◉黒澤明研究会
◉吉原純
◉株式会社復刊ドットコム
◉ダイハツ工業株式会社
◉株式会社ヤナセ
◉キヤノン株式会社
◉日本カメラ博物館
◉カメラ映像機器工業会
◉東京都立西高等学校
◉西高同窓会
◉埼玉県立飯能高等学校
◉千葉県立匝瑳高等学校同窓会
◉特定非営利活動法人日本ブラインドマラソン協会
◉早稲田アスレチック倶楽部
◉沖縄国際大学
◉日本女子体育大学
◉佐賀県立三養基高等学校　三養基同窓会事務局
◉佐賀大学同窓会事務局
◉一般財団法人日本航空協会
◉航空図書館
◉ YS-11 木曜会
◉公益財団法人日本バレーボール協会
◉公益財団法人日本陸上競技連盟
◉公益財団法人全国高等学校体育連盟
◉公益財団法人日本中学校体育連盟
◉一般財団法人日本スポーツマンクラブ財団
◉ GreeceJapan.com
◉ National Library of the Philippines
◉ National Library Singapore
◉ People's Association Headquarters
◉ National University of Singapore Students' Union (NUSSU)
◉ Westfälische Nachrichten
◉ The Robert H. N. Ho Family
◉香港公共圖書館／The Hong Kong Central Library
◉古俣モシェ（NHK 国際放送局）
◉在ネパール日本人会
◉イラン・イスラム共和国大使館文化参事室／イラン文化センター
◉ Kungliga biblioteket / National Library of Sweden
◉ Flughafen München GmbH
◉ Det Kgl. Bibliotek / Royal Danish Library
◉ドイツ観光局日本事務所
◉シンガポール政府観光局日本支局
◉ハンギョレ新聞社
◉ National Aeronautics and Space Administration
◉陸上自衛隊宇都宮駐屯地
◉航空自衛隊
◉航空自衛隊入間基地
◉航空自衛隊浜松広報館（エアーパーク）
◉株式会社阪急阪神ホテルズ
◉株式会社阪急阪神ホテルズ　第一ホテル東京・第一ホテルアネックス
◉株式会社ソニー・ピクチャーズ エンタテインメント
◉富士フイルムビジネスイノベーション株式会社
◉富士フイルム株式会社
◉とさでん交通株式会社
◉西村嘉夫（シネマコリア）
◉田原淳子（国士舘大学教授）
◉内閣広報室
◉参議院広報課
◉気象庁天気相談所
◉特許庁
◉国土交通省東京航空局　東京空港事務所
◉大学共同利用機関法人自然科学研究機構　国立天文台

協力

◉公益財団法人日本スポーツ協会資料室
◉秩父宮記念スポーツ博物館・図書館（独立財団法人日本スポーツ振興センター）
◉公益財団法人日本オリンピック委員会
◉公益財団法人東京オリンピック・パラリンピック競技大会組織委員会（2020）
◉INTERNATIONAL OLYMPIC COMMITTEE, Information Management Department
◉IOC - Olympic Studies Centre
◉国立国会図書館
◉千葉県文書館
◉沖縄県公文書館
◉外務省外交史料館
◉東京都公文書館
◉日本貿易振興機構　アジア経済研究所図書館
◉公益財団法人野球殿堂博物館
◉東京都立中央図書館
◉千代田区立日比谷図書文化館
◉新宿区立新宿歴史博物館
◉港区立郷土歴史館
◉習志野市教育委員会社会教育課
◉千代田区 政策経営部 広報広聴課
◉いの町役場
◉港区赤坂地区総合支所
◉渋谷区役所総務課
◉大田区役所戸籍住民課
◉狭山市立博物館
◉狭山市役所総合政策部広報課
◉射水市役所企画管理部　政策推進課
◉宮崎県総務部総務課
◉湯沢市役所生涯学習課
◉同上・教育委員会スポーツ振興課
◉雄勝スポーツセンター
◉菅義照
◉新宿区立牛込仲之小学校
◉学校法人実践女子学園　企画広報部広報室
◉聖心女子大学付属機関　キリスト教文化研究所
◉ANA／全日本空輸株式会社
◉日本航空株式会社
◉アエロフロート・ロシア航空
◉三菱重工業株式会社
◉曽我誉旨生
◉鈴木真二（東京大学大学院　教授）
◉後藤和夫
◉池田元美
◉飯島浩
◉岡野政子
◉井街久美江
◉落合三泰
◉宮城勇
◉Helmuth Buller
◉Fabian Buller
◉George Marcellos
◉Manos Marsellos
◉Louka Katseli
◉Nora Katseli
◉古賀大輔
◉茂垣多恵子
◉和久光男
◉和久淑子
◉池田宏子
◉池田　剛
◉熊田美喜
◉阿部芳伸
◉阿部美織
◉阿部哲也
◉森谷和子
◉森田皓一
◉山之内憲夫
◉松井公一
◉菅野伸也
◉久野明子
◉沼口正彦
◉白木洋子
◉日高幸子
◉羽田正博
◉藤縄忠
◉松下治英
◉熊谷進
◉日本工機株式会社
◉清野昌子

スタッフ

◉交通関連考証・資料提供
曽我誉旨生
◉翻訳等協力
本山光、藤田尚子、加藤容子・ヘジャズィヤン
◉取材テキスト作成
山本晶（AKIRA text create）
◉高知県における調査・取材協力
近澤由美
◉シンガポールにおける調査・資料撮影
田名邉雄
◉イランにおける調査・資料撮影
アリ・ヘジャズィヤン
◉ネパールにおける調査・取材協力
菅沼一夫、高田英明、サンガラウラ京子
◉ P57 地図制作
中村滋
◉編集協力
金子真理、沖山崇、河野智美

著者プロフィール

夫馬信一（ふま・しんいち）

1959年、東京生まれ。1983年、中央大学卒業。航空貨物の輸出業、物流関連の業界紙記者、コピーライターなどを経て、現在は書籍の編集・著述業。主な著書に『幻の東京五輪・万博1940』『航空から見た戦後昭和史』『1964東京五輪聖火空輸作戦』（以上、原書房）、『渋谷上空のロープウェイ』（柏書房）など。

緊急事態《きんきゅうじたい》TOKYO1964

——聖火台《せいかだい》へのカウントダウン

2021年6月23日　初版発行

著者　夫馬信一

発行者　岡田林太郎

発行所　株式会社みずき書林
〒150-0012　東京都渋谷区広尾1-7-3-303
TEL　090-5317-9209　FAX　03-4586-7141
rintarookada0313@gmail.com
https://www.mizukishorin.com/

印刷・製本……シナノ・パブリッシングプレス
組　版……江尻智行
装丁・本文デザイン……黒田陽子・萩原睦（志岐デザイン事務所）

ISBN：978-4-909710-18-5　C0021